An encyclopedia full of
nutrient-rich vegetables

もっとからだにおいしい
野菜の便利帳

白鳥早奈英 監修　板木利隆 監修

高橋書店

はじめに

日本人がもっていた「食の基軸」は、戦後の食糧難から、その後の経済成長の途上で、大きく変わりました。

高たんぱく・高脂肪食は、欧米人並みの体格を熱望した戦後に端を発したもの。それが飽食の昨今では肥満を増やし、糖尿や循環器系の異常といった生活習慣病の呼び水となっています。

日本人の体質に合う「食の基軸」は、いまや低カロリーな野菜抜きでは考えられないことを、だれもが自覚しているはずです。しかし「米、野菜、海産物」を中心とした単純に思える食事が、いかに難しいことか。

食料の国内自給率が問われていますが、輸入食材の安全性への不信感や国産野菜の農薬に対する不安感、遺伝子組み換え食材の問題など、どれもが簡単に説明できる話ではなく、「食の基軸」を安定させるにはほど遠い状況といえます。

そんななか、野菜への期待感は年々増すばかり。売り場には季節ごとに新種が登場し、そのおいしさが声高に叫ばれています。そして味を競うばかりでなく、その効能もおおいに期待されているのです。

以前なら食物繊維の整腸作用や微量な栄養素の抗酸化作用などは、まったく注目されないものでした。しかし食の重要性が説かれる現代、医療や化学の進歩は時代の求めに応じ、野菜の秘められた力をさらに解明していくでしょう。

こうした流れをふまえ、本書ではもっと野菜を楽しむための知恵をいくつもの視点から、野菜の魅力とともに紹介しています。

- はじめに …2
- この本の使い方 …6
- この本の特徴 …7
- からだにおいしい野菜の「食べ合わせ」 …8

実を食べる …11

- トマト …12
- ピーマン …16
- パプリカ …17
- かぼちゃ …18
- とうがらし …20
- ししとうがらし …22
- さやいんげん・ささげ …23
- さやえんどう …24
- グリーンピース …25
- オクラ …26
- ズッキーニ …27
- きゅうり …28
- なす …30
- にがうり …32
- とうがん …33
- そのほかのウリ科 …34
- とうもろこし …36
- えだまめ …37
- そらまめ …38
- そのほかの豆 …39
- らっかせい …40
- ぎんなん・くるみ …41
- くり …42
- ごま …43
- フィサリス・とんぶり …44
- ひし・なつめ …45
- 地方野菜 …46
- 地方野菜の流通 …52
- Column 揚げる …54

根を食べる …55

- だいこん …56
- かぶ …58
- にんじん …60
- たまねぎ …61
- ごぼう …62
- れんこん …63
- らっきょう・エシャロット …64
- やまのいも …65
- さといも …66
- じゃがいも …68
- さつまいも …70
- ホースラディッシュ・きくいも …72
- ビーツ・パースニップ …73
- アピオス・くわい …74
- ウコン・ヤーコン …75
- こんにゃく・チョロギ …76
- セロリアック・ゆりね …77
- うど・ふき …78
- たらのめ・ふきのとう …79
- わらび・ぜんまい …80
- そのほかの山菜 …81
- 山菜の調理法一覧 …84
- しいたけ …85
- まいたけ・えのきたけ …86
- なめこ・しめじ …87
- まつたけ・マッシュルーム …88
- エリンギ・トリュフ …89
- 栽培きのこ …90
- 天然きのこ …91
- Column 焼く …92

葉を食べる …93

- キャベツ …94
- レタス …96
- はくさい …98
- ほうれんそう …99
- こまつな …100
- つけな類 …101
- からしな …102
- しゅんぎく …103
- なばな …104
- たかな …105
- ねぎ …106
- みずな …108
- にら …109
- チンゲンサイ …110

Contents

- くうしんさい … 111
- コリアンダー … 112
- モロヘイヤ … 113
- つるむらさき・みつば … 114
- あしたば・タアサイ … 115
- ロケットサラダ・クレソン … 116
- チコリー・トレビス … 117
- せり・エンダイブ … 118
- つるな・コーンサラダ … 119
- おかひじき・じゅんさい … 120
- おかのり・食用たんぽぽ … 121
- ふだんそう・プルピエ … 122
- アイスプラント・グラパラリーフ … 123
- ブロッコリー … 124
- カリフラワー … 125
- アスパラガス … 126
- たけのこ … 127
- セロリー … 128
- アーティチョーク・コールラビ … 129
- ルバーブ・カクタスリーフ … 130
- もやし … 131
- とうみょう … 132
- スプラウト … 133
- 食用菊 … 134
- エディブルフラワー … 135
- イタリア野菜 … 136
- Column 蒸す … 140

香菜・ハーブを食べる … 141

- にんにく … 142
- わさび … 143
- しょうが … 144
- みょうが … 145
- しそ … 146
- さんしょう・よもぎ … 147
- つまもの … 148
- パセリ … 149
- バジル … 150
- ミント … 151
- オレガノ・ローズマリー … 152
- セージ・タイム … 153
- ディル・レモングラス … 154
- チャービル・フェンネル … 155
- そのほかのハーブ … 156
- 中国野菜 … 158
- タイ野菜 … 160
- Column 干す … 162

フルーツを食べる … 163

- りんご … 164
- バナナ … 166
- パイナップル … 167
- かんきつ類 … 168
- さくらんぼ … 171
- いちご … 172
- もも … 174
- すもも … 175
- ぶどう … 176
- ブルーベリー・ラズベリー … 178
- ブラックベリー・クランベリー … 179
- キウイフルーツ … 180
- すいか … 181
- メロン … 182
- マンゴー … 183
- かき … 184
- なし … 186
- 洋なし … 188
- かりん・マルメロ … 189
- アボカド … 190
- うめ … 191
- いちじく・ざくろ … 192
- びわ・あんず … 193
- カラント・アセロラ … 194
- あけび・ランブータン … 195
- キワノ・ドリアン … 196
- ライチ・マンゴスチン … 197
- ピタヤ・スターフルーツ … 198
- パッションフルーツ・パパイヤ … 199
- チェリモヤ・ココヤシ … 200
- タマリロ・ミラクルフルーツ … 201

名称のさくいん … 202

この本の使い方

食品成分表
可食部分（生）100gあたりのエネルギー量とおもな栄養成分を「日本食品標準成分表2020年版（八訂）」に基づいてまとめてあります。
※ビタミンEの数値はビタミンEα-トコフェロールのみを記しています。

解説
利用や栽培の歴史、栄養成分と効能、品種、おもな調理方法など、その野菜の特徴を解説しています。

名称
名称の表記は、独立行政法人農畜産業振興機構が使用しているものに準じています。ただし一般的な呼び名のほうがわかりやすいものは、その呼称で表記しています。

メイン写真
その野菜で特徴的な品種を掲げています。野菜の良し悪しを見分けるポイントも併記しました。

カレンダー
旬をカレンダーにまとめ、生産量の多い地域も付記しました。

レシピ
野菜の特性を活かした好相性の食材を選び、簡単なレシピにまとめています。食材の量は2人分を基本にしています。

品種群
同じ野菜の他品種や改良種、同じグループの野菜などをまとめて取り上げました。品種名には「　」をつけました。

食べ合わせ
その野菜のもつ効能がより活かされる食材との組み合わせを、レシピもまじえて紹介しています。避けたい食べ合わせについても、適宜ふれています。

この本の特徴

同じ名称の野菜でも、それが昔のままのものとは限りません。品種改良がさかんな野菜は、じつはつねに入れ替わっています。古くから存在していたと思われる地方品種や伝統野菜でも、品種改良はおこなわれます。野菜市場にも流行があり、品種もつねに変化しているのです。

分類・表記

野菜の分類法はさまざまですが、本書では「実を食べる」「葉を食べる」のように、おもに食用とする部位別にしました。

各ページで大きく扱っている写真は、その野菜の特徴をあらわしている品種。そのほかの品種や同系統の野菜などは、まとめて「品種群」として紹介しています。市場に出回り始めた新野菜も数多く集めました。

野菜の名称は、つねに単一のもので表記されているとは限りません。売り場で見かける「商品名」にもバラつきがあります。その由来には品種名、地方俗称、商品用呼称、俗称などがあり、品種名と商品名が一致しない場合もあります。そこでこの本では、野菜の名称については「独立行政法人 農畜産業振興機構」の表記を基準にしました。

産地・旬

通年入手できる野菜が増え「旬」の考え方も変わりました。その産地がどこなのか、露地栽培なのかハウス栽培なのか、どんな品種かによって、それぞれ「旬」が異なります。

たとえばキャベツは、3～5月は千葉や神奈川産の春玉、6～10月は群馬や長野産の高原キャベツ、11～3月は愛知産の寒玉が出回ります。さまざまな品種が別々の場所で栽培されているため、キャベツには旬が何度もあることになります。

そんな複雑な旬と産地の情報を、この本では「おいしいカレンダー」にまとめています。

栄養・効能など

その野菜に多く含まれている栄養成分の記述は「日本食品標準成分表2020年版（八訂）」に基づいています。また、注目すべき効能や、その有効性を高めるような食材との組み合わせ、調理法など、実用性の高い情報も紹介しています。

選び方・保存法

よりよい野菜を見分けるポイントも多数紹介しました。もちろん望ましいのは新鮮なうちに調理し、おいしくいただくことです。そのおいしさの記憶を基軸として野菜を選べば、野菜への意識はいっそう深まるはずです。

ときに、食べきれない量の野菜が手に入る場合もあるでしょう。そのまま保存するなら、本書では通気性と保湿性が高い新聞紙でくるむ方法を

データは、農林水産省統計情報部の園芸統計などを参考に作成しました。

おもにすすめていますが、手近にある別の物を用いてもかまいません。下ゆでする、食べやすい大きさに切って冷凍する、酢漬けなどに加工する、といった保存法も紹介しています。

また、かぼちゃやさつまいものように、しばらく置いておくことでよりおいしくなる野菜もあります。そんな野菜ごとの正しい保存法についても、ふれています。

料理

紹介した料理は、野菜のもつ効能をより幅広く活かしていただけるレシピです。食卓にのせるさまざまな食材の組み合わせこそが、健康への鍵を握っていることを、食事を楽しみつつご納得いただけることでしょう。

ほかにも、ゆで方、切り方、下ごしらえの方法や、ちょっと変わった利用法、メニュー作りのヒントになるような簡単レシピなど、お役立ち情報は盛りだくさんです。

からだにおいしい野菜の「食べ合わせ」

食べ合わせとは

野菜の味や香り、見た目が異なるように、含まれる有効成分にも、さまざまな特徴があります。これらをうまく活かし、複数の食材を組み合わせて食べることを「食べ合わせ」と呼んでいます。

食べ合わせをすると、それぞれのもつ栄養素の効能に変化が生じる場合があります。たとえば単品で食べたら栄養成分が体内で活かされないような食材も、それをサポートする栄養素をもつものと食べ合わせれば、高い効果が得られます。逆にすぐれた栄養価をもつ食材でも、組み合わせたものに含まれる成分によっては、せっかくの効能が失われてしまうことも。せっかく多くの人々の手を経て届けられた食材ですから、感謝とともに効能を引き出す食べ方をしたいものです。

我々は生きていくために必ず食事をします。この日々の食事で、少しだけ食材どうしの組み合わせに気を遣えば、互いの栄養成分が活かされる食べ方ができます。本書では野菜をメインにすえた、からだにおいしい食べ合わせを多数掲載しました。以下に実例をまじえて、基本的な効果を3つに分けて紹介します。

相乗効果

食材どうしの効能が、倍以上に活かされる食べ合わせです。

例 しその葉×レモン

しその葉に含まれるビタミンEがもつ若返り効果と、レモンのビタミンCのもつ美肌効果とが、ともにより増強されます。しその葉をサラダや天ぷらにしてレモンをたっぷりしぼれば、からだにメリットの多いおいしい食べ方になります。疲労回復効果も期待できます。

栄養学博士
白鳥早奈英

栄養学博士、心療カウンセラー、健康運動指導士。青葉学園短期大学食物栄養科、日本女子大学食物科卒業後、東京農業大学栄養科、アメリカ・ジョージア州立大学栄養科で学ぶ。エモリー大学講師、バークレー科学大学大学院客員教授。1982年、日本で初めて栄養学的な面から「食べ合わせ」を提唱。新聞や雑誌での執筆のかたわら、テレビのコメンテーターとしても活躍。著書は70冊に及ぶ。「食塾」主宰。

相加効果

食材どうしがもつ効能が、さらに効果を発揮します。

例) トマト×植物油

トマトに含まれるカロテンや赤い色素のリコピンは脂溶性なので、ヘルシーな植物油と食べ合わせましょう。カロテンの吸収率が5倍にも高まることで、ガン予防や風邪予防、花粉症予防の効果も高まります。カロテンもリコピンも加熱に強いので、加熱加工された缶詰からでも栄養素は摂れます。スープやシチューなどにおすすめです。

例) カリフラワー＋牛乳

カリフラワーに含まれているビタミンCに、牛乳のたんぱく質、ビタミンB₂、カルシウムがプラスされ、美肌効果が高まります。ビタミンCは火に弱いので、なるべく生で食べるようにしましょう。ディップ（野菜やクラッカーなどにつけて食べるもの）にしても。生食は、海外では一般的です。

例) かぼちゃ＋オクラ

かぼちゃに含まれるビタミンEとオクラのビタミンCは、それぞれの栄養素のよさが最大限に活かされる、理想的な食べ合わせです。ビタミンEは細胞の若返りをうながすため老化予防効果があり、ビタミンCは美肌づくりやストレス緩和に効果的です。
かぼちゃのビタミンEは油脂分といっしょに摂ったほうがよいので、油を使ったドレッシングで温サラダなどにしても。

例) ごぼう＋ヨーグルト

ごぼうのリグニンという不溶性食物繊維は難消化性ですが、腸内をきれいにする働きがあります。よって女性に多い大腸ガンの予防効果も見込めます。また消化されにくいため、腸内の善玉菌であるビフィズス菌のエサにもなりうるので、免疫力が向上するとともに肥満防止効果もあります。ごぼうをヨーグルトで和えてサラダなどにしてもよいでしょう。

例) アスパラガス＋わかめ

アスパラガスに含まれるアスパラギン酸はアミノ酸の一種で、体内にたまった有害物質を排泄し神経を守る効果があります。このアスパラギン酸の吸収を、わかめのヌルヌル成分であるアルギン酸が高めます。アスパラガスとわかめを、スープや炒め物にしていただいても。

相殺（そうさい）効果

どちらか一方、あるいは互いの効能を失わせてしまう食べ合わせです。特に必要としている栄養成分が含まれている場合は、避けたほうが賢明でしょう。

例）ほうれん草－大豆

ほうれん草のカルシウムの吸収を、大豆のフィチン酸が妨げてしまいます。カルシウム不足は、骨や歯の維持にも影響を及ぼします。

例）れんこん－アサリ

れんこんに含まれるポリフェノールのタンニンがアサリに含まれる鉄分と結びついて、吸収を妨げるといわれています。

体においしく

本書でおすすめの食べ合わせとして紹介している食材は、1品の料理に使わなくても、1回の食事で摂ればOKです。たとえばダイエット中の方が、どうしてもカロリーの高い肉を食べたいときは、別のおかずでしらたきを食べるなどしましょう。しらたきの食物繊維によって脂肪の吸収が妨げられます。あるいは食後にグレープフルーツをいただけば、食物繊維と酸味成分のクエン酸とがダイエット効果をもたらしてくれます。

食べ合わせたい食材は、一度の食事で摂れなかったとしても、あまり時間をあけなければ効果は見込めます。アルコールなどは30〜40分で胃腸からの吸収が始まり、炭水化物やたんぱく質は3〜12時間と、消化吸収に時間がかかります。なるべく時間をあけずに食べて、同時に消化吸収の過程をたどれるようにしたほうがいいでしょう。

本書で取り上げた食べ合わせの食材は、比較的入手しやすいものが中心です。日々の食事に手軽に取り入れてみていただければと思います。

実を食べる

Fruiting Vegetables

トマト　ピーマン　パプリカ
かぼちゃ　とうがらし　ししとうがらし
さやいんげん・ささげ　さやえんどう　グリーンピース
オクラ　ズッキーニ　きゅうり
なす　にがうり　とうがん
そのほかのウリ科　とうもろこし　えだまめ
そらまめ　そのほかの豆　らっかせい
ぎんなん　くるみ　くり　ごま
フィサリス　とんぶり
ひし　なつめ　地方野菜

緑黄色野菜 実

トマト
小金瓜、蕃茄

tomato

ガンや老化を予防するすぐれた栄養食材

注目したいのは、皮の赤い色素に含まれるリコピンです。有害な活性酸素の働きを抑える強い抗酸化作用があり、ガンや動脈硬化などの予防効果が高いことがわかっています。
そのほか、栄養成分をたっぷりで、クエン酸などの働きで血糖値の上昇まで抑えてくれる健康野菜です。また特徴的な風味などによって、魚や肉の臭みを消しつつうまみを増してくれるので、調味料としても非常にすぐれているといえるでしょう。

食品成分表（可食部100gあたり）

エネルギー		20kcal
水分		94.0g
炭水化物		4.7g
無機質	ナトリウム	3mg
	カリウム	210mg
	マグネシウム	9mg
	リン	26mg
ビタミン	A β-カロテン当量	540μg
	B₁	0.05mg
	B₂	0.02mg
	B₆	0.08mg
	葉酸	22μg
	C	15mg
食物繊維総量		1.0g

おいしいカレンダー ●おいしい時期

夏秋トマト：北海道、茨城、福島
冬春トマト：熊本、茨城、栃木

Data
学名：Lycopersicon esculentum
分類：ナス科トマト属
原産地：中南米
仏名：tomate
独名：Tomate

ヘタが黒いものは出荷後、人工的に完熟させている

グッと重いものは糖度も高い

保存法

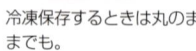
冷凍保存するときは丸のままでも。

冷凍すれば簡単に皮がむける。ハチミツなどをかけるだけでデザートに。

フルーツトマトとは
品種名ではなく特別な栽培方法によって作られた高糖度トマトのこと。果物のように甘い。

➡粘膜を丈夫にしガンや感染症を予防。頭もクリアにする
おろしトマト麺
材料
トマト（大）…2個
そうめん…2人分
めんつゆ…約300cc
エキストラ
　バージンオリーブ油…小さじ1

作り方
1. トマトをおろし金でおろす。
2. 1と同量のめんつゆで割り、オリーブ油を加える。
3. ゆでたそうめんを2につけていただく。

リコピンにはビタミンEを
リコピンを効果的に摂るには、ごまや落花生などに含まれているビタミンEをいっしょに。脂溶性なので、油を使って調理するとよい。ビタミンCの体内活性を高めるケルセチンを含むので、ビタミンCを含むほかの食材と合わせると美肌効果が。皮には薬効が多いので、なるべくむかないこと。

食べ合わせ

〈代表的組み合わせ〉　〈ほかにも〉

組み合わせ	効果
トマト + じゃがいも · ブロッコリー · にんにく · たまねぎ	活性酸素除去（老化防止）
トマト + キャベツ · 唐辛子 · ほうれん草 · チンゲン菜	ガン予防 血行促進
トマト + レモン · カリフラワー · ピーマン · パセリ	血圧降下作用 高血圧予防
トマト + 酢 · オレンジ · りんご · いちご	疲労回復効果 肩こり予防・緩和

tomato—トマト

品種群

「シシリアンルージュ」
シシリア生まれの本格的イタリアン食材用トマト。濃厚な味は、加熱調理にも生食にも。

ミニトマト
ひと口サイズの小型トマト。プチトマトともいわれる。赤、黄、オレンジ色もある。

「桃太郎ゴールド」
人体が吸収しやすいシス型リコピンを含む橙黄色の「桃太郎」。肉質が緻密で酸味とのバランスもよく、独特の風味がある。

「桃太郎」
果肉がしっかりしていて、熟しても実が崩れないのが特徴。大玉ピンク系トマトとしては、主流の品種。

「フルーツゴールド」
オレンジ色の中玉トマト。酸味が少なく、高糖度で甘さがきわ立つ。ビタミンなども豊富。

「フルーツイエロー」
黄色いミニトマト。小粒で酸味が少なく、高糖度で皮がやわらかいのが特色。口に皮が残らず、子どもにも大人気。

「フルーツルビー」
糖度がとても高いので、ひと口含むと果物のような甘さが広がるのが、大きな特徴。

「アメーラルビンズ」
特別な栽培方法で作られた、だ円形の美しい高糖度トマト。おもに静岡県と長野県で栽培されている。

「シンディスイート」
中玉種。甘さ、コク、酸味のバランスがとれた濃厚な味。加熱調理にも。使い勝手のよいトマト。

グリーン
完熟しても赤くならない緑色の品種。リコピンを含まない。サルサソースなどに。

「グリーンゼブラ」
リコピンを含まない緑色品種。しま模様がある。完熟前のややかたいうちにソテーにすると美味。

「にたきこま」
プラム形で色も味も濃厚。煮崩れしにくく、とろみが強い加熱調理向き品種。

「ピッコラルージュ」
糖度10前後の濃厚な甘みをもつミニトマト。コクもあり、特に生食がおいしい。

「カンパリ」
お酒の「カンパリ」から名づけられた中玉種で甘くてフルーティー。オランダ原産種。

「トマトベリー」
ハート形のミニトマト。甘さと酸味のバランスがよく、肉厚。形を活かして加工品にも。

「アイコ」
通常の2倍のリコピンを含む、プラム形ミニトマト。果肉が厚く、調理にも生食にも。

トマト料理

血液の流れをととのえ 高血圧や動脈硬化を予防
ロハスコンケソ

材料
- トマト…1個
- パプリカ…2個
- ピーマン…1個
- 豚もも薄切り肉…150g
- にんにく…1片
- チポトレソース…大さじ3 （ハラペーニョのくんせいソース／なければ類似のホットソースで代用）
- スライスチーズ…2枚
- オリーブ油…大さじ1

作り方
1. トマト、パプリカ、ピーマンと肉は食べやすい大きさに切っておく。にんにくはみじん切りに。
2. フライパンにオリーブ油とにんにくを入れる。香りが立ってきたら肉と野菜を加えて炒め、チポトレソースを加えて味をからめる。
3. 2を耐熱容器に移してスライスチーズをのせ、オーブントースターでチーズがきつね色になるまで焼く。

ガンを予防し、血行を促進。食欲増進効果も
トマト冷麺

材料
- ミニトマト…10個
- 冷麺…2人分
- キムチ…40g
- ねぎ…1/4本
- 豆板醤…小さじ1
- トマトジュース…1缶(190cc)
- めんつゆ…300cc
- 白ごま…適量

作り方
1. ねぎは縦に細切りにし、白髪ねぎにする。
2. 分量どおりの水で割っためんつゆとトマトジュースを3:2の割合で合わせ、そこに豆板醤を加える。
3. ゆでた冷麺に2をかけ、キムチ、トマト、ねぎを盛りつけ、ごまを散らす。

抗ガン作用、脳の活性化、認知症予防に
サンマサルサトマトソース

材料
- ミニトマト…8個
- サンマ…2尾
- たまねぎ…1/4個
- タバスコ…小さじ1
- ビネガー…小さじ1
- 塩 こしょう…少々

作り方
1. トマトはさいの目に切り、たまねぎはみじんに切る。
2. ボウルに1を入れ、タバスコとビネガーを加え、塩、こしょうで味を調える。
3. 塩焼きしたサンマを器に盛り、2をかける。

糖尿病予防、肥満防止に。老化防止効果も
トマトピラフ

材料
- トマト（中）…6個
- 米…2合
- アサリ…1パック
- ベーコン…100g
- たまねぎ…1/2個
- トマトジュース…1カップ
- ブイヨンスープ…1カップ
- バター…10g
- 塩 こしょう…少々
- 粉チーズ…少々
- オリーブ油…適量

作り方
1. トマトは縦割り、たまねぎはみじん切り、ベーコンは5mm幅の拍子木切りにする。アサリはよく洗って砂抜きしておく。
2. ベーコンとたまねぎを油で炒め、塩、こしょうをしてから米を加える。全体に油がからまったら炊飯器に入れ、スープとトマトジュースで水加減をする。
3. 2にアサリとトマト、バターを加え、炊飯する。炊きあがったら器に盛り、粉チーズをかける。

疲労回復に。胃腸の調子をととのえ、肌を美しく
フルーツ＆トマトホットドリンク

材料
- トマトジュース…2缶(380cc)
- はちみつ…適量
- りんご、オレンジ、いちご、キウイフルーツ、グレープフルーツなど好みの果物…適量

作り方
1. 果物は食べやすいよう小さくカットする。
2. 耐熱のグラスに1とトマトジュースを入れ、レンジで温める。甘みが足りない場合は、はちみつで調整する。

疲労物質の除去、老化防止にも
トマトカップグラタン

材料
- トマト（大）…2個
- 卵…2個
- マヨネーズ…大さじ2
- 塩 こしょう…少々

作り方
1. トマトはヘタの下2cmくらいを切り取り、中身をくりぬく。くりぬいた部分は、さいの目切りにする。
2. 卵をかたゆでし、粗みじんにきざんで1のさいの目切りトマトと合わせ、マヨネーズ、塩、こしょうで和える。
3. 1のトマトカップに2を詰め、オーブントースターで5分ほど焼く。

tomato—トマト

品種群

「ピッコラカナリア」
黄色のミニトマト。高い糖度とカロテンを含むのが特徴。生食で。

「ファースト」
果先がとがるのが特徴的な大玉種。皮も味も薄めなピンク系トマトで、肉質はかためだがジューシー。冬から春に出回る。

「マイクロミニ」
原種トマトに近い改良品種。果実の大きさは直径5～10㎜。そのままソースなどに。

イタリアン
サンマルツァーノに代表される調理用トマト。果肉が厚く、中身のゼリー分が少ない。うまみ成分を多く含む。

「ぜいたくトマト」
甘みと味の濃さが特徴の赤系大玉種。ヘタのまわりまで真っ赤になり、果肉はなめらかでジューシー。

「黄寿」
めずらしい黄色の大玉トマト。酸味が少なく糖度が高い。独特の風味をもっている。

ブラック
果皮が黒みを帯びたミニトマト。リコピンのほかにアントシアニンも含む。

「こくみラウンド」
桃太郎よりもひとまわり小さい丸形のトマト。しっかりとした果肉は、生食でも調理でも。

「オレンジバナナ」
ロシアの伝統種。橙色のプラム形で甘みが強く香りもよい。サラダ、ドライ、ソースと万能。

「イルディ」
直径が2cmほどの黄色いミニトマト。ジューシーなので、ぜひサラダで。

「キャロットトマト」
カロテンが豊富に含まれている中玉種。生食でも加熱調理でも。

「グッピー」
熱帯魚のグッピーから名づけられた品種。加熱するとおいしさが増すミニトマト。

徳谷トマト
高知県徳谷地区で生産されている高糖度のフルーツトマト。超高級なブランド品。

「エバーグリーン」
大玉の緑色品種。クセがなくさっぱりしているので、生食で。炒め物のほかピクルスにも。

料理

ガン予防、疲労回復効果が。皮膚や髪も健康に

スクランブルトマト

材料
トマト（中）…4個　　塩　こしょう…少々
卵…2個　　　　　　　オリーブ油…適量
牛乳…小さじ2

作り方
1. トマトはヘタを取り、ざく切りにする。
2. ボウルに卵を割りほぐし、牛乳、塩、こしょうを加えておく。
3. フライパンを熱しオリーブ油で1を炒め、塩、こしょうをふってから2を加える。半熟状に手早く仕上げるのがコツ。

緑黄色野菜 実

ピーマン
sweet pepper, bell pepper

学名：Capsicum annuum
分類：ナス科トウガラシ属
原産地：熱帯アメリカ
仏名：poivron

Data

炒め物に少量加えれば美肌づくりに役立つ

栄養価の高い野菜で、特に豊富なのはビタミン類です。免疫力を高めるカロテンも豊富で、油で調理すると吸収されやすくなります。独特のにおいのもとピラジンには、血液をサラサラにして血栓や血液凝固を防ぐ効果があるといわれています。

60年代半ばのピーマンに比べるとビタミンCが7割くらいに、B群には半減したものもあります。品種改良などの影響か、青臭さとともに栄養価も減ってきているようです。

食品成分表（可食部100gあたり）
エネルギー		20kcal
水分		93.4g
無機質	カリウム	190mg
	マグネシウム	11mg
	リン	22mg
ビタミン	A β-カロテン当量	400μg
	K	20μg
	B₁	0.03mg
	B₂	0.03mg
	ナイアシン	0.6mg
	B₆	0.19mg
	葉酸	26μg
	C	76mg
食物繊維総量		2.3g

おいしいカレンダー ●おいしい時期

5　6　7　8　9　10

周年：茨城、岩手
冬春ピーマン：宮崎、茨城、高知

〈上〉
古いものは切り口が変色している

疲労回復、美肌効果が。高血圧予防にも
ピーマンの卵詰め

材料
ピーマン…2個
卵…1個
ハム…2枚
たまねぎ…1/6個分
マヨネーズ…大さじ2
塩　こしょう…適量
粉チーズ…適量

作り方
1. ゆで卵を作り粗みじんにする。ハムはみじん切り、たまねぎもみじん切りに水にさらして辛みをおさえる。
2. ピーマンは縦半分に割り、タネを取ってから30秒ほどレンジにかける。
3. 1をマヨネーズで和え、塩、こしょうで味を調えたら、2に詰める。
4. 粉チーズをふり、オーブントースターで焼き色をつける。

肉厚で弾力のあるものがよい。時間とともにかたくなる

つややかで表面がみずみずしいもの

保存法
傷みの原因となる水けを徹底的に取り、ビニール袋に入れて冷蔵庫で1週間。古くなると黒ずんで味も落ちる。

品種群

赤ピーマン
緑ピーマンを完熟させたもの。青臭さがなく、甘みがある。果肉はパプリカよりも薄い。

ジャンボピーマン
肉厚で大型。パプリカとして扱われる場合も。

「とんがりピーマン」
円筒形のピーマン。タネが少なく調理しやすい。

「甘辛」
バナナ形ピーマン。通常の緑ピーマンに比べるとクセがなく、苦手な人にも食べやすい。

「クレセント」
バナナ形ピーマンの完熟タイプ。甘みがあり、見た目がきれいなので、生食で。

美肌や老化防止に
ピーマンに豊富に含まれるビタミンCは熱に強いのが特徴。美容ビタミンといわれるビタミンB₂を含むきのこ類や卵と組み合わせると、美肌や老化防止などの効果がアップ。緑の色素成分クロロフィルには、貧血予防や血中コレステロール値を下げる作用があり、ダイエットにも効果的。

食べ合わせ

〈代表的組み合わせ〉　〈ほかにも〉

 ＋ 　 　▶　糖尿病予防、肥満防止
ピーマン　玄米　やまのいも　ホタテ貝　カキ　強精・強壮効果、肝機能強化

 ＋ 　 　▶　高血圧予防
ピーマン　たまねぎ　こんにゃく　ふき　セロリー　動脈硬化予防

 ＋ 　 　▶　胃腸病予防
ピーマン　しそ　かぶ　ねぎ　唐辛子　血行促進

 ＋ 　  　▶　ガン予防、体力増強
ピーマン　小松菜　にら　しいたけ　なす　老化防止、美肌づくり

sweet pepper—ピーマン　　sweet pepper—パプリカ

緑黄色野菜　実

パプリカ
sweet pepper, paprika

青臭くなく生でも焼いても体においしい

赤、黄、オレンジなど、カラフルで大型の肉厚ピーマンです。ピーマン特有の青臭さや苦みはなく、甘みがあってジューシー。

栄養価の面でも、抗酸化作用が高いビタミンCがたっぷりで、ガン予防に効果があるとされるカロテンも豊富です。

かための皮を焼いて、むいて生で食べてもおいしく、油を使って調理するとカロテンの吸収率が高まるので、マリネや油炒めの彩りにもおすすめです。

```
Data
学名：Capsicum annuum
分類：ナス科トウガラシ属
原産地：熱帯アメリカ
仏名：poivron
```

収穫後、日数が経つと切り口から傷む。皮にしわのあるものは鮮度が落ちている

おいしいカレンダー　●おいしい時期
6　**7　8　9　10**　11
高知、熊本、宮崎

（中） 
タネが育っていないもののほうが果肉もやわらかい

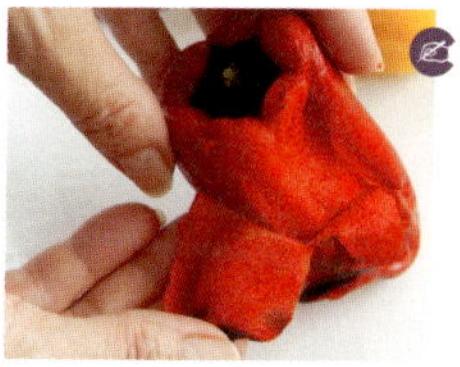

皮のむき方
オーブントースターなどで焦げ目をつけ、熱いうちにポリ袋に入れると皮がむきやすい。生のときより甘みが増して、いっそう美味。

緑は未熟果
緑の効果は完熟すると赤や黄、オレンジになる。紫や白などは未熟果のまま利用するもの。

品種群

「アナスタシア」
ロシア原産の品種。レッドはカロテンが多く、ブラックはさらにアントシアニンも含む。

🩸 血栓予防や生活習慣病対策、美肌づくりにも
パプリカのアンチョビソテー

材料
パプリカ…2個
アンチョビ（フィレ）…3〜4枚
にんにく…1片
オリーブ油…適量
塩　こしょう…少々

作り方
1. パプリカは食べやすい大きさに切る。にんにくはみじん切りに、アンチョビは包丁でたたいてペースト状にしておく。
2. 熱したフライパンに油とにんにくを入れ、香りが出てきたらパプリカを加える。さらにアンチョビを入れて炒め、塩、こしょうで味を調える。

カラフルな色の秘密
赤いパプリカに含まれるのはカプサンチン、黄色やオレンジ色のものにはゼアキサンチンという色素。どちらもカロテノイドの一種キサントフィルという成分で、強い抗酸化作用があり、動脈硬化や糖尿病、ガン予防のほか、皮膚や目の粘膜を保護する働きをもつ。熱に強く、油との相性もよい。

🍴 食べ合わせ

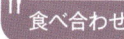
パプリカ ＋ オリーブ油
▶ **ストレス解消　美肌づくり**

パプリカ ＋ かぶ ・ ねぎ
▶ **血行促進　胃腸障害の改善**

17

緑黄色野菜 実

かぼちゃ
南瓜
pumpkin, squash

ビタミンEがホルモンを調整し体を若返らせる

「冬至に食べると病気にならない」と古くからいわれてきたように、とても栄養価の高い野菜です。特に豊富なのが、免疫力を高めるカロテンやビタミン類。ビタミンEにはホルモン調整機能があり、肩こりなどの更年期障害の症状を改善するほか、血行もよくします。

多くの野菜は新鮮なほど栄養価が高いのですが、かぼちゃは別。熟していないものは甘みが弱くパサパサしてカロテンも少ないので、丸のまま買う時間をおきましょう。

食品成分表
（日本かぼちゃ可食部100gあたり）

エネルギー		41kcal
水分		86.7g
たんぱく質		1.6g
炭水化物		10.9g
無機質	カリウム	400mg
	カルシウム	20mg
	マグネシウム	15mg
	鉄	0.5mg
ビタミン	A β-カロテン当量	730μg
	E	1.8mg
	B₁	0.07mg
	B₆	0.12mg
	C	16mg
食物繊維総量		2.8g

おいしいカレンダー ●おいしい時期

国産：宮崎、千葉、神奈川

輸入：ニュージーランド、メキシコ

中

タネがかたいものは完熟。タネの間にすき間のあるものは熟しすぎ

❤ ガンや生活習慣病予防に。貧血防止にも
かぼちゃサラダ

材料
かぼちゃ…300g
レーズン…30g
マヨネーズソース
　マヨネーズ…大さじ2
　牛乳…大さじ1
　砂糖…小さじ1
　塩…少々

作り方
1. かぼちゃはわたと皮を取ってから、さいの目に切る。耐熱容器に入れ、水少々を入れてラップをかけ、レンジで5分ほど加熱してやわらかくする。
2. レーズンはゆで戻して、やわらかくしておく。
3. ボウルにマヨネーズソースの材料を入れてよくまぜ、粗熱がとれた1と2を加えて和える。

ヘタの茎がコルクのように枯れているものが完熟

凹凸がくっきりしていて、ツヤのあるものがよい

Data
学名：Cucurbita moschata
分類：ウリ科カボチャ属
原産地：
（日本カボチャ）中央アメリカ
（西洋カボチャ）南アメリカ
仏名：courge
独名：Kurbis

🏠 保存法
カットしたものは傷みやすい。タネの部分をくりぬき、ラップして冷蔵庫の野菜室へ。軽くゆでて冷凍も可。

🔪 下準備
輸入もののポストハーベストが気になるなら、皮の表面をたわしでよく洗う。皮をところどころ厚くむいて下ゆですると、不安物質が溶け出しやすい。

食べ合わせ

カロテンの宝庫

赤い色素カロテンと黄色い色素キサントフィルはどちらも脂溶性なので、脂質といっしょに摂ると吸収率がアップ。油炒めのほか、ドレッシングやマヨネーズとの組み合わせもよい。また、ゆばや削り節といったグルタミン酸を含む食材と組み合わせると、健脳効果が期待できる。

＜代表的組み合わせ＞　＜ほかにも＞

かぼちゃ + イワシ	ニシン・豚肉・バター	▶ ガン（肺ガン）予防
 かぼちゃ + カキ	タイラ貝・ホタテ貝・牛肉	▶ 認知症予防、貧血予防 味覚障害予防
 かぼちゃ + 削り節	ゆば・カツオ・ウナギ	▶ スタミナ増強 健脳効果
 かぼちゃ + あずき	なす・ぶどう・お茶	▶ 心臓病予防 動脈硬化予防

pumpkin—かぼちゃ

「黒皮かぼちゃ」（日向かぼちゃ）
日本かぼちゃの代表種。皮がゴツゴツしていて、甘さは控えめ。皮は熟すと赤くなる。

「宿儺」
飛騨高山の丹生川地域特産で、最近復活した品種。果長は40cmほど。皮が薄く煮崩れしやすい。

「坊ちゃん」
500gほどの小型かぼちゃ。粉質で味がよく、カロテン含有量が特に多い。丸のままレンジで7〜8分加熱すると調理がラク。

「黒皮栗」
えびすかぼちゃともいわれる代表的な西洋種。果肉はホクホクとした粉質系で、甘みがある。

「バターナッツ」
ひょうたんのような形とクリーム色の表皮がユニーク。皮は薄く扱いやすい。甘みが強く、実はねっとり。

「白皮栗」
メロンにも似た薄緑色の皮が特徴。強い粉質で、そのホクホク感は他を圧倒。日もちもする。

「鹿ヶ谷」
京都特産の日本かぼちゃ。ちりめん状の表皮とユニークな形が特徴的。粘質で水分が多く、煮物向き。

「打木赤皮甘栗」
加賀野菜として人気で、果肉はあざやかなだいだい色。水分が多く、ねっとりしていて煮物向き。

「コリンキー」
700g前後のミニかぼちゃ。未熟果を皮ごと食す。さわやかでクセがなく、生食や漬け物に。

「そうめんかぼちゃ」
果肉が繊維状なので、切ってゆでると、めん類のようにパラパラほどける。三杯酢でさっぱりと。

ペポ
おもちゃかぼちゃとも呼ばれる観賞用かぼちゃ。色や形のバリエーションが豊か。

「プッチィーニ」
果重が200〜300gのミニかぼちゃ。甘みが強く、レンジで加熱するだけで食べられる。

エイコーンスカッシュ
アメリカ生まれの品種。果先がとがり、やや縦長。果肉は加熱すると、ねっとりと甘くなる。

「テーブルクイーン」
手のひらサイズのミニ種。皮は白く味はやや淡泊。形を活かして肉詰めにすると美味。

➥ 健脳効果に加え老化防止、スタミナ増強にも

かぼちゃとゆばの炊き合わせ

材料
- かぼちゃ…1/4個
- しめじ…1パック
- 生ゆば…20g
- だし汁…1カップ
- みりん…大さじ2
- 薄口しょう油…小さじ1
- 塩…少々

作り方
1. かぼちゃはタネとわたの部分を取り、ひと口大に切る。しめじは小房に分け、ゆばは食べやすい大きさに切っておく。
2. 鍋にだし汁と調味料を入れて中火にかけ、温まったら、皮を下にしてかぼちゃを並べる。
3. やわらかくなったら、しめじとゆばを順に加え、煮含める。

とうがらし

chili pepper, green pepper

緑黄色野菜　実

唐辛子

生のものにはビタミンCがたっぷり

独特の辛みのもとカプサイシンは、胃液の分泌をうながし、消化吸収を助けて食欲を増進させる効果や、血行をよくして体を温めるなどの効果があります。さらに注目されているのが肥満防止効果。カプサイシンが脳の中枢神経を刺激してエネルギー代謝を促進するため、体脂肪が分解されるといわれています。乾燥させた鷹の爪なども栄養たっぷりですが、ビタミンCがありません。色とりどりの生のものも、ぜひ楽しんでください。

食品成分表（可食部100gあたり）
エネルギー		72kcal
水分		75g
炭水化物		16.3g
無機質	カリウム	760mg
	マグネシウム	42mg
	リン	71mg
ビタミン	A　β-カロテン当量	7700μg
	B₁	0.14mg
	B₂	0.36mg
	ナイアシン	3.7mg
	B₆	1.00mg
	葉酸	41μg
	C	120mg
食物繊維総量		10.3g

おいしいカレンダー　●おいしい時期

赤唐辛子　7・8・9・10
青唐辛子　8・9・10

茨城、栃木

葉唐辛子
小さな唐辛子のさやをつけて収穫したもの。若干辛く、つくだ煮や油炒めにする。

🌶 血行を促進し免疫力をアップ。ダイエット効果も
キムチペースト

材料
- 唐辛子（中挽きのもの）…1/2カップ
- にんにく…大さじ2
- しょうが…大さじ1
- イカの塩辛…大さじ3
- 砂糖…大さじ1

作り方
1. にんにくはみじん切り、しょうがはすりおろしておく。
2. イカの塩辛を鍋に入れ、中火にかける。焦がさないよう注意し、火が通ったらイカの身を取り除いて煮汁を冷ます。
3. ボウルに唐辛子と砂糖、1、2を入れ、よくまぜ合わせる。冷蔵庫で3週間ほど保存可能。

＊野菜を漬けるだけでなく、調味料としても。

＊とろみをつけるなら、大さじ1の白玉粉をカップ1/2の水で溶き、中火にかけて練った「のり」を加える。

Data
- 学名：Capsicum annum
- 分類：ナス科トウガラシ属
- 原産地：熱帯アメリカ
- 仏名：piment, poivre long
- 独名：spanischer Pfeffer, Paprika

🔴 保存法
しっかり乾燥させないとカビや変色が。ラップして冷凍するのもよい。

皮にハリのあるもの、かたく乾いたものは古い

未熟果でタネの少ないものは辛みが強い

韓国唐辛子
キムチやチゲに。青いものはみそ漬けにも。

油と組ませて効果アップ

辛み成分カプサイシンは、熱に強く油によく溶けるため、まず炒めて香りを出してから調理するのがコツ。また、にんにくを組み合わせるとより高い強壮効果が。カロテンとビタミンCも豊富なので、肉や魚などのたんぱく質と合わせて食べると、体力増強や生活習慣病予防効果が期待できる。

食べ合わせ

〈代表的組み合わせ〉　〈ほかにも〉

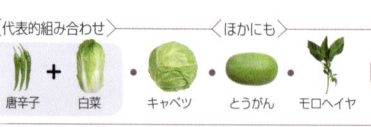 ・ ・ ▶ 胃腸を丈夫にする　ガン予防

唐辛子 ＋ 白菜　キャベツ　とうがん　モロヘイヤ

 ・  ・ ・ 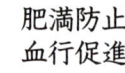 ▶ 肥満防止　血行促進

唐辛子 ＋ しらたき　えのきたけ　しいたけ

 ・ ・  ・ 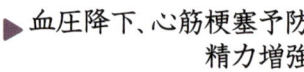 ▶ 血圧降下、心筋梗塞予防　精力増強

唐辛子 ＋ エビ　カキ　タイラ貝　タイ

 ・ ・ ▶ ガン予防、免疫力強化　強精・強壮効果

唐辛子 ＋ みそ　酢　油　にんにく

chili pepper—とうがらし

品種群

「プリッキーヌ」
タイ原産。小さいが辛さは強烈。

「ハバネロ」
メキシコ原産。もっとも辛いといわれている唐辛子。スナック菓子などにもなっている。

「アヒ・チーノ」
ペルー原産。炒め物やスープ、煮込み料理に。

「ハラペーニョ」
メキシコ原産。肉厚で香りがフルーティー。サルサソースに。

「かぐらなんばん」
新潟県長岡市の伝統野菜。ピーマンそっくりだが、ピリッと辛い。赤く熟したものもあり。

島唐辛子
沖縄原産。泡盛に漬けた「コーレーグース」は沖縄料理の必需品。

「アヒ・リモ」
ペルー原産。サルサソースに。

伏見辛
京都特産の細長い唐辛子。煮物、焼き物、揚げ物に。

「福耳」
20cmほどに育つ、肉厚の大型唐辛子。辛みが強いのはわたとタネの部分。

「ベトナムオレンジ」
ベトナム唐辛子。強い辛みあり。美しい色を活かして、スープなどに。

「田中とうがらし」
京都市特産野菜のひとつ。濃い緑色で小型。辛みがなく、タネも少ない。料亭での需要が多い。

「ネパレーゼベル」
辛みがなく、フルーティーな風味。ピーマンの代用にもなる。

ゴールドチリ
コロンビア原産の激辛唐辛子。ピクルスやソースに。

「剣崎なんば」
石川県白山市剣崎町生まれの加賀野菜。長さが13cmにもなる、激辛の唐辛子。

料理

▶血圧を下げ、スタミナと活力をアップ。冷え性にも

牛肉の豆板醤スープ

材料
牛肉…150g
にら…1/2束
ねぎ…1本
豆板醤…小さじ1
砂糖…小さじ1
しょう油…小さじ1
ごま油…大さじ1
湯…2カップ

作り方
1. にらは長さ4cmに、ねぎは斜め薄切りにする。牛肉は食べやすい大きさに切る。
2. 鍋にごま油を入れて熱し、ねぎを炒め豆板醤を加える。
3. 牛肉を加え炒めて、色が変わったら湯と残りの調味料を加え、アクを取ってひと煮立ちさせる。最後ににらを加え、火を通す。

緑黄色野菜 実

ししとうがらし
獅子唐辛子
sweet pepper

辛くないからたくさん食べて疲労回復を

免疫機能を高め、疲労回復に効果のあるビタミンCなどのビタミン類、カロテンを豊富に含んでいます。素揚げや天ぷら、油炒めなど、油を使った調理でカロテンを効率よく摂りましょう。強めの火加減でサッと加熱すればビタミン類の損失も防げ、おいしくいただけます。

甘み種なので基本的に辛くないものの、たまに驚くほど辛いものがまじることも。これは栽培の環境や時期、辛み種との自然交配などに原因があるようです。

食品成分表（可食部100gあたり）

エネルギー		25kcal
水分		91.4g
たんぱく質		1.9g
炭水化物		5.7g
無機質	カリウム	340mg
	マグネシウム	21mg
ビタミン	A β-カロテン当量	530μg
	K	51μg
	B₁	0.07mg
	B₂	0.07mg
	ナイアシン	1.4mg
	B₆	0.39mg
	C	57mg
食物繊維総量		3.6g

夏場には激辛のものにあたることが増える。タネが詰まっているものも辛い場合が

（中）

下準備
加熱時の破裂を防ぐため、調理前に竹串や包丁で小さな穴をいくつかあけておく。

Data
学名：Capsicum annuum
分類：ナス科トウガラシ属
原産地：熱帯アメリカ
仏名：piment, poivre long
独名：Paprika, spanischer Pfeffer

おいしいカレンダー ●おいしい時期

| 5 | 6 | 7 | 8 | 9 | 10 |

高知、千葉

先端がくぼみ、獅子の口のように見えるのが由来

品種群

「万願寺唐辛子」
京都特産の辛みのない唐辛子。大型で果肉は厚め。万願寺は地名。

「伏見甘長」（ふしみあまなが）
京都特産の辛みのない唐辛子。細長く、果長は10cmほど。

食べ合わせ

ビタミンCがたっぷり

ししとうがらし ＋ わかめ ・ アジ
→ ガン予防

ビタミンCが多いので、たんぱく質の多い肉、魚、チーズ、油揚げなどと食べ合わせると体力がアップし、食欲増進、ガン予防、美肌効果がある。また粘膜を強化し、感染症を予防する働きのあるカロテンも多く含む。カロテンは脂溶性のため、肉などといっしょに油炒めにすると相乗効果がある。

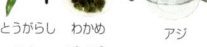
ししとうがらし ＋ ラム肉
→ にきびやふきでものの予防、美白効果

食欲増進、体力アップ、ウイルス撃退効果も
ししとうとホタルイカの炒め物

材料
ししとう…1パック（20本程度）
ホタルイカ（ゆでたもの）…1パック（100g程度）
バター…10g
しょう油…小さじ2
削り節…適量
サラダ油…適量

作り方
1. ししとうはへたを取り、縦半分に切ってタネを取る。
2. フライパンにサラダ油を熱し、ししとうとホタルイカを炒め、火が通ったらバターとしょう油を入れて、全体にからめる。
3. 器に盛り、削り節をかける。

sweet pepper—ししとうがらし　string bean—さやいんげん・ささげ

豆類 緑黄色野菜（実）

さやいんげん・ささげ
莢隠元　string bean, green bean

夏のダメージをはねつける栄養素がいっぱい

カロテンを多く含む、夏が旬の野菜です。夏は強い日ざしによって、メラニン色素や体内の活性酸素が増えやすい季節ですが、カロテンには抗酸化作用があるほか、体内でビタミンAに変わり、皮膚や粘膜を健康に保つ効果もあります。

そのほか、疲労回復や美肌づくりの効果が期待できるアスパラギン酸やリジンも含んでいます。すぐに鮮度が落ちるので、使いきれないぶんはその日のうちにサッとゆでて冷凍を。

食品成分表（可食部100gあたり）
- エネルギー 23kcal
- 水分 92.2g
- たんぱく質 1.8g
- 炭水化物 5.1g
- 無機質
  - ナトリウム 1mg
  - カリウム 260mg
  - **カルシウム 48mg**
  - **マグネシウム 23mg**
- ビタミン
  - A β-カロテン当量 590μg
  - K 60μg
  - B₁ 0.06mg
  - B₂ 0.11mg
  - C 8mg
- 食物繊維総量 2.4g

Data
- 学名：Phaseolus vulgaris
- 分類：マメ科インゲンマメ属
- 原産地：メキシコ南部、中央アメリカ
- 別名：インゲンマメ、インゲン、サンドマメ
- 仏名：haricot vert

おいしいカレンダー ●おいしい時期

千葉、福島、鹿児島、北海道

ハリがあり、さやの先までピンとしていて、豆の形がはっきり出ていないものがよい

品種群

「モロッコいんげん」
広幅の平さや種で、果長は20cmほどと大型だが、やわらかく煮物にもぴったり。

金時豆
金時豆が未熟なうちにさやごと若採りしたもの。

「十六ささげ」
愛知県特産の30cmにもなるささげ。なかの豆が16粒なのでこの名がついた。やわらかく食べやすい。

「あきしまささげ」
岐阜県特産の平さやのささげ。秋になり気温が下がると、紫のしまがあざやかに。煮ると豆がほっくりして美味。

「かんぴょういんげん」
群馬の在来種。自家用栽培がさかんで、多くの品種がある。

カラーいんげん
ゆでると黄色種は薄黄緑に、紫色種は濃緑になる。

腸内環境をととのえるとともに、美肌作用もあり
さやいんげんの温サラダ

材料
- さやいんげん…1袋（15本程度）
- かぼちゃ…100g
- ゆで卵…1個
- ドレッシング
  - プレーンヨーグルト…大さじ2
  - マヨネーズ…大さじ2
  - レモン汁…小さじ1
  - 塩　こしょう…少々

作り方
1. さやいんげんは、ゆでて食べやすい大きさに切る。かぼちゃはひと口大に切り、電子レンジにかけやわらかくしておく。ゆで卵はカットする。
2. ドレッシングの材料をよくまぜ合わせ、器に盛りつけた1にかける。

ビタミンB群たっぷり
抗酸化作用のあるカロテンや疲労回復効果の高いビタミンB₁、B₂、B₆がたっぷり。食物繊維の多い食材と組み合わせれば、大腸ガンの予防効果も期待できる。美肌づくりに役立てるなら、たんぱく質の多い豆類やビタミンEを含むごまを組み合わせるとよい。

食べ合わせ

〈代表的組み合わせ〉　〈ほかにも〉

 いんげん ＋ きくらげ ・ こんにゃく ・ たけのこ ・ ぜんまい ▶ ガン（大腸ガン）予防／肥満予防

 いんげん ＋ ヨーグルト ・ 納豆 ・ ほうれん草 ・ ひじき ▶ 腸内細菌（善玉菌）を増やして便秘予防

 いんげん ＋ チンゲン菜 ・ 寒天 ・ たまねぎ ▶ 血中コレステロール値低下／血圧降下

 いんげん ＋ ブロッコリー ・ なばな ・ トマト ・ かぼちゃ ▶ ガン予防、美肌づくり／視力回復

さやえんどう

莢豌豆 / garden pea

豆類 / 緑黄色野菜 / 実

緑黄色野菜と豆の栄養を兼備

ほかの緑黄色野菜と同様にカロテンやビタミンCが豊富で、Cは60年代半ばのさやえんどうと比較すると3倍に増えています。今の野菜は栄養価が落ちているといわれますが、例外もあるようです。

豆の部分にはビタミンB₁やたんぱく質、必須アミノ酸のリジンなどが含まれています。リジンは体の成長や修復にかかわる成分で、集中力を高めたりカルシウムの吸収を促進したりする効果もあります。

ビタミンB₁は熱や酸素で壊れやすいので、調理は手早く。

食品成分表(可食部100gあたり)

エネルギー	38kcal
水分	88.6g
たんぱく質	3.1g
炭水化物	7.5g
無機質 カリウム	200mg
カルシウム	35mg
マグネシウム	24mg
リン	63mg
ビタミン A β-カロテン当量	560μg
B₁	0.15mg
ナイアシン	0.8mg
葉酸	73μg
C	60mg
食物繊維総量	3.0g

おいしいカレンダー ●おいしい時期
2 3 **4 5** 6 7
鹿児島、和歌山

Data
- 学名:Pisum sativum
- 分類:マメ科エンドウ属
- 原産地:中央アジアから中近東地域
- 仏名:pois mange-tout
- 独名:Erbse

豆の数が多いものがよい。豆の凹凸がはっきりしているものは育ちすぎ

ヒゲが白っぽく、ピンとしているものが新鮮

品種群

「スナップエンドウ」
さやと実(豆)の両方を食べられる。さやは肉厚で歯ごたえがあり、実は甘い。

「さとうさや」
さやえんどうを改良し、なかの豆を大きくしたもの。さやは厚めで見た目はゴツゴツしている。糖度が高い。

保存法
乾燥が大敵。ポリ袋に入れ冷蔵庫に。長めの保存はかたゆでにしてから。

血行を促進し動脈硬化を予防。美肌効果も
さやえんどうのごま和え

材料
- さやえんどう…1袋(15本程度)
- 炒りごま…大さじ2
- だしじょう油、砂糖…適量

作り方
1. さやえんどうの筋を取り塩ゆでする。
2. ごまをすり砂糖とだしじょう油を加え、1を和える。

驚くほどの美容効果
カロテンとビタミンCを多く含み、その相乗効果で抗酸化作用を高めている。さらにたんぱく質の多い食材と組み合わせるとスタミナアップに、ビタミンEと組み合わせると健脳効果が、それぞれ期待できる。食物繊維の多い食材との食べ合わせでは、血行促進や美肌作用が。

食べ合わせ

代表的組み合わせ / ほかにも

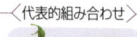  +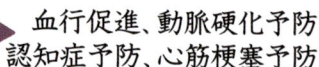
さやえんどう + ごま ・ カシューナッツ ・ 落花生 ・ 松の実 ▶ 血行促進、動脈硬化予防 認知症予防、心筋梗塞予防

 + ・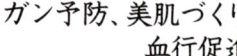
さやえんどう + さつまいも ・ 小松菜 にんじん ブロッコリー ▶ ガン予防、美肌づくり 血行促進

 + ・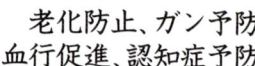
さやえんどう + ほうれん草 ・ たまねぎ こんにゃく 凍り豆腐 ▶ 老化防止、ガン予防 血行促進、認知症予防

 + ・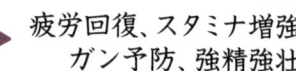
さやえんどう + ねぎ ・ にんにく にら たまねぎ ▶ 疲労回復、スタミナ増強 ガン予防、強精強壮

garden pea—さやえんどう　　green peas—グリーンピース

豆類 緑黄色野菜 実

グリーンピース
green peas

豊富な食物繊維で体を内側からきれいにする

栄養成分はさやえんどうに似ていますが、生長したぶん、でんぷん、たんぱく質、カリウム、亜鉛、ビタミン B₁、B₂、B₆、食物繊維などがさらに豊富に。たんぱく質や糖質、ビタミン B₁ は倍以上で、カロリーも高くなります。皮膚や消化器、神経などを健全に保つために必要なナイアシンも多く含んでいます。パサパサした缶詰のものをイメージしがちですが、旬の新鮮なものはほっくりしていて、味も栄養価も絶品です。

食品成分表（可食部100gあたり）

エネルギー		76kcal
水分		76.5g
たんぱく質		6.9g
炭水化物		15.3g
無機質	カリウム	340mg
	マグネシウム	37mg
	リン	120mg
	鉄	1.7mg
	亜鉛	1.2mg
	銅	0.19mg
	マンガン	0.48mg
ビタミン	B₁	0.39mg
	B₂	0.16mg
	ナイアシン	2.7mg
食物繊維総量		7.7g

おいしいカレンダー ●おいしい時期

3　**4**　**5**　**6**　7　8

鹿児島、福島

全体があざやかな緑で、さやにふっくらとした丸みとハリがある

Data
学名：Pisum sativun
分類：マメ科エンドウ属
原産地：中央アジアから中近東地域
仏名：pois frais
独名：Erbse

筋の取り方

ヘタの部分を折って片側の筋を取り、つぎに反対側の花落ち部分をつまんで取る。

さやつきを

なるべくさやつきを購入する。すぐ風味が落ちるので、乾燥させないよう注意。

●保存法
ビニール袋に入れて冷蔵庫の野菜室で1〜2日か、ゆでて冷凍。

ゆで方
鍋に水と塩少々を入れたら火にかけ、沸騰したら中火で2〜3分ゆでる。急に冷ますとしわがよるので、ゆで汁に水を細く流し入れながらゆっくり冷ます。

脳を活性化し集中力をアップ。疲労回復効果もあり
カラフル厚焼き卵

材料
卵…3個
冷凍ミックスベジタブル…大さじ2
砂糖、しょう油、だし汁…適量
サラダ油…適量

作り方
卵を割りほぐし、解凍したミックスベジタブルと調味料を入れ、サラダ油をひいた卵焼き器で焼きあげる。

食べ合わせ

健脳効果を望むなら
脳の活性化、疲労回復、成長ホルモンの合成などにかかわるアミノ酸がバランスよく含まれている。さらに動脈硬化を予防するオレイン酸やリノール酸、抗血栓効果の高いレシチン、不飽和脂肪酸が多いことも注目。胃腸の弱い人は、食物繊維の多い食材との食べ合わせは避けたほうがよい。

代表的組み合わせ　　ほかにも

グリーンピース ＋ セロリー ・ たまねぎ ・ モロヘイヤ ・ キウイ ▶ **動脈硬化予防、心臓病予防　生活習慣病予防**

グリーンピース ＋ 白菜 ・ トマト ・ キャベツ ・ ベーコン ▶ **ガン予防　胃腸を丈夫にする**

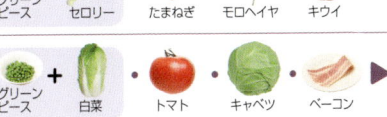
グリーンピース ＋ イワシ ・ マグロ ・ ごま ・ 大豆 ▶ **健脳効果、認知症予防　スタミナ増強**

グリーンピース ＋ ごぼう ・ もやし ・ わかめ ・ こんにゃく ▶ **便秘解消、動脈硬化予防　心筋梗塞予防**

緑黄色野菜 実

オクラ okra
秋葵

スタミナ野菜の定番。
手軽にひと皿できる

ネバネバのもととなっているのは、ペクチンなどの食物繊維です。ペクチンは腸内の善玉菌を増やし、整腸作用を促してげる効果があります。また、カロテンを多く含むため免疫力を高めて皮膚や粘膜を強くしてくれます。血中コレステロール値を下げる調理の際に酢を加えると、せっかくのネバネバが消えるのでご注意を。

Data
学名：Abelmoschus esculentus
分類：アオイ科トロロアオイ属
原産地：東北アフリカ
仏名：gombo
中名：陸蓮根

食品成分表（可食部100gあたり）
エネルギー		26kcal
水分		90.2g
無機質	ナトリウム	4mg
	カリウム	260mg
	カルシウム	92mg
	マグネシウム	51mg
	リン	58mg
ビタミン	A　β-カロテン当量	670μg
	K	71μg
	B_1	0.09mg
	B_2	0.09mg
	葉酸	110μg
	C	11mg
食物繊維総量		5.0g

おいしいカレンダー ●おいしい時期

6　7　8　9　10　11
高知、鹿児島、沖縄

タネが詰まってくると実がかたくなる。小ぶりなものがやわらかくてよい

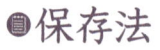 保存法
かために塩ゆでして、ラップで包み冷凍。

表面のうぶ毛が均一におおっているもの。角がはっきり筋ばっていないもの

品種群

赤オクラ
果色の赤いオクラ。ゆでると緑色になってしまうので、色を活かすなら生食で。

丸オクラ
大型でさやが丸い品種。五角のものに比べ果肉がやわらかい。

八丈オクラ
丸さやで大型、しかもやわらかい。八丈島伝来。

ミニ
若採りしたもの。やわらかく生食向き。

スタミナ増強ばかりか免疫力も高める
マグロのネバネバがけ

材料
オクラ…1袋（20本程度）
やまいも…100g
マグロの赤身（ブツ）…150g
しょう油、わさび…適量

作り方
1. オクラはサッとゆで、小口に切る。やまいもはすりおろす。
2. マグロにやまいも、オクラをのせ、わさびじょう油でいただく。

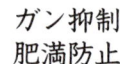 食べ合わせ

スタミナアップにビタミンパワー
オクラにはカロテン、ビタミンB_1などが豊富に含まれている。栄養価も高く夏バテ予防にも適した食材。とくにビタミンB_1は、たんぱく質の多い肉や野菜といっしょに摂るとスタミナアップに効果的。

＜代表的組み合わせ＞　＜ほかにも＞

組み合わせ	効果
オクラ + 昆布 ・ なめこ ・ やまいも ・ 納豆	滋養、強壮効果 健脳効果
 オクラ + ブロッコリー ・ 白菜 ・ しいたけ ・ とうもろこし	ガン抑制 肥満防止
オクラ + 鶏肉 ・ 卵 ・ 牛肉 ・ 豚肉	免疫力向上 スタミナ増強
オクラ + 酢 ・ たまねぎ ・ こんにゃく ・ イワシ	血行促進、高血圧予防 健脳効果、老化防止

淡色野菜 実

ズッキーニ
zucchini

オリーブ油といっしょに摂って夏風邪を予防

一般のかぼちゃほど栄養価は高くないものの、歯ごたえはズッキーニ独特のものが。カロテンやビタミンC、カリウムなどを含みます。オリーブ油などとの相性がよく、油で炒めるとカロテンの吸収率が高まり、免疫力アップや風邪の予防が期待できます。皮膚や粘膜を正常に保つビタミンB₂も含まれているので、美肌効果も。じっくり加熱すると甘みが増して、味わい深くなります。

食品成分表(可食部100gあたり)

エネルギー		16kcal
水分		94.9g
無機質	カリウム	320mg
	カルシウム	24mg
	マグネシウム	25mg
	リン	37mg
	鉄	0.5mg
ビタミン	A β-カロテン当量	320μg
	K	35μg
	B₁	0.05mg
	B₂	0.05mg
	ナイアシン	0.4mg
	C	20mg
食物繊維総量		1.3g

おいしいカレンダー ●おいしい時期

5 ●6 ●7 ●8 9 10

宮崎、長野、千葉

Data
- 学名：Cucurbita pepo
- 分類：ウリ科カボチャ属
- 原産地：アメリカ南部、メキシコ北部
- 仏名：courgette
- 伊名：zucchini

切り口が新鮮で皮がかたくなっていないものを

ツヤがあって、なるべく太さが均一なものがよい

保存法
ビニール袋に入れ、冷蔵庫で3〜4日。

あまり大きくなると中身も大味に

長細形

深緑　黄色　薄黄緑

丸形

緑　薄黄緑　黄色

花ズッキーニ
開花直前を収穫した花つきのズッキーニ。花のなかにチーズを詰め、フリッターにした料理が有名。

肌荒れや髪質の改善、骨粗しょう症予防にも
ズッキーニのひと口ピザ

材料
- ズッキーニ…1本
- ピザソース
  (あるいはトマトソース)…適量
- とろけるチーズ…適量
- オリーブ油…適量

作り方
1. ズッキーニは1cm幅の輪切りにし、オーブンペーパーを敷いた天板に並べる。
2. 1にオリーブ油を少々かけてからピザソースを塗り、チーズをのせてオーブンで焼く。チーズが溶けたら、できあがり。

油脂分といっしょが基本
かぼちゃの半量ほどのカロテンを含む。トマトやなすといっしょに煮込むラタトゥイユによく用いられるが、油で一度炒めてから煮込むとカロテンの吸収がよくなり、皮膚や粘膜の保護効果や抗酸化作用が高まる。亜鉛、鉄、カリウムも含むので、ミネラルの供給源としても。

食べ合わせ

ズッキーニ ＋ オリーブ油
▶ ガン予防 免疫力アップ

ズッキーニ ＋ なす
▶ 肥満防止 糖尿病予防

淡色野菜 実

きゅうり
胡瓜 *cucumber*

カリウムが老廃物を排出。生食以外が魅力

ほかのウリ科の野菜と同様にビタミンC、カロテン、カリウムなどを含みます。カリウムはナトリウムの排出をうながし、利尿作用があるため腎臓の働きを助けるので、血圧を正常に保つ効果も期待できます。

たくさん手に入ったら、新鮮なうちに漬け物にしても。浅漬けなら栄養成分を損なわずに違った味わいを楽しめるうえ、ぬかを使えばカリウムはなんと3倍に。お腹にやさしい乳酸菌もたっぷり摂れます。

食品成分表（可食部100gあたり）

エネルギー		13kcal
水分		95.4g
無機質	カリウム	200mg
	カルシウム	26mg
	マグネシウム	15mg
	リン	36mg
ビタミン	A β-カロテン当量	330μg
	K	34μg
	B$_1$	0.03mg
	B$_2$	0.03mg
	葉酸	25μg
	パントテン酸	0.33mg
	C	14mg
食物繊維総量		1.1g

おいしいカレンダー ●おいしい時期
4 **5 6 7 8** 9

冬春きゅうり：宮崎、群馬、埼玉
夏秋きゅうり：福島、群馬、岩手

Data
学名：Cucumis sativus
分類：ウリ科キュウリ属
原産地：インド、ヒマラヤ山麓
仏名：concombre
独名：Gurke

ブルームあり

ブルームレス

ブルーム
白い粉は「ブルーム」という、表面を保護する、ろう物質。「ブルームレス」はろう質のないぶん皮がかたい。

太さが均一でないものは、なかの水分が下にたまり「す」も入りやすい

先端に残留物質がたまりやすいので皮を厚めにむく

🏠 保存法
乾燥と低温が苦手。ぬらした新聞紙で包み、ポリ袋に入れ冷蔵庫に。風味が落ちやすいので食べきりが基本。

板ずり
塩をふり板の上で転がすことで、きゅうりの皮に傷がつく。傷と塩の効果で生じる浸透圧の変化で水分が2〜3割抜け、しかもやわらかくなる。皮に付着した不安物質も落ちやすくなる。

干しきゅうり

一日じゅう干したきゅうりは風味が増し炒め物によい。

🌀 血圧を下げ、肥満を防止。疲労回復効果も
きゅうりとわかめの酢のもの

材料
- きゅうり…2本
- わかめ（水で戻したもの）…30g
- ポン酢…大さじ1
- 針しょうが…少々

作り方
1. きゅうりは薄く小口切りにする。わかめは食べやすい大きさに切り、熱湯をかけてから冷ましておく。
2. きゅうりとわかめを合わせ、ポン酢で和える。
3. 器に盛り、針しょうがを添える。

生食のときは酢をプラス
きゅうりに含まれる酵素アスコルビナーゼはビタミンCを壊す性質があるので、ビタミンCを多く含むほかの野菜や果物と食べ合わせる際には、酢を加えるか、加熱して酵素の働きを抑えること。ぬか漬けにすると、ぬかに含まれるビタミンB$_1$が加わり、疲労回復効果が期待できる。

食べ合わせ

〈代表的組み合わせ〉 〈ほかにも〉

   ▶ 健胃効果、利尿作用 腎臓病予防
きゅうり + 緑茶　唐辛子　とうがん

  ▶ 催眠効果、解熱作用 炎症除去
きゅうり + れんこん　レタス　寒天

  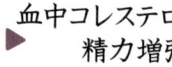 ▶ 血中コレステロール値低下 精力増強、血圧安定
きゅうり + わかめ　日本酒　イカ　タコ

   ▶ 肥満防止、血圧降下 美髪効果、代謝促進効果
きゅうり + イカ　昆布　酢　グレープフルーツ

cucumber—きゅうり

品種群

「フリーダム」
イボなしのつるつるとした品種。青臭さがなく、さわやかな食味。

「ミニQ」
果長が9～10cmのイボなしミニきゅうりで、ピクルスに最適。食味はマイルド。生食も。

「加賀太」
石川県特産の大型品種。その直径は10cmにもなる。果肉はかたく煮物にも。

「四川」
表面がちりめん状で歯ごたえのいいきゅうり。中国系「四葉」の改良種。

もろきゅう
若採りした小型きゅうり。もろみをつけて食べることからこう呼ばれている。

白
なり口がわずかに緑色を帯びているが、大半が白い稀少品種。

半白
なり口は緑色だが、果先にかけて白くなる。皮が薄くて歯切れがよく、漬け物向き。

「どっこきゅうり」
富山県高岡市の在来種。果重が1kgもある太きゅうりで、あんかけや詰め物にして食べられている。

もぎりきゅうり
曲がり果を若採りしたもの。もろみをつけたり漬け物にしたりして食べられている。

「高山きゅうり」
群馬県高山村の在来種。果重が500gもある大型種で、やや苦みがある。漬け物に。

「八町きゅうり」
長野県須坂市の在来種。ずんぐりとした短型で皮は薄く、肉質はなめらか。

沖縄地きゅうり
島きゅうりとも呼ばれる「モーウィ（赤うり）」（P34参照）の未熟なもの。

葉つき
葉つきの幼果。こちらもあしらい用。

花丸
花つきの幼果。あしらいとして用いられている。

料理

▶ むくみを解消し血圧を降下させる。血栓も予防

きゅうり納豆

材料
きゅうり…1本
納豆…1パック
炒りごま…適量

作り方
1. きゅうりを千切りにし、器に盛りつける。
2. 納豆をかきまぜ、1の上に盛る。仕上げに炒りごまをふる。

淡色野菜 実

なす
茄子、茄
eggplant

Data
- 学名：Solanum melongena
- 分類：ナス科ナス属
- 原産地：インド東部
- 仏名：aubergine
- 独名：Aubergine

皮に含まれる色素の成分が血管をきれいに

紫紺色の皮には、ポリフェノールの一種、ナスニンというアントシアニン系色素が含まれています。アントシアニンはブルーベリー同様、目の疲労や視力の回復、活性酸素の働きを抑制しガンを予防する、血管をきれいにし動脈硬化や高血圧を予防する、といった効果もあるといわれています。

皮をむかなくていい料理なら、なるべく残して調理しましょう。薄いので、食感にもあまり影響しません。

食品成分表（可食部100gあたり）
- エネルギー……18kcal
- 水分……93.2g
- たんぱく質……1.1g
- 炭水化物……5.1g
- 無機質
  - カリウム……220mg
  - カルシウム……18mg
  - マグネシウム……17mg
  - リン……30mg
  - 鉄……0.3mg
  - マンガン……0.16mg
- ビタミン
  - B₁……0.05mg
  - B₂……0.05mg
  - 葉酸……32μg
  - C……4mg
- 食物繊維総量……2.2g

おいしいカレンダー ●おいしい時期
5 **6 7 8 9** 10

- 冬春なす：高知、熊本、福岡
- 夏秋なす：茨城、栃木、群馬

干しなす
ザルに並べ天日で干すと、2〜3時間の半干しでも驚くほどうまみがアップする。水分をすっかりとばして乾物になったら長期保存も可能。乾物のなすは、水で戻してから煮物や汁物の具などに。

▶ 高血圧を改善し血中コレステロール値を下げる
なすのみそ田楽

材料
- なす…2本
- みそ…大さじ2
- みりん…大さじ1
- 砂糖…小さじ2
- ごま油…小さじ1

作り方
1. なすを2cmの輪切りにし、オーブントースターで焼く。
2. みそ、みりん、砂糖を合わせ、ごま油を加えてよく練ったものを1の表面に塗り、軽くあぶる。

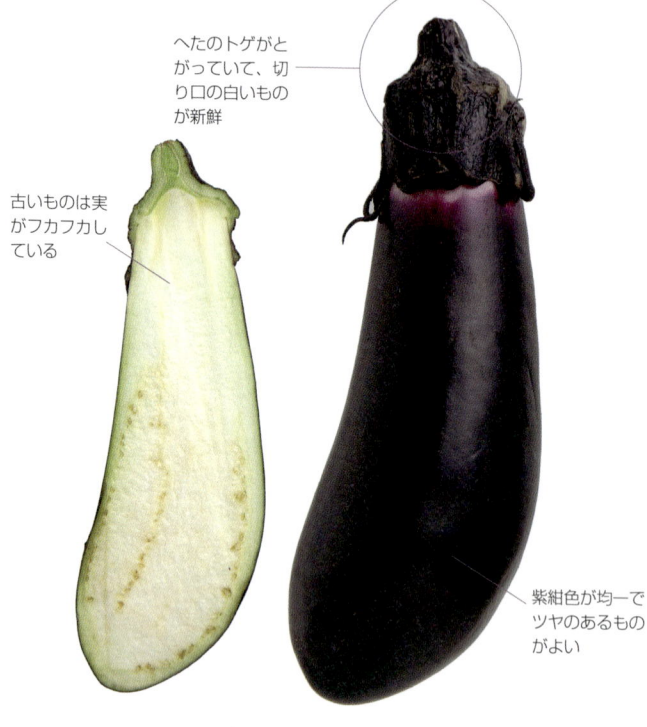

へたのトゲがとがっていて、切り口の白いものが新鮮

古いものは実がフカフカしている

紫紺色が均一でツヤのあるものがよい

🗄 保存法
風にあてなければ常温で2〜3日は保存できる。冷気にあてるとしぼむので、新聞紙で包んでポリ袋に入れてから冷蔵庫へ。

揚げなす
使いやすいサイズに切ったら揚げて油をきる。ラップして冷凍。ちょっとしたつけ合わせなどに便利。

注目の成分 ナスニン
紫色の皮に含まれるナスニンは、血中コレステロール値を下げ動脈硬化を防ぐ作用があるので、皮ごと調理すること。また、ナスニンは水溶性なので、水にさらさないようにするとよい。ビタミンCを含む食材と組み合わせると、さらにその効果がアップする。

食べ合わせ

〈代表的組み合わせ〉 〈ほかにも〉

なす + こんにゃく	オクラ・えのきたけ・ごぼう	▶ 動脈硬化予防、ガン予防、高血圧予防
なす + にんじん	かぼちゃ・ほうれん草・ピンクグレープフルーツ	▶ ガン予防、風邪予防、美肌づくり
なす + とうがん	トマト・アサリ・シジミ	▶ 貧血予防、糖尿病予防、ガン予防、肥満防止
なす + おから	ふき・みそ・えのきたけ	▶ ガン予防、血行促進、血中コレステロール値低下

eggplant—なす

品種群

白なす
紫の色素（ナスニン）も葉緑素も含まないなす。加熱すると、とろりとした食感になる。

青なす
別名、緑なす。皮はかためだが、加熱すると果肉がやわらかくなるので、田楽や焼きなすにぴったり。

「水なす」
大阪泉州地域（岸和田市）特産のなす。みずみずしくてやわらかく、その漬け物は全国的に有名。

米なす
アメリカ種を改良した大型の品種で、加熱調理向き。西洋なすのヘタは、どれも緑色なのが特徴。

「十全」
新潟県の中蒲原郡の旧十全村の地名から名づけられた丸い小なす。果肉がやわらかく、浅漬けに最適。

ゼブラなす
イタリアなすとも呼ばれている西洋種。美しいしまは加熱すると変色する。かためなので加熱向き。

「賀茂なす」
京都上賀茂地域で栽培されている丸なす。肉質は細かくずっしりと重みがある。田楽、揚げ物に。

長なす
長さが30㎝もあり、果肉がやわらかい。焼きなすのほか、炒め物や田楽にも向いている。

小なす
甘みがあり、皮がやわらかくてタネも少ないので、おもに漬け物用になっている。丸いものも。

赤なす
果肉がやわらかくタネもアクも少ないので、焼きなす向きの大型種。赤紫色の皮が美しい。

「沖田なす」
山形の在来種。皮が薄い丸型の小なすで、おもに漬け物にして食されている。

「ばってんなす」
熊本産の新品種。水分が多く甘みがあり、アクが少ないので生食にも向いている。

タイなす
ピンポン玉サイズのミニなす。果肉はとてもかたく、タネも多い。カレーなどの煮込み料理向き。

「スティックテイスト」
10㎝くらいの細長いミニなす。炒め物や揚げ物で、色としま模様を活かした調理を。

▶ ガン予防、美肌効果、肥満の防止にも
なすとほうれん草のトマトソースパスタ

料理

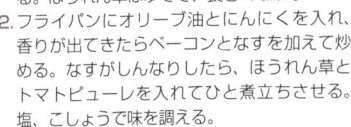

材料
なす…2本
ほうれん草…2/3束
トマトピューレ…2カップ
ベーコン…100g
にんにく…2片
オリーブ油…適量
塩　こしょう…少々
粉チーズ…少々
パスタ…2人分

作り方
1. なすは5㎜の輪切り、ベーコンは1㎝幅に切り、にんにくはみじん切りにする。ほうれん草はゆでて、長さ4㎝に。
2. フライパンにオリーブ油とにんにくを入れ、香りが出てきたらベーコンとなすを加えて炒める。なすがしんなりしたら、ほうれん草とトマトピューレを入れてひと煮立ちさせる。塩、こしょうで味を調える。
3. ゆでたパスタを器に盛り、2のソースをかけ、粉チーズをふる。

にがうり（苦瓜）bitter melon

淡色野菜　実

カリウムと苦み成分で夏バテを防ぐ

加熱しても壊れにくいビタミンCの含有量は、ビタミン豊富なピーマンと同程度。筋肉の収縮を調整し、不足すると体の動きが悪くなるカリウムも多く含んでいます。油で炒めても栄養価は損なわれないので、肉や豆腐などと炒めてたっぷり摂り、夏バテを吹き飛ばしましょう。

好き嫌いが分かれる独特の苦みのもとはモモルデシン。胃液の分泌をうながして食欲を増進させるほか、肝機能を高める、血糖値を下げるなどの効果も期待できます。

食品成分表（可食部100gあたり）

エネルギー	15kcal
水分	94.4g
たんぱく質	1.0g
炭水化物	3.9g
灰分	0.6g
無機質	
カリウム	260mg
カルシウム	14mg
マグネシウム	14mg
リン	31mg
鉄	0.4mg
亜鉛	0.2mg
マンガン	0.10mg
ビタミン	
葉酸	72μg
C	76mg
食物繊維総量	2.6g

おいしいカレンダー ●おいしい時期

5　6　7　8　9　10
沖縄、宮崎、鹿児島、群馬

Data
- 学名：Momordica charantia
- 分類：ウリ科
- 原産地：東インド、熱帯アジア

苦みの強さは外見からは見分けられない。緑の色が濃いもののほうが味がよい

イボが密でツヤのあるもの。意外と鮮度の劣化が早いので、かたく感じられるものがよい

苦みが苦手なら
苦みは水溶性なので、塩もみしてサッと熱湯をかけると抜ける。タネとわたは苦みが強いので、スプーンなどで取り除く。

品種群

白ゴーヤ
サラダゴーヤとも呼ばれる。イボが丸く苦みが少ないので、生食にも向いている。果長は15cmほど。

なめらかゴーヤ
果皮のイボがなくすべすべなにがうり。苦みも少ない。果長は25cmほどとやや長め。

ミニ
15cmほどのミニ系。苦みも少なめ。

●保存法
サッとかために塩ゆでして冷凍。軽く炒めてから冷凍してもよい。

▼肝機能を高め、血糖値を下げる。健脳効果も

にがうりのつくだ煮風

材料
- にがうり…3本
- しょう油…1/2カップ
- みりん…1/2カップ
- 砂糖…50g
- 酢…50cc
- 削り節…適量
- 炒りごま…適量

作り方
1. にがうりは縦割りにし、タネとわたの部分を取り除いたら8mmほどの厚さに切る。
2. 鍋に調味料を入れ、煮立ってきたら1を入れて、煮汁がなくなるまで中火で煮る。
3. 火を止めたら削り節と炒りごまを加えてまぜる。

モモジンで免疫力強化

イチゴやキウイフルーツより豊富に含まれるビタミンCは、熱を加えすぎるとどんどん壊れてしまうので調理は手早く。たんぱく質の一種モモジンという成分には血圧降下や免疫力を強める効果があるので、オレイン酸の多いオリーブ油を使うと、ガン予防効果がより高まる。

食べ合わせ

にがうり ＋ サーモン・ウナギ
▶ 老化防止
　美肌づくり
　スタミナアップ

にがうり ＋ 大豆
▶ 利尿効果、美肌づくり
　腎臓病予防

淡色野菜　実

とうがん
冬瓜
wax gourd

淡泊な風味で
内臓を休めて
スタミナ回復

栄養成分で比較的多いのは、余分なナトリウム（塩分）を排出して血圧を正常に保つ働きをするカリウム。腎臓での老廃物の排泄をうながす作用もあるので、むくみの解消にも役立ちます。カルシウムも、実もの野菜にしては多いほうです。中国では皮やタネに利尿作用や解毒作用があるとして、生薬として使われてきました。ちなみに皮は炒め物、わたは汁物の具などにも活用でき、低カロリーでエコな健康食材です。

食品成分表(可食部100gあたり)
エネルギー	15kcal
水分	95.2g
炭水化物	3.8g
無機質 カリウム	**200mg**
カルシウム	**19mg**
マグネシウム	7mg
リン	18mg
鉄	0.2mg
ビタミン B$_1$	0.01mg
B$_2$	0.01mg
ナイアシン	0.4mg
B$_6$	0.03mg
葉酸	26μg
C	39mg
食物繊維総量	1.3g

おいしいカレンダー ●おいしい時期
6　**7　8　9**　10　11
沖縄、愛知、岡山

Data―
学名：Benincasa hispida
分類：ウリ科
原産地：インド

📖 保存法
皮をむき、使いやすいサイズにカットしてからでも冷凍できる。丸のままなら冷暗所で長期保存可。

中 
タネのしっかり詰まっているものがよい

緑が濃く、星型文様がはっきりしたもの。皮の表面全体に粉をふいているものは完熟

持ってみて、ずっしりとした重みのあるもの

品種群

小冬瓜
果重が1.5kg前後の小型種。食べきりサイズなので人気がある。

▼ 風邪のひき始め、美肌づくりに。むくみが気になるときも

とうがんと鶏ひき肉のスープ

材料
とうがん…1/4個
鶏ひき肉…100g
しょうが…1/2片
小ねぎ（きざんだもの）…適量
チキンブイヨンスープ…3カップ
酒…小さじ2
しょう油…小さじ1
塩…少々
水溶きかたくり粉…大さじ1と1/2

作り方
1. とうがんは皮とわたを取り、いちょう切りにする。
2. 鍋で煮立てたスープのなかにきざみしょうがと鶏ひき肉を入れ、かたまらないようによくまぜる。
3. 2のアクを取ったら1を入れて火を通し、酒としょう油を入れ、塩を加えて味を調える。火を止める直前に、水溶きかたくり粉でとろみをつける。
4. 器に盛りつけ、小ねぎを飾る。

🍴 食べ合わせ

期待される利尿効果
カリウムを多く含むので、体内の水分代謝を高める作用があり、高血圧予防に効く。わかめや昆布との食べ合わせで、その効果はますますアップ。体温を下げる働きもあるため、たんぱく質やビタミンB$_1$が多く活力源となる鶏肉や豚肉と炊き合わせると、夏バテ防止に効果的。

とうがん ＋ 油揚げ ・ 玄米
▶ **老化防止 スタミナアップ**

とうがん ＋ 昆布 ・ 豆腐
▶ **利尿効果 腎臓病予防**

そのほかのウリ科　淡色野菜　実

はやとうり

Data
学名：Sechium edule
分類：ウリ科ハヤトウリ属
原産地：熱帯アメリカ
別名：千成瓜（せんなりうり）
おいしい時期：8月〜10月

歯ざわりを楽しむ

中米原産のウリ科の野菜です。日本にもたらされたのは、1917（大正6）年のこと。アメリカから鹿児島へ入ったため、薩摩隼人からはやとうりの名がつけられました。淡緑品種と白色品種があり、白色のほうがクセがありません。漬け物にするほか、炒め物や煮物にも。シャキシャキとした歯ざわりが身上で、薄く切って塩もみし、ツナ缶とマヨネーズで和えるのもおすすめ。実が小さいうちは皮をむかずに食べられます。

あかうり

Data
学名：Cucumis sativus
分類：ウリ科キュウリ属
原産地：
別名：モーウィ、赤毛瓜
おいしい時期：7月〜10月

沖縄の完熟きゅうり

形と色からは想像できませんが、れっきとしたきゅうりの仲間です。15世紀以前に中国から沖縄にもたらされたといわれ、現在でも「モーウィ」の名で沖縄や奄美諸島で親しまれています。赤い色は、若採りせずに完熟させているためで、なかの果肉は白く、淡泊な味わいです。皮をむいて、わたを取って調理します。
豚肉などといっしょに煮物や炒め物にしたり、薄くスライスして生のままサラダや酢の物、漬け物にしたりしても。

まくわうり

Data
学名：Cucumis melo var. makuwa
分類：ウリ科キュウリ属
原産地：中央アジア
別名：アマウリ、カラウリ
おいしい時期：7月〜8月

低カロリーの夏のおやつ

かつては夏の風物詩として広く親しまれてきた、メロンの仲間です。日本への渡来は3世紀以前といわれ、その後全国で皮の色や形の異なる独自の品種が誕生し、さかんに栽培されてきました。しかし香りと甘みの強いプリンスメロンなどの登場により、栽培が激減してしまいました。
熟して芳香が出てからが食べごろ。サラッとしたさわやかな甘みが特徴です。低カロリーで、カリウムを比較的多く含んでいます。

ゆうがお

Data
学名：Lagenaria siceraria var. hispida
分類：ウリ科ユウガオ属
原産地：北アフリカ、インド
おいしい時期：7月〜8月

かんぴょうの原料

ゆうがおといえば、まず思い浮かぶのが「かんぴょう」ですが、これはおもに丸いタイプのゆうがおの果肉をクルクルむいて乾燥させたもの。細長いタイプもあって、東北地方や山梨県の一部、沖縄などでは、この若い果実をみそ汁や吸い物の具、煮物、あんかけなどにして食べています。
実に含まれる苦み成分ククルビタシンによって食中毒を起こすことがあるので、あまり苦みの強いものは食べないようにすることが大切です。

34

ひょうたん

Data
学名：Lagenaria siceraria var. gourda
分類：ウリ科ユウガオ属
原産地：アフリカ
別名：葫蘆（ころ）
おいしい時期：8月〜9月

若い果実が奈良漬けに

「ゆうがお」とごく近い関係にあるウリ科の植物で、ゆうがおから変化したものと考えられています。

ゆうがおと違い強い苦みがあるため、もっぱら観賞用で、一般には食用にされません。ただし例外的に、千成ひょうたんのごく若い果実が奈良漬けにされています。

酒粕だけを使う昔ながらの製法では何回も漬け替えをし、漬けあがるまでに10年かかるといわれています。

しろうり

Data
学名：Cucumis melo var. conomon
分類：ウリ科キュウリ属
原産地：中国、インド
別名：シラウリ、アサウリ
おいしい時期：夏

カリウムを含む夏の味覚

ボールのような形状のメロンを見慣れた目からすると不思議な印象ですが、メロンの仲間の野菜です。3世紀以前には日本に入っていたといわれているので、以来食べ継がれてきたことになります。

甘みがなく、おもな用途は奈良漬けや鉄砲漬け、浅漬けなどの漬け物ですが、炒めたり軽く塩もみしたりして、サラダや酢の物に使っても美味。ビタミン類などはあまり含まれていませんが、細胞の働きを正常に保つカリウムを含んでいます。

しまうり

Data
学名：Cucumis melo
おいしい時期：7月〜9月

ほのかに甘い素朴なメロン

ウリ科の植物には多くの種類がありますが、これはメロンの仲間。東南アジアや西アジアで広く栽培され、奈良・平安時代の遺跡からもタネが出土しています。

しかし現在の日本では、わずかに八丈島と五島列島で栽培されているだけ。

メロンの仲間とはいえ甘みはわずかで、砂糖やはちみつなどをかけて生食します。果肉が粉っぽく、老婆がむせることから、八丈島では「ババゴロシ」の名で呼ばれています。

はぐらうり

Data
学名：Cucumis melo
おいしい時期：7月〜9月

漬け物向きのうり

こちらもやはりメロンの仲間である白うりの一種で、千葉県や茨城県の一部で栽培されています。甘みはなく、おもに浅漬けや鉄砲漬けなどにして食されています。

果肉がやわらかく、歯のグラついている人でも食べられるため「はぐらうり」の名がついたとか。

栄養価は高くないものの、ナトリウムの排泄をうながすカリウムを多く含んでいるので、はぐらうりで塩を使った漬け物を作るのは理にかなっています。

淡色野菜 実

とうもろこし
玉蜀黍
sweetcorn

食物繊維の豊富なヘルシー主食

米や小麦のように多くの国で主食とされているだけあって、野菜のなかでは高カロリー。糖質、たんぱく質が主成分です。玄米や胚芽米のように、胚芽の部分にビタミンE、B₁、B₂、カリウム、亜鉛、鉄などの栄養素がたっぷり詰まっています。60年代のものに比べ、ビタミンB群やCが1.5倍くらいに増えている成分もあるので、品種改良などによって栄養価も充実した健康食材になっているともいえます。

食品成分表(可食部100gあたり)
エネルギー	89kcal
水分	77.1g
●たんぱく質	**3.6g**
脂質	1.7g
炭水化物	16.8g
無機質 カリウム	290mg
カルシウム	3mg
マグネシウム	37mg
リン	100mg
鉄	0.8mg
亜鉛	1.0mg
●ビタミン B₁	**0.15mg**
B₂	0.10mg
C	8mg
食物繊維総量	3.0g

Data
学名：Zea mays
分類：イネ科トウモロコシ属
原産地：メキシコから南アメリカ北部
仏名：maïs

実が先まで詰まっていて、ふっくらツヤツヤしているもの

「ハニーバンタム」
甘み種スイートコーンの代表品種。ゴールドコーンとも呼ばれる。

品種群

シルバー系
ツヤのよい白粒種。粒は小ぶりだがやわらかく、甘みも強い。

バイカラーコーン
実が黄色と白の、2色のスイートコーン。

ウッディーコーン
黄色、白、紫、の3色スイートコーン。もちもちした食感が特徴。

ベビーコーン
ヤングコーンとも呼ばれる。生食用品種を若採りしたもの。

「味来」
実にツヤがあり、まるでフルーツのように甘い品種。

ポップコーン(爆裂種)
加熱すると粒中の微量な水分が爆発しポップコーンに。

水からゆでる
水からゆで、沸騰したら3分で火を止めてざるにとり、余熱で仕上げる。みずみずしいのに歯ごたえが残る。ビタミン類は水溶性が多いため、電子レンジ(1本6分/600W)で加熱しても。

保存法
かためにゆでて3〜4cmの輪切りか粒をはずしてから冷凍すると、あとで使いやすい。

おいしいカレンダー ●おいしい時期
5 **6 7 8 9** 10
北海道、千葉、茨城、長野

強力な抗酸化作用で若返り効果が絶大
コーンスープ

材料
とうもろこし(缶詰)…1缶
たまねぎ…1/2個
じゃがいも(中)…1個
ベーコン…50g
ブイヨンスープ…2カップ
牛乳…1/2カップ
塩 こしょう…少々

作り方
1. ベーコンは短冊切り、たまねぎとじゃがいもは皮をむいて薄切りにする。
2. 深鍋にスープと1を入れ、野菜がやわらかくなったらとうもろこしを加えて、塩こしょうで味を調える。
3. 仕上げに牛乳を入れ、火を止める。

期待のアミノ酸効果
注目すべきは豊富なアミノ酸。即効性の疲労回復効果があるアスパラギン酸、健脳効果があるグルタミン酸、免疫機能向上や脂肪燃焼促進効果があるアラニンを含んでいる。食物繊維がたっぷり含まれている皮は消化が悪いので、冷たい飲み物といっしょに摂ると下痢を起こすことがある。

食べ合わせ

〈代表的組み合わせ〉 〈ほかにも〉

とうもろこし + かぼちゃ	くるみ	ごま	大豆	▶	老化防止 / 認知症予防
とうもろこし + たけのこ	セロリー	せり	ピーマン	▶	ガン予防、高血圧防止 / 美肌効果、動脈硬化予防
とうもろこし + モロヘイヤ	白菜	ふき	れんこん	▶	胃腸の働きを高める / ガン予防
とうもろこし + もやし	のり	あずき	エビ	▶	腎臓を丈夫にする / 糖尿病の予防と改善

sweetcorn—とうもろこし　green soybean—えだまめ

豆類　実

えだまめ
枝豆
green soybean

体のもとになる骨や血液をつくる栄養素がたっぷり

「畑の肉」と呼ばれる大豆と同様、良質なたんぱく質のほか、歯や骨の形成に必要なカルシウムや、カリウムも豊富です。さらに大豆とは異なり、カロテンやビタミンCも多く含むため栄養満点。

もうひとつの注目は、水溶性ビタミンB群の一種、葉酸です。造血や体の発育に欠かせないものとして、胎児の正常な発育に欠かせないものとしてサプリメントでの摂取が推奨されている栄養素を、たっぷり含んでいます。

食品成分表(可食部100gあたり)
エネルギー		125kcal
水分		71.7g
たんぱく質		11.7g
脂質		6.2g
炭水化物		8.8g
灰分		1.6g
無機質	カリウム	590mg
	カルシウム	58mg
	鉄	2.7mg
ビタミン	B₁	0.31mg
	B₂	0.15mg
	ナイアシン	1.6mg
	葉酸	320μg
	C	27mg
食物繊維総量		5.0g

Data
学名：Glycine max
分類：マメ科ダイズ属
原産地：中国
仏名：soja

おいしいカレンダー ●おいしい時期
6　**7　8　9**　10　11
山形、群馬、千葉、新潟

未熟 → ○**食べごろ** → **育ちすぎ**

実の入りが7〜8割のころが香りがいちばん高く、おいしい(写真中)。実がパンパンに太ったもの(写真右)は食べごたえはあるが、さやがかたくなり、香りも薄くなっている。

品種群

茶豆
新潟を中心に栽培されている。香りが高く、甘みも強い。豆が少し茶色を帯びている。

「だだちゃ豆」
山形県鶴岡市の特産。とうもろこしに似た独特の香りと甘みをもつ。さやには茶色の毛がある。

「丹波黒大豆」
丹波特産。大粒で甘みがある。販売は10月〜と遅め。

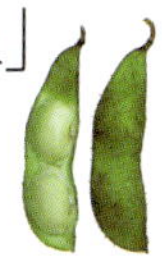

さやが密生し、うぶ毛がついているものがよいが、出荷時に水洗いしているものも。鮮度の見分けはむずかしい

保存法
2〜3分ゆでて流水で冷やす。粗熱を早く取ると色がよく出る。小分けにして冷凍も。

おいしいゆで方
1. はさみでさやの端をカット。塩味がしみ込みやすくなる。 
2. 多めの塩でよくもみ、うぶ毛を落としてしばらくおくと、残留農薬などの不安物質も軽減する。たっぷりのお湯をわかしておく。鍋が小さい場合は、小分けしてゆでること。沸騰した湯に塩を入れ、塩もみした枝豆を洗わず入れる。
3. ふたをし4分ゆでる。ざるにあげたら、うちわなどで粗熱をとると色がよくなる。塩が足りなければ補うこと。ゆですぎると、うまみがどんどん流れ出るので注意。

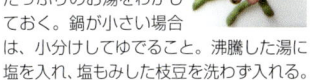

食べ合わせ

脳を活性化しひらめきを生む。貧血予防にも

枝豆とチーズのサラダ

材料
枝豆(正味)…100g
チーズ(種類はお好みで)…50g
マヨネーズソース
　マヨネーズ…大さじ2
　牛乳…小さじ1
　マスタード…小さじ1
　はちみつ…小さじ1

作り方
1. 枝豆は塩ゆでし、さやから豆を出しておく。チーズはさいの目に切る。
2. ボウルにマヨネーズソースの材料を入れてよくまぜ、1を和える。

大豆同様豊富な栄養
アミノ酸の一種メチオニンがアルコールの分解を促進し、肝臓への負担を軽くする働きがあるといわれるのは効果的。大豆同様、更年期障害を緩和するポリフェノールの一種のイソフラボンや、高血圧や動脈硬化を防いでダイエット効果もあるサポニンなども豊富に含む。

枝豆 + チーズ
▶ **認知症予防　貧血防止**

枝豆 + 豆腐
▶ **動脈硬化予防　血行促進**

豆類 実

そらまめ
空豆、蚕豆
broad bean

おいしいのは短期間。すぐに調理する

近年は12月ごろから出回り始めますが、本来は初夏を代表する味覚です。たんぱく質、糖質、ビタミンB_1、B_2、Cなどのほか、カリウム、鉄、銅などのミネラル類が多く含まれています。また皮には食物繊維が多く含まれているので、皮ごと利用できるスープなどもおすすめ。皮ごとじっくり焼くのも、おいしさを引き出すシンプルな調理法のひとつです。収穫した瞬間から栄養価が落ちるので、新鮮なものを求め、すぐ調理しましょう。

食品成分表（可食部100gあたり）

エネルギー		102kcal
水分		72.3g
たんぱく質		10.9g
炭水化物		15.5g
無機質	カリウム	**440mg**
	マグネシウム	36mg
	リン	220mg
	鉄	2.3mg
	亜鉛	1.4mg
	銅	0.39mg
	マンガン	0.21mg
ビタミン	B_1	**0.30mg**
	B_2	0.20mg
	C	23mg
食物繊維総量		2.6g

おいしいカレンダー ●おいしい時期

3 **4 5 6** 7 8

鹿児島、千葉、愛媛

Data
学名：Vicia faba
分類：マメ科ソラマメ属
原産地：北アフリカ、西南アジア
仏名：fève
独名：Saubohne

さやの緑色があざやかで弾力のあるものがよい

空気にふれると豆はすぐかたくなる。なかのわたが詰まっているものを

保存法
かためにゆでて冷凍。

ゆで方
たっぷりの湯をわかし、塩と酒少々を入れてゆでる。酒によってそらまめの青臭さがやわらぐ。ゆで時間は2分程度で、ゆですぎは禁物。

ざるにとって自然に冷ます。余熱があるので少しかためでOK。好みで塩を足しても。

しょう油豆
香ばしく炒ったそら豆を甘辛く煮たもので、讃岐地方の郷土料理。唐辛子が効いている。煮豆とは食感が異なり、やや厚めの皮をかむと口のなかでボロボロ崩れるのが特徴。

🫘 腎臓病や糖尿病を予防、胃腸も丈夫に
そら豆の冷製スープ

材料
そら豆…1カップ
ベーコン…50g
たまねぎ…1/2個
ブイヨンスープ…1カップ
牛乳…1カップ
塩　こしょう…少々
サラダ油…適量

作り方
1. 短冊切りにしたベーコンとみじん切りにしたたまねぎを油でゆっくり炒め、冷ましておく。
2. さやから出したそら豆を塩ゆでし、皮をむいておく。
3. 2、1、スープ、牛乳をミキサーにかけてなめらかにし、塩、こしょうで味を調えたら冷やす。

レシチンで血栓予防
レシチンには血栓を溶かす効果があり、ビタミンB_2とともに働いて血中コレステロールの酸化を防ぐ。ビタミンB_1、B_2、C、カリウムといった水溶性の成分が多く、水分代謝のよい人が水分の多いきゅうりやとうがんと食べ合わせると、すぐに排泄されてしまうので要注意。

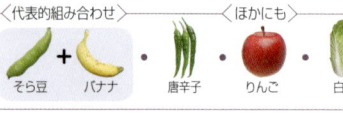

食べ合わせ

代表的組み合わせ	ほかにも			効能
そら豆 + バナナ	唐辛子	りんご	白菜	胃腸を丈夫にする 腎臓病予防、便秘予防
そら豆 + きくらげ	アジ	イカ	タコ	動脈硬化予防 強肝作用、心臓病予防
そら豆 + とうがん	きゅうり	かぼちゃ	チコリー	利尿作用、腎臓病予防 むくみ解消
そら豆 + 牛肉	黒砂糖	酢	カキ	貧血防止、体力回復 スタミナ増強

なたまめ

Data
- 学名：Canavalia gladiata
- 分類：マメ科ナタマメ属
- 別名：刀豆
- 原産地：熱帯アジア
- おいしい時期：9月〜10月

お茶が人気の巨大な豆

近年話題のなた豆は、さやの長さが40cmにもなる大型の豆で、日本には江戸時代に中国から伝わりました。若いさやが漬け物に、豆はおもに薬用とされてきました。

現在でも福神漬けには、スライスしたさやが入っています。また、豆を使ったお茶が、歯周病などにも効く健康食品として注目されています。

なお、赤なた豆には毒素が含まれているため、食用にするには毒抜きが必要です。

ふじまめ

Data
- 学名：Lablab purpureus sweet
- 分類：マメ科フジマメ属
- 原産地：熱帯アジア
- 別名：つるまめ、千石豆
- おいしい時期：7月下旬〜9月

西日本でメジャーな豆

江戸時代初期に中国から伝わりました。西日本での栽培が多く、各地で隠元豆、味豆、千石豆、万石豆、つる豆など、さまざまな名称で呼ばれています。一説では、隠元和尚が伝えたのはこの豆とも。藤豆の名は、花のつき方がフジに似ていることに由来します。

おひたしや煮物、天ぷらなどにしていただきます。ほかのさやごと食べる豆と比べると、カリウム、葉酸、食物繊維が多く含まれています。

はなまめ

Data
- 学名：Phaseolus coccineus
- 分類：マメ科インゲンマメ属
- 原産地：中南米
- 和名：紅花いんげん、花ささげ
- おいしい時期：7月〜9月、乾物 9月〜

花も美しい寒冷地向きの豆

信州の高原地帯を夏に訪れるとよく見かける赤い花をつけるのが、この花豆です。日本に入ってきたのは江戸時代末期のこと。当初は観賞用でした。その後、生育に適した長野県や東北地方、北海道などの寒冷地での食用栽培が本格化します。

炭水化物とたんぱく質、食物繊維を多く含み、日本ではもっぱら完熟した豆を煮豆などにして食しますが、欧米では、さやいんげんと同じように若いさやを調理に利用します。

しかくまめ

Data
- 学名：Psophocarpus tetragonolobus
- 分類：マメ科シカクマメ属
- 原産地：熱帯アジア
- 別名：豆菜（とうさい）
- おいしい時期：5月〜6月

あっさりした南国の風味

一度見たら忘れられないユニークな形をした豆です。熱帯原産で、日本の気候では栽培が難しかったのですが、「ウリズン」という品種の誕生により、広く栽培できるようになりました。栽培の中心は沖縄や小笠原諸島で、最近では、ほかの地域でも作られ始めています。

サッとゆでてサラダやおひたしに、炒め物や天ぷらにと、さやいんげんと同様に利用できます。あっさりした味とパリパリした歯ざわりがもち味です。

豆類 実

らっかせい
落花生 peanut

生活習慣病予防に効果あり

ピーナッツと呼ばれていますが、木の実（ナッツ）ではなく、豆の一種です。抗酸化作用が強く、動脈硬化の予防効果があるビタミンEを始め、脳の動きを活発にするレシチン、ビタミンB群、ミネラル類などを含みます。脂質も豊富ですが、その多くはリノール酸や、酸化しにくく悪玉コレステロール（LDL）値だけを下げる効果があるオレイン酸。たんぱく質や食物繊維も豊富です。ビタミンB群の一種、ナイアシンがアルコールの代謝を助けるので、酒のつまみにも最適です。

食品成分表（可食部100gあたり）

エネルギー		306kcal
水分		50.1g
たんぱく質		12.0g
脂質		24.2g
炭水化物		12.4g
無機質	カリウム	450mg
	マグネシウム	100mg
	リン	200mg
	亜鉛	1.2mg
	マンガン	0.75mg
ビタミン	B₁	**0.54mg**
	ナイアシン	**10.0mg**
	B₆	0.21mg
	葉酸	150μg
食物繊維総量		4.0g

おいしいカレンダー ●おいしい時期
6 7 **8 9** 10 11
千葉、茨城

炒り　ゆで　生
生やゆでた落花生より、炒ったもののほうが成分が凝縮され、栄養価が高まる。特にナイアシンやパントテン酸、食物繊維は倍増する。

🥜 **記憶力低下を防ぎ認知症を予防**
落花生ご飯
材料
米…2合
落花生…1/2カップ
干ししいたけ…20g
昆布…10cm（幅5cmくらい）
しょう油　酒…適量

作り方
1. 炒り落花生をひと晩水に浸けておく。干ししいたけは適量の水で戻しておく。
2. 米は30分前に洗い、ざるにあげておく。
3. 2にきざんだしいたけ、1の落花生、昆布を入れ、しいたけの戻し汁、しょう油、酒と水を合わせて水加減をし、炊飯する。

生のものは、ほぼ国産。新鮮なものを。炒ったものは輸入品も多く、粒がふぞろいで風味も劣る

Data
学名：Arachis hypogaea
分類：マメ科ラッカセイ属
原産地：中南米
仏名：arachide
独名：Erdnuß
別名：ナンキンマメ

生らっかせいのゆで方
よく洗い、海水くらいの塩水（3.5%程度）で殻ごと1時間ほどゆでる。火を止めて予熱で30〜40分蒸らす。

品種群
黒落花生
大半が輸入もの。黒い薄皮にはアントシアニンが含まれている。ぜひ皮ごと食べよう。

食べ合わせ

生活習慣病を撃退
脂質は不飽和脂肪酸のオレイン酸なので悪玉コレステロールを除去し、さらに脂質の代謝を助ける抗酸化物質の働きと相まって生活習慣病予防に効果的。レシチンやビタミンB群のコリンには、神経伝達物質の生成を助ける働きがあり健脳効果が。薄皮は薬効が高いので、皮ごとがおすすめ。

〈代表的組み合わせ〉〈ほかにも〉

落花生 + シジミ ・ カキ ・ ホタテ貝 ・ 納豆	貧血予防、肝機能強化　ガン予防
落花生 + 大豆 ・ きくらげ ・ にんにく ・ さやえんどう	心臓病予防、便秘予防　血液サラサラ効果
落花生 + セロリー ・ イワシ ・ サバ ・ イカ	精力増強、高血圧予防　動脈硬化予防
落花生 + なす ・ モロヘイヤ ・ シジミ ・ 豆腐	糖尿病予防、健脳効果　肝機能強化

peanut—らっかせい　ginkgo nut—ぎんなん　walnat—くるみ

種子 **実**

ぎんなん

銀杏　ginkgo nut

ダブル効果で風邪を予防

ねっとりとした食感と独特の風味をもつ秋の味覚、ぎんなんはイチョウの実。胚乳の部分を食します。

ほかの木の実類に比べ、速効性の高いエネルギー源である糖質と、感染症を予防する働きをもつカロテンが多いのが特徴。またビタミンCも多く含んでいるので、風邪をひきやすい秋から冬にぴったりの食材です。

ビタミンB₁、カリウムも多く含んでいます。

食品成分表(可食部100gあたり)

エネルギー		168kcal
水分		57.4g
たんぱく質		4.7g
炭水化物		34.8g
無機質	**カリウム**	**710mg**
	マグネシウム	48mg
	リン	120mg
ビタミン	A β-カロテン当量	290μg
	B₁	0.28mg
	ナイアシン	1.2mg
	葉酸	45μg
	パントテン酸	**1.27mg**
	C	23mg
食物繊維総量		1.6g

殻の表面が白いもの。振って音がするものは避ける

Data
学名：Ginkgo biloba
分類：イチョウ科イチョウ属
原産地：中国
おいしい時期：9月〜11月

● **保存法**
紙袋などに入れて冷蔵庫の野菜室で数か月。殻をはずし、塩ゆでして薄皮を取り除いたものを冷凍保存する。

食べすぎに注意
メチルピリドキシンという物質によって、大量に食べるとまれに食中毒を起こすことがある。子どもには数を制限し、5歳未満の子には与えないほうがよい。

電子レンジで簡単調理
殻を割り塩とともに茶封筒に入れて口を折り曲げ、電子レンジで1分から1分30秒ほど加熱。簡単におつまみができる。

くるみ

胡桃　walnat

不足しがちなαリノレン酸を含む

コクのある風味があとを引くくるみは「植物性の卵」といわれるほど、たんぱく質が豊富です。

また、健康維持に不可欠な必須脂肪酸も多く含まれています。なかでも注目は、ストレスの軽減や肥満、高血圧、糖尿病などの予防に役立つαリノレン酸。現代の食生活では不足しがちな栄養素です。最近では、抗うつ作用があることもわかってきました。

食品成分表(可食部100gあたり)

エネルギー		713kcal
水分		3.1g
たんぱく質		**14.6g**
脂質		**68.8g**
炭水化物		11.7g
無機質	カリウム	540mg
	カルシウム	85mg
	マグネシウム	150mg
	リン	280mg
	鉄	2.6mg
	亜鉛	2.6mg
	銅	1.21mg
	マンガン	**3.44mg**
ビタミン	B₁	0.26mg
	B₂	0.15mg
食物繊維総量		7.5g

Data
学名：Juglans spp.
分類：クルミ科クルミ属
原産地：イラン、中国、日本、北米
仏名：noix
おいしい時期：10月〜12月

● **保存法**
酸化しやすいので、殻をなるべくはずさずに保存し、食べるごとに割る。

品種群

ペカン（ピーカン）
クルミ科の木の実。脂肪分が多く、甘みとコクがある。つまみや製菓の材料として食されている。

種子 実

くり
栗 chestnut

古代からの栄養食

ブナ科クリ属の植物は、日本はもちろん、ヨーロッパ、アメリカ、中国などに自生し、古くから各地でその実が食用にされてきました。日本でも栗は、縄文時代から貴重な食料でした。

炭水化物を多く含む高カロリー食品で、糖の代謝を助けるビタミンB_1、B_2、ナイアシンも含むので、効率よくエネルギーを補給できます。たんぱく質やビタミンC、カリウムも比較的多く含んでいます。

Data
- 学名：Castanea crenata
- 分類：ブナ科クリ属
- 原産地：日本、中国、朝鮮半島南部など
- 仏名：châtaigne
- 独名：Edelkastanie

食品成分表
（日本ぐり 可食部100gあたり）

エネルギー		147kcal
水分		58.8g
たんぱく質		2.8g
炭水化物		36.9g
無機質	カリウム	420mg
	カルシウム	23mg
	マグネシウム	40mg
	リン	70mg
	マンガン	3.27mg
ビタミン	B_1	0.21mg
	B_2	0.07mg
	B_6	0.27mg
	ナイアシン	1.0mg
	C	33mg
食物繊維総量		4.2g

おいしいカレンダー ●おいしい時間
7　8　**9**　**10**　11　12
茨城、熊本、愛媛

慢性疲労からの回復や記憶力アップ、抗酸化作用もあり
鶏肉と栗の中華風煮

材料
- 栗…10個
- 鶏もも肉…1枚
- ピーマン…2個
- にんじん…1/3本
- にんにく…1片
- 中華スープ…2/3カップ
- オイスターソース…大さじ1と1/2
- 塩　こしょう…少々
- かたくり粉…適量
- サラダ油…適量

作り方
1. 鶏もも肉はひと口大に切り、塩、こしょうで下味をつけ、かたくり粉をまぶしておく。
2. 栗はゆでて鬼皮をむく。渋皮は好みでつけておいてもよい。
3. にんじんとピーマンは食べやすい大きさに切っておく。
4. 鍋で油を熱し、みじん切りにしたにんにくを炒め、香りが立ってきたら切っておいた鶏もも肉を炒める。
5. 両面に焼き色がついたら中華スープを入れ、煮立ったら、オイスターソース、2、3を入れる。
6. 火が通ったら塩で味を調え、火を止める。

皮にツヤとハリがあり、重みのあるものがよい

「利平」（りへい）
大粒で甘みが強く、特にゆでると食味がよい。

品種群
「銀寄」（ぎんよせ）
大粒でやや扁平。風味豊か。丹波栗の多くはこの品種。

保存法
そのまま保存すると、鬼皮と渋皮の間に産みつけられた卵から虫がかえって食べられなくなる。5℃以下なら虫が活動しないので、冷蔵庫のチルド室が簡単で最適。1～2%の塩水に皮ごと10時間ほどつけて水けをきり、よく乾かしてから冷蔵庫で。

鬼皮のむき方
沸騰した湯に入れて3分ほどゆでる。冷めると皮がむきにくくなるので、残りの栗は湯のなかで保温しつつむいていこう。底の丸い部分にペティナイフで切れ目を入れ、鬼皮をはがす。

鬼皮　渋皮

渋皮にも薬効が
栗のビタミンCはでんぷん質に包まれているため、加熱しても損失が少なく、高い美容効果や免疫力アップが期待できる。渋皮には抗酸化作用やガンの予防効果もあるタンニンや、整腸作用と大腸ガン予防効果のある食物繊維が含まれている。できるだけ渋皮をつけたまま調理を。

食べ合わせ

〈代表的組み合わせ〉　〈ほかにも〉

組み合わせ			効能
栗＋アスパラガス	アロエ	やまのいも・納豆	老化防止　胃腸を丈夫にする
栗＋ほうれん草	いんげん	みかん・オレンジ	美肌づくり、ガン予防　認知症予防
栗＋たけのこ	チコリー	レタス・いんげん	催眠効果、老化防止　健脳効果
栗＋さつまいも	さといも	イカ・ウナギ	足腰の強化、強精効果　スタミナ増強、強肝効果

chestnut—くり　sesame seed—ごま

種子 実

ごま
胡麻
sesame seed

Data
学名：Sesamum indicum
分類：ゴマ科ゴマ属
原産地：アフリカ

話題のセサミンで若返りを

古くから世界各国で栽培されてきたごまは、良質なたんぱく質を含み、ビタミンE、B群、カルシウム、鉄などのミネラルも豊富な健康食品です。成分の約55％が脂質で、そのほとんどがリノール酸やオレイン酸などの不飽和脂肪酸。

なかでも注目されているのがゴマリグナンの一種、セサミンです。強い抗酸化作用があり、老化防止、肝機能の改善、悪玉コレステロールを低下させ動脈硬化を防ぐなどの効果が期待できます。

栄養分をしっかり摂るには、すってから皮を壊すことが大切です。

食品成分表（可食部100gあたり）
エネルギー		604kcal
水分		4.7g
たんぱく質		19.8g
脂質		53.8g
炭水化物		16.5g
無機質	カルシウム	1200mg
	マグネシウム	370mg
	鉄	9.6mg
	銅	1.66mg
	マンガン	2.24mg
ビタミン	E	0.1mg
	B₁	0.95mg
	B₂	0.25mg
	B₆	0.60mg
食物繊維総量		10.8g

炒り方
洗ったごまを用意。油のないフライパンか鍋で「強火の遠火」が基本。入れすぎると焦げるので注意。鍋を持ち上げ遠火にし、木じゃくしなどでゆっくりかきまぜる。ごまの粒が弾けだしたら味をみて、好みの炒り具合にする。

色が濃く、ツヤがあって粒のそろっているものがよい

白ごま
ごま和えやごま豆腐に使われる、もっとも一般的なごま。風味はマイルド。品質にはばらつきがある。

品種群

黒ごま
赤飯やおはぎ、ごま和えに使われる。香りが高く個性が強い。皮はアントシアニンを含む。

金ごま
ごまのなかではいちばん香りが高く、懐石料理などで使われてきた。種皮はフラボノイドを含む。

保存法
湿気は大敵。軽く炒り直すと風味が戻る。

すりごま
かたい皮を壊すと、含まれている高い栄養素を体内に吸収しやすくなる。時間が経つと、せっかくのリノール酸が酸化するので少量ずつするのがおすすめ。

骨粗しょう症予防や脳の活性化にも
ごまふりかけ

材料
ごま、ちりめんじゃこ、青のり…各大さじ1
塩…少々

作り方
フッ素樹脂加工のフライパンでごまを炒り、はじけてきたら、じゃこ、青のりを加えてサッと炒り、塩で味を調える。

若返りならゴマリグナン
セサミン、セサミノール、セサモリンといった抗酸化作用の高い成分がたっぷり含まれており、総称してゴマリグナンと呼ばれている。また健脳効果のあるアミノ酸や骨粗しょう症を予防するカルシウムも豊富。必ず食べる直前にすり、いろいろな食材にふりかけてその薬効を摂ろう。

食べ合わせ

代表的組み合わせ	ほかにも	効能
ごま + かぼちゃ	ブロッコリー・落花生・さつまいも	老化防止／ガン予防
ごま + 牛乳	大豆・昆布・寒天	骨粗しょう症予防／健脳効果
ごま + わかめ	あずき・ふき・モロヘイヤ	便秘予防／血行促進
ごま + マグロ	イワシ・カツオ・サケ	認知症予防／健脳効果

淡色野菜 / 緑黄色野菜　実

フィサリス
strawberry tomato, dwarf cape gooseberry

ビタミンAの豊富な食べるホオズキ

観賞用ホオズキの仲間で、数種類が「食用ほおずき」の名で出回っています。甘酸っぱい味は、親戚すじにあたるミニトマトにどこか似た感じ。ケーキのトッピングやシャーベットなど、おもにデザートに用いられます。免疫力を高め、ガンを予防する効果のあるビタミンAと、皮膚や血管の老化を防ぐビタミンCが豊富に含まれています。

いろいろな呼び名
ケープグーズベリー、グラウンドチェリー、オレンジチェリー、ストロベリートマト、ほおずきトマト、食用トマト、「ほたるのたまご」「ほおずきちゃん」、これらはすべてフィサリスの呼称。

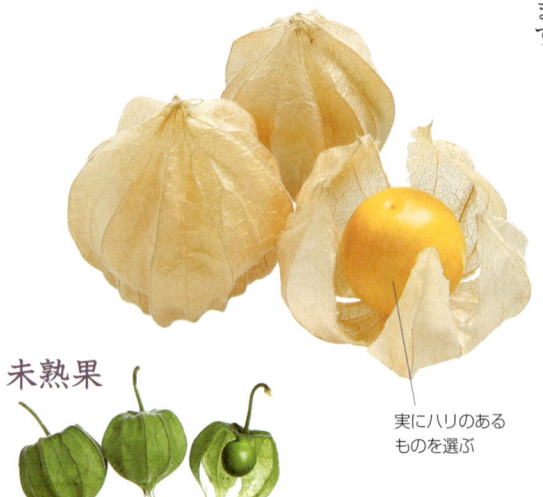

未熟果

実にハリのあるものを選ぶ

Data
学名：Physalis sp
分類：ナス科ホオズキ属
原産地：北アメリカ
仏名：physalis
独名：Erdbeertomate, Erdkirsche
おいしい時期：6月〜7月

とんぶり
summer cypress, belvedere cypress

プチプチ食べて冷え性を解消

プチプチとした食感から「畑のキャビア」ともいわれるとんぶりは、アカザ科のホウキグサのタネを煮てから、果皮を取り除いたものです。秋田県の特産品で、酢の物や大根おろし、長いもなどに加えて食感を楽しみます。血行をよくするビタミンE、止血にかかわるビタミンKのほか、リンや鉄などのミネラル分、食物繊維も豊富な緑黄色野菜です。

保存法
生のものは冷蔵庫で10〜14日。冷凍も可。真空パックやびん詰のものは日もちするが、開封したら早めに食べきる。

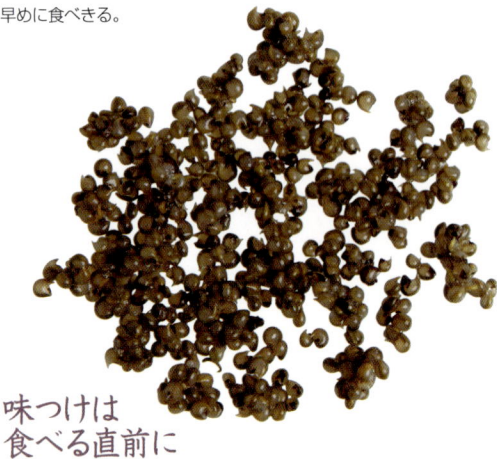

味つけは食べる直前に
淡泊な味なので、しょう油やドレッシングなどがよく合うが、時間が経つと粒のなかの水分が出て、特有のプチプチ感がなくなってしまう。味つけは、食べる直前がベスト。

Data
学名：Kochia scoparia
分類：アカザ科ホウキギ属
原産地：アジア、南ヨーロッパ
別名：ホウキグサ、ニワクサ
独名：Besenkraut
おいしい時期：10月〜11月

44

strawberry tomato—フィサリス　summer cypress—とんぶり　water chestnut—ひし　jujube—なつめ

淡色野菜 実

ひし
菱　water chestnut

ミネラル分で健康維持

この奇妙な形をした食べ物は、ヒシという水草の果実です。ヨーロッパから東アジアにかけて数種類が分布し、古くから食用にされてきました。塩ゆですると、ゆり根や栗に似たホクホクとした味わいで、若い実は生でも食べられます。炭水化物のほか、赤血球をつくるときに必要な葉酸を、不足すると疲労や筋肉痛の原因になるビタミンB1に加え、ミネラル分なども豊富です。

食品成分表(可食部100gあたり)
- エネルギー 183kcal
- 水分 51.8g
- たんぱく質 5.8g
- 炭水化物 40.6g
- 無機質
  - ナトリウム 5mg
  - カリウム 430mg
  - カルシウム 45mg
  - マグネシウム 84mg
  - リン 150mg
  - 鉄 1.1mg
  - 亜鉛 1.3mg
- ビタミン
  - B1 0.42mg
  - B6 0.32mg
  - 葉酸 430μg
  - 食物繊維総量 2.9g

漢方では菱実(りょうじつ)
滋養強壮、胃腸の機能改善、ガン予防といった効果があるとされている。実を砕いたものを煎じてお茶にも。

忍者の小道具
近縁種の「オニビシ」「ヒメビシ」にはするどいトゲがあり、これを乾燥させたものが「撒菱(まきびし)」という忍者の道具になった、非常時に食用にもなったとの説があるが、いずれも定かではない。

Data
- 学名：Trapa japonica Flerow
- 分類：ヒシ科ヒシ属
- 原産地：ヨーロッパ、アジア、アフリカ
- 別名：トウビシ、オニビシ
- 仏名：macre
- 独名：schwimmende Wassernuβ
- おいしい時期：9月～11月

なつめ
棗　jujube

生のものは美容効果抜群

クロウメモドキ科の植物で、古くから果実が食用にされてきました。特に中国では「一日に3粒のなつめを食べたら年をとらない」といわれ、おもに乾燥させたものをおかゆに入れたり、お菓子に使ったりします。韓国では薬膳料理のサムゲタンの材料に用います。ビタミンB1、B2、食物繊維、カリウムやカルシウムなどを豊富に含み、生の果実にはビタミンCがきわめて豊富に含まれています。

食品成分表(可食部100gあたり)
- エネルギー 294kcal
- 水分 21.0g
- たんぱく質 3.9g
- 炭水化物 71.4g
- 無機質
  - カリウム 810mg
  - カルシウム 65mg
  - マグネシウム 39mg
  - リン 80mg
  - 鉄 1.5mg
  - 亜鉛 0.8mg
  - 銅 0.24mg
- ビタミン
  - ナイアシン 1.6mg
  - 葉酸 140μg
  - C 1mg
  - 食物繊維総量 12.5g

保存法
生のものはビニール袋に入れ冷蔵庫で1～2日。

乾燥なつめの作り方
4～5日天日干ししたあと、30分ほど蒸し、再び天日干しする。そのままでも、煮出してお茶にも、リカーに漬けてなつめ酒にも。

甘露煮
たっぷりの水からゆでる。こまめにアクを取り除き、タネがはずれるくらいになったら煮汁に浸け置き、味を含める。煮汁は、なつめ：水：砂糖を4：2：1で合わせ、塩少々を加える。

Data
- 学名：Zizyphus jujuba var. inermis
- 分類：クロウメモドキ科ナツメ属
- 原産地：中国
- おいしい時期：9月下旬～10月初旬

地方野菜

「単品種大量生産」の時代の波に消えかけた地方野菜が今、脚光を浴び始めている。地元の人々の長年の尽力により滋味あふれる個性的な野菜が少しずつ復活してきた！

「山形野菜」

在来野菜が豊富。注目は「庄内野菜」

「庄内」「最上」「村山」「置賜」と大きく4つの地域に分けられる山形県。なかでも酒田市や鶴岡市を中心とする日本海に面した庄内地方は、豊かな水と肥よくな土壌に恵まれ、だだちゃ豆や温海かぶなど数多くの在来野菜が作られています。

山形県内だけでもじつに40種もの在来野菜が栽培されているというのも驚き。焼畑農法といった独特の栽培方法も守り続けられており、まさに在来野菜の宝庫です。

「小真木大根」
鶴岡市小真木地区の在来種。直径5㎝ほどの小ぶりな大根で辛みが強い。干してハリハリ漬けに。

「山形赤根ほうれん草」
山形市風間地区の在来種。典型的な東洋種で葉の切れ込みが深く、根元が赤い。メロン並みに糖度が高い。

「だだちゃ豆」
鶴岡市白山地区を中心に栽培されており、商標登録もされている。薄皮が茶色がかり甘みと香りが強い。

「民田（みんでん）なす」
鶴岡市民田地区の在来種。漬け物用の丸型小なすで、果皮はやわらかいが果肉はしまって歯ごたえがある。

「温海（あつみ）かぶ」
鶴岡市温海地区の在来種。濃紫色の丸かぶ。山の斜面を利用した焼畑農法で栽培。

「藤沢かぶ」
鶴岡市藤沢地区の在来種。紅色と白の2色が美しく、パリッとした食感と上品な甘みがある。焼畑農法で栽培。

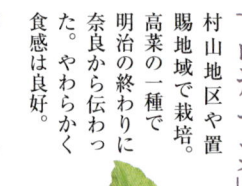

「山形青菜（せいさい）」
村山地区や置賜地域で栽培。高菜の一種で明治の終わりに奈良から伝わった。やわらかく食感は良好。

「赤ねぎ」
酒田市平田地区の在来種で、江戸末期から栽培されている。生だと辛みが強いが、煮ると甘くトロッとなるのが特徴。

「江戸野菜」

江戸時代に全国各地からやってきた

江戸時代、参勤交代により全国から集まった大名とともに、郷土の野菜が江戸の地で栽培されるようになり、改良されてできたのが江戸野菜。水はけのよい土壌（関東ローム層）は根菜類の栽培に向いており、「練馬大根」「亀戸大根」「滝野川ごぼう」「馬込三寸人参」といった味のいい根ものが数多く作られていました。

近年、タネの確保から復活に取り組む動きが活発になっています。

ほかに、のらぼう菜、芯取菜、馬込半白節成きゅうり、東京うど、などがあります。

「練馬大根」
練馬発祥。平成9年に復活し、現在も練馬区内で生産。大型種で肉質は緻密。たくあん漬け向き。

「亀戸大根」
亀戸周辺で発祥。日本最小の大根。色白できめが細かく、生、浅漬け、鍋の具として食されてきた。

「馬込三寸人参」
大田区馬込発祥の品種。太くて短く先が丸いのが特徴。生食も可能なほどやわらかく、香り高い葉も可食。

「品川大長かぶ」
品川宿周辺発祥。根は20cm以上と細長く、やや下ぶくれ形。やわらかい葉ごと漬け物にもできる。

「千寿ねぎ」
足立区千住にある長ねぎ専門の市場でのみ扱われている一本ねぎの高級品種。巻きが多く、うまみが凝縮。

「谷中しょうが」
台東区谷中周辺でさかんに栽培されていたことからこう呼ばれている。葉しょうがの一種で、先端が紅色になる。

「金町こかぶ」
もとは葛飾区金町の特産。現在の小かぶのルーツともいえる品種。肌はなめらかで甘みがあり、葉もやわらかい。

伝統小松菜「後関晩生（ごせきばんせい）」
小松川地区が発祥。やわらかで甘みがあり、味は濃厚。改良種に比べると葉が広がり、見た目が少々悪い。

「滝野川ごぼう」
全国各地で栽培される滝野川ごぼうは、北区滝野川地区が発祥の地。やわらかく香りがいい。別名東京大長。

「加賀・能登野菜」

認知度も高い一級銘柄の野菜ぞろい

加賀百万石の文化が結集した城下町、金沢。友禅、漆器、陶器などの伝統工芸とともに、在来野菜も加賀が誇る名品です。

加賀野菜の保護と発展のため、金沢では平成9年に「金沢市農産物ブランド協会」が発足し、品質の維持を図っています。その認定基準は、昭和20年以前から作られており、現在もおもに金沢で栽培されているとのこと。

まだ認定されていない特産野菜や能登地区の伝統野菜もあり、石川は充実した食文化を誇っています。

「金沢市農産物ブランド協会」に認定されている加賀野菜は次の15種

- 五郎島さつまいも
- 加賀れんこん
- 加賀太きゅうり
- 金時草
- へた紫なす
- 金沢春菊
- 赤ずいき
- 二塚からしな
- 金沢一本太ねぎ
- 打木赤皮甘栗かぼちゃ
- せり
- 源助大根
- 加賀つるまめ
- くわい
- たけのこ

※平成30年現在

「加賀太きゅうり」
金沢市原産。ずんぐりとした大型の太きゅうり。果肉はやわらかく日もちもよい。生食より煮物にされ、あんかけにすると美味。

「源助大根」
金沢市打木町原産。正式名は打木源助。ずんぐりとした短型。甘みが強くきめ細やかで、おでん、ふろふき、おろし、と何でも。

「打木赤皮甘栗かぼちゃ」
金沢市打木町発祥。美しい赤皮種で、しっとりとした果肉もあざやかなだいだい色。煮物以外にスープやお菓子にも。

「加賀れんこん」
太くて節間が短く、肉質が緻密でもっちりとした食感が特徴の、食味のよいれんこん。市内小坂地区や河北潟地区などで栽培。

「五郎島さつまいも」
五郎島金時の名でも流通。施肥を少なめにすることで通常のものより糖度が高くなり、形もしまっている。食味がよい。

「金時草」
江戸時代に熊本の「水前寺菜」が伝わり、以降本格的に栽培されている。葉裏の赤紫色と独特の香り、そしてぬめりが特徴。

「金沢一本太ねぎ」
白い葉鞘（ようしょう）部が太くて長く、肉質はやわらか。ぬめりが強く、煮ると特にトロリとして美味。栽培戸数はわずか。

「金沢青かぶ」
めずらしい緑色のかぶで、肉質はかたく、甘みと香りが強いのが特徴。こうじ漬けにしたものが金沢名物「かぶら寿司」になる。

「中島菜」
能登の七尾市発祥の漬け菜。辛みがあり、色があざやか。漬け物、炒め物、煮物、和え物と幅広く利用できる。

「京野菜」
存在感がある伝統野菜の代表格

京料理とともに発達し、現在も地方野菜の京野菜のトップとして特別な存在の京野菜。その根源は、菜食の精進料理にあります。

数多くの品種があるなか、京都府は「京の伝統野菜」と「京のブランド産品」計43品種を定め、認証しています。その基準は、（1）明治以前から栽培されている、（2）対象は府内全域、（3）たけのこを含みきのこ、シダ類は除く、（4）絶滅した品種も含む。水菜のように全国的になった品種もあり、府外で栽培されたものでも「京野菜」と呼ばれる現状があります。

そのほかのおもな品種
- 青味大根
- 松ヶ崎浮菜かぶ
- すぐき菜
- 畑菜
- もぎなす
- 山科なす
- 田中とうがらし
- 万願寺とうがらし
- 桂うり
- 柊野ささげ
- 京うど
- 京たけのこ

「聖護院大根」
左京区聖護院周辺発祥。一株が1〜2.5kgもある大型種で、甘みがあって煮崩れしにくく、煮物に最適。

「賀茂なす」
現在の上賀茂地域が発祥。大型の丸なすで肉質はきめ細かく、ずっしりと重みがある。みそを使った田楽あるいは揚げ物に。しぎ焼き、

「伏見甘長」
伏見区付近で栽培されてきた、辛みがまったくない唐辛子。「ひもとう」「伏見甘」などの別名も。

「えびいも」
さといもの「唐のいも」の子いもに土を寄せ、湾曲させてエビのような形に仕立てたもの。この栽培方法は200年以上続いている。タラの乾物、棒だらといっしょに煮つけた「いもぼう」は京名物。

「九条ねぎ」
南部の九条地区発祥の葉ねぎ。色が濃い九条太と淡緑色の九条細があるか、ぬめりと甘みがあり、薬味のほか、ぬたや鍋物にも。

「壬生菜」
中京区壬生寺付近で水菜の自然交雑から生まれた品種。葉先がへら状で、少しクセのある香りとほろ苦さが特徴。

「鹿ヶ谷かぼちゃ」
左京区鹿ヶ谷発祥で、ひょうたん形が特徴。果皮の表面にはちりめん状のでこぼこがあり、粘質で水分が多い。煮物向き。

「聖護院かぶ」
聖護院周辺発祥。大きいものは数キロになる、日本最大のかぶ。きめ細かく甘みがある。千枚漬けの材料にも。

「堀川ごぼう」
300年以上続く特殊な栽培法により太く作られたごぼう。肉質はやわらかく、空洞になっているため、詰め物に向いている。

「なにわ野菜」

復活が始まった新顔の伝統野菜

江戸時代、天下の台所と呼ばれた大阪には各地から野菜が集まり、この地に根づきましたが、戦後、しだいに衰退していきました。

平成17年、大阪市は「なにわの伝統野菜認証委員会」を作り、(1) 大阪市内で100年以上栽培されていたもの、(2) 現在も市内で作られているもの、(3) 種子の確保が可能なもの、という基準を設けて、復活を図っています。

なにわ野菜として認定されているもの
- 田辺大根
- 金時人参
- 天王寺かぶ
- 勝間南瓜
- 難波葱
- 服部越瓜
- 守口大根
- 碓井えんどう
- 吹田くわい
- 毛馬きゅうり
- 玉造黒門越瓜
- 大阪しろな
- 芽じそ
- 鳥飼茄子
- 高山ごぼう
- 泉州たまねぎ
- 三島うど
- 高山真菜

※平成30年現在

「金時人参」
浪速区の難波や木津が発祥。色あざやかな赤色で、果肉はやわらかく甘みも強い。正月の煮しめには欠かせない野菜。

「泉州水なす」
貝塚市澤地区発祥で、泉南地区の特産。果皮が薄く、手でしぼれるほどジューシー。浅漬けにすると美味。

「玉造黒門越瓜」
難波の黒門市場周辺で栽培されていたもの。果皮がかたく果肉が厚いので、縦に割ってから、おもに奈良漬けにされる。

「天王寺かぶ」
天王寺周辺の発祥で、肉質はきめ細かく色白。やや扁平で生長すると土の上にせり上がってくる。かぶら蒸しやふろふきにも。

「田辺大根」
東住吉区田辺地域特産の短大根。白く円筒形で、肉質は緻密で甘みが強い。ふろふきやなます、漬け物に。

「大阪しろな」
北区天神橋付近でさかんに栽培されていた漬け菜。クセがなくあっさりとした食味とシャキシャキとした食感が魅力。おひたしや煮物に。

「勝間南瓜」
現在の西成区玉出町発祥の小型かぼちゃ。肉質は粘質でほどよい甘みがある。平成12年にタネが見つかり復活した。

「毛馬きゅうり」
都島区毛馬町発祥。果長が30cmもあり、その3分の2は淡緑〜黄色をしている。歯切れがよく、奈良漬けにされることも多い。

「芽じそ」
北区源八橋付近発祥。「源八もの」ともいう。源八とはつまものことをさし、その代表格が芽じそ。現在は東淀川区で生産されている。

「沖縄野菜」

長寿を支える独特の菜食文化

年間平均気温22℃の沖縄で栽培される野菜は、東南アジアと共通するものが少なくありません。

ゴーヤーやンジャナ、島らっきょうといった苦みや辛みの強いものは食欲を増進させ、さまざまなうり類は乾きを潤す、…これは気温が高い地域ならではの食文化といえます。

沖縄の高齢者が元気なのは、口に入れるものすべては体のためになるという「ぬちぐすい（命の薬）」の考え方に基づき、在来野菜をたっぷりと食してきたからです。

パパヤー
パパイヤの未熟果を野菜として食す。皮とタネを取ってきざんだものを炒め物に。沖縄では定番の庭木のひとつ。

しかくまめ
別名うりずん「豆」。さやにひだがついたユニークな「豆」で、切り口が四角いのが特徴。さやごと食す。ほのかな苦みがある。

ンジャナ
別名にがな。健胃効果がある野草の一種で独特の苦みがある。琉球料理のスーネーはンジャナの白和え。

「島にんじん」
東洋種で長型の沖縄在来種。冬期のみ出回る。さわやかな香りと甘みがありカロテンも豊富。炒め物や汁物に。

「島らっきょう」
辛みと香りが強い在来種。塩もみしたものに削り節をかける食べ方がポピュラー。天ぷらや炒め物にも。

コーレーグース
別名島唐辛子。多年生のめずらしい唐辛子で、小粒だが辛さは強烈。泡盛に漬け込んだものを調味料として使うことも多い。

ナーベラー
ヘチマの効果を野菜として食す。加熱すると水分が出て、トロリとした口あたりになる。みそ味で炒め煮に。

ローゼル
ハイビスカスと同じアオイ科の植物。果実を包む真紅のガクにはアントシアニンが豊富。色が美しいローゼルティーはお土産としても人気。

モーウィ
別名赤毛うり。きゅうりよりさわやかで歯ごたえがよい。タネをかきとり、皮をむいてから薄切りにし、好みのドレッシングで。

地方野菜の流通

味、形ともに個性的な地方野菜は郷土料理との結びつきが強く、現地で消費するものと考えられてきました。しかし昨今の野菜人気で、稀少なものや、めずらしいものを求める消費者のニーズが広がるにつれ、地方野菜の流通が活発になってきています。

加賀野菜を広めるために

百貨店や大型スーパーの野菜売り場で、○○野菜と銘うった、地方野菜を目にする機会が増えてきました。そのなかでも注目の加賀野菜を扱っている、石川県の卸業者、薄井青果株式会社の薄井壮志登さんに、都市部での消費動向についてうかがいました。

加賀野菜は平成19年以降に大型店舗での取り扱いが増え始めたとのこと。「京野菜に慣れた消費者の目を引くために、新顔野菜として並べていただいているようです。ブランド野菜は店頭の飾りのようなもの。こだわり野菜を扱っているという店側のアピールです」

売り場の充実感は担えているものの、もともと値段が高めで味の違いが簡単には伝わらないこともあり、商品の回転は今ひとつとのこと。

もちろん売り場では、日もちする根菜などの取り扱いを増やしたり単位を少量にしたりと、対応を工夫しているそうです。

「今はとにかく認知度が高まるよう、なんとか継続する方策を考えています」

地元の若い人たちが働く農家にニーズを伝える活動で、地方農業の活性化にも尽力しているようです。

伝統野菜やめずらしい野菜を宅配するサービス「いと愛づらし名菜百選」は1000人以上の会員が利用しています。ひと箱に1〜3種の野菜と、下ごしらえの方法や地元直伝のおいしいレシピをつけて宅配するシステムです。ときには桜島大根が大きすぎて箱に入りきらなかった、などというエピソードも。届いたときの利用者の笑顔が、目に浮かんでくるようです。このセットの売り上げの1％は固定種のタネを保存する活動に寄付しているとのこと。

この取り組みに「2008年度グッドデザイン賞」（財団法人日本産業デザイン振興会主催）が与えられました。宅配サービスの経験を活かし、これまでにない魅力的な流通システムを構築しており、伝統的食文化を見直す活動であると、高く評価されたのです。

めずらしい野菜を家族そろって愛でること、これぞ食育。この魔法の箱には、いろいろな思いと可能性が詰まっています。今後、地方野菜の販路はますます多様化するのではないでしょうか。

生産から消費まで伝統的食文化を守りたい

産地直送系宅配流通団体の「らでぃっしゅぼーや」は、地方野菜を扱った興味深い取り組みをおこなっています。

平成16年から、全国の契約農家2400軒とともに、市場から消えかけている地方野菜を復活させる活動を始めました。この団体には独自の「環境保全型生産基準」があります。特に農薬使用に厳しい制約があるなか、ただでさえ難しい固定種（*）の栽培に生産者とともに挑戦しています。土地にあったタネを選び、栽培法の勉強会を開きながら「とにかくおいしいものを届けたい」との共通の思いを胸に試行錯誤しているとのことです。

*固定種
何代にも渡って採種を続け、そのタネをまくと親と同じ形や性質の子ができるようになった品種。形が不ぞろいだったり、生育が安定しなかったりするような特徴がある。⇔交配種（F1種）

「いと愛づらし名菜百選」

難しいことを語るより楽しむことが先決

「いと愛づらし」の名称は「めづらし」（すばらしい、かわいらしいの意）と古語の「めづらしい」を掛け合わせたもの。つまり「いと愛づらし野菜」は伝統野菜だけでなく、学術的に重要な野菜、畑の姿や見た目の不思議な野菜、そんなものたちをさしています。

まず生産者からおすすめの食べ方を記したメッセージとともに届けられ、利用者は食べた感想をレポートするしくみ。この取り組みは、作る側と食べる側が一体となって成り立っているのです。

百選一部紹介

「札幌大球」
大きいものは20kgにもなる。ニシン漬けにはかかせないキャベツ。

「やぐらねぎ」
ねぎ坊主（花の集まり）を作らず、葉先に小ねぎをつけるめずらしい品種。

「女山三月大根」
皮が赤紫色、中身が白の大根。肉質はやわらかで生食向き。

「国分人参」
80cmにもなる長い人参は群馬県から。香りが高く甘みがある。

「大型山東菜」
結球しない白菜の仲間。一般的な山東菜と比べると、はるかに大きい。

「烏播」（うーはん）
古くからある品種のさといも。粘りが強い。

「大和三尺きゅうり」
奈良の伝統品種「大和野菜」のひとつ。歯切れがよく長さは40cmにも。

「芽キャベツ」
意外と知られていないのが収穫前の芽キャベツの様子。これは驚き。

「たけのこ白菜」
長円筒形になる半結球の白菜。葉はややかため。芯の部分が特においしい。

「河内一寸そらまめ」
豆はたった三粒しか入っていないが、そのぶん大きく、一粒が3cmもある。

「生にんにく」
特別な品種ではないが、採れたてのにんにくの姿とひと味違う生の風味を。

「いやふど」
徳島県の祖谷近辺に伝わる小粒のじゃがいも。煮崩れしにくく味が濃い。

2017年の名菜百選

いやふど（源平芋）、愛知玉ねぎ、国分人参、愛知にんじん、島にんじん、種子島紫いも、玉ひたか、大浦太ごぼう、石橋ごぼう、唐の芋、安納芋、八幡いも、島らっきょう、亀戸大根、源助大根、紅芯大根、桜島大根、女山三月大根、雑煮大根、方領大根、和歌山大根、三浦大根、練馬大根、聖護院大根、守口大根、聖護院かぶ、天王寺かぶ、みやま小かぶ、長崎赤かぶ、松ケ崎浮菜かぶ、日野菜かぶ、万木紅かぶ、温海かぶ、東京長かぶ、しろ菜、しんとり菜、昔小松菜（小松菜在来種）、京みぶな、ハンダマ、カリフラワーロマネスコ、赤ねぎ、尾島ねぎ、越津ねぎ、やぐらねぎ、おかのり、松本一本ねぎ、茎芋、潮止晩ねぎ、のらぼう菜、はま菜、相模半白きゅうり、大和三尺きゅうり、八町きゅうり、高山きゅうり、沼目白瓜、白なす、昔なす、水なす、摩耶白なす、小布施丸なす、賀茂なす、佐土原なす、鹿ケ谷かぼちゃ、芳香青皮甘栗南瓜、神楽なんばん、島おくら、ひもろっこ、金糸瓜、ひもとうがらし、河内一寸そらまめ、くらかけ枝豆、シカクマメ、紫三尺ささげ、食用菊、みょうが、たけ、まこもだけ

大型山東菜、野沢菜、コールラビ、雲仙コブ高菜、鰹菜、わさび菜、おたふく春菊、ザーサイ、もち菜、日本ほうれん草、山形赤根ほうれん草、しろ菜、しんとり菜、昔小松菜、京みぶな、芽キャベツ、花心白菜、たけのこ白菜、長崎唐人菜、大型山東菜、大和真菜、野沢菜、鰹菜、雲仙コブ高菜、ザーサイ、もち菜、おたふく春菊、しんとり菜、山形赤根ほうれん草、日本ほうれん草、しろ菜、昔小松菜、京みぶな、ハンダマ、カリフラワーロマネスコ（ホドイモ）、ビーツ、札幌大球、烏播、紅芯大根、雑煮大根、生にんにく、島らっきょう、亀戸大根、桜島大根、女山三月大根

揚げる

Column

 天ぷらは江戸中期に屋台で始まったものだとか。当時のものは、江戸前で採れたエビやアナゴを串に刺し衣をつけて、香り高いごま油で揚げていた。
 そのころは魚介類を揚げたものが天ぷらで、野菜を揚げるのが「精進揚げ」と呼んだそう。
 江戸の人気は、濃いごま油の天ぷら。一方関西では、あっさりした綿実油を使い、衣もまたサラリと薄めだったらしい。
 いまでこそ、この東西のスタイルはまじわっているが、野菜の淡い風味を活かすには西の

スタイルのほうだとか。
 野菜は水分が多い。天ぷらは、薄い衣のなかでも100度を超えることはなく、風味を閉じこめておだやかに蒸される。
 たとえば野趣のある山菜なども、ぜんまい、山うどなどアクの強いものを除くと、天ぷらの場合はアク抜きしない。高温の油のなかで、すぐにアクが出てしまうとか。
 あっさり綿実油のほうが合うと説かれるのが、天ぷら「さわき」主人の西尾氏。
 この店の名物となっているのが、高さ10㎝もある大きなさつまいもの天ぷら。40分以上かけ、じっくりと揚げるおいしく揚げる名人技だ。野菜の天ぷらをおいしく揚げるには、次の3つが重要とのこと。
 ① 粉は冷水でかきまぜない
 ② 野菜に粉をはたき衣は薄く
 ③ 火が通る前に上げる
 西尾氏いわく、難しいのは大きなさつまいもではなく、薄い葉物を風味を活かして揚げること。
 上質な植物油を使った「精進揚げ」は、野菜の風味と栄養価を包む、日本の誇るすぐれた調理法といえる。

根を食べる

Roots

だいこん　かぶ　にんじん
たまねぎ　ごぼう　れんこん
らっきょう　エシャロット　やまのいも
さといも　じゃがいも　さつまいも
ホースラディッシュ　きくいも　ビーツ　パースニップ
アピオス　くわい　ウコン　ヤーコン
こんにゃく　チョロギ　セロリアック　ゆりね
うど　ふき　たらのめ　ふきのとう
わらび　ぜんまい　そのほかの山菜　しいたけ　まいたけ　えのきたけ
なめこ　しめじ　まつたけ　マッシュルーム
エリンギ　トリュフ　栽培きのこ　天然きのこ

直根 / 淡色野菜 / 根

だいこん
大根　Japanese radish

胃腸の働きをととのえ食欲をアップ

根の部分には消化酵素やビタミンCが豊富です。この酵素は熱に弱いため、生のものをおろして食べるのがおすすめですが、加熱すると甘みが強くなるので、自然な甘みを楽しみたいときは温めるとおいしくいただけます。

ただし時間が経つと独特のにおいが強調されるため、おろしたらあまり時間をおかないように。

味のしみたおいしさを楽しむなら、軽く干したり冷凍したりしたものを使えば、短時間で驚くほどおいしく仕上がります。葉にはカロテン、ビタミンC、カルシウム、食物繊維などがたっぷりです。

Data
学名：Raphanus sativus
分類：アブラナ科 ダイコン属
原産地：地中海地方、中央アジア
仏名：radis

おいしいカレンダー ●おいしい時期
10 **11 12 1 2** 3
秋冬大根：宮崎、千葉、神奈川
5 6 **7** 8 9 10
夏大根：北海道

保存法
1cmほどの厚みに切り、かためにゆでる。冷やして水けをとってから冷凍。生のまますりおろして冷凍も可。

焼き大根
ホットプレート（中火）で5～10分焼く。シャキシャキとした食感と香ばしさを楽しめる。

胃腸の働きを活性化。さらにガンの抑制効果も
大根とりんごのサラダ

材料
大根…1/3本
りんご…1個
きゅうり…1本
ドレッシング
　ワインビネガー…大さじ2
　オリーブ油…大さじ3
　塩　こしょう…少々

作り方
1. 大根は薄いいちょう切りにし、塩で軽くもんでから、水けを切っておく。
2. りんごときゅうりはよく洗い、皮をつけたまま大根と同じくらいの大きさに切る。
3. ボウルでドレッシングを作り、1と2を加えてよく和える。

首が黒ずんだり、ひびが入ったりしているものは「す」が入っているおそれが

青首大根
もっとも多く流通している品種で首の部分が緑色。生食、煮物、漬け物など、どんな料理にも。

ヒゲ根のあとが小さく、ずっしり重いものを

食品成分表
（根 可食部100gあたり）

エネルギー		15kcal
水分		94.6g
たんぱく質		0.5g
炭水化物		4.1g
無機質	ナトリウム	19mg
	カリウム	230mg
	カルシウム	**24mg**
	マグネシウム	**10mg**
	リン	18mg
ビタミン	B_1	0.02mg
	B_6	0.04mg
	葉酸	34μg
	パントテン酸	0.12mg
	C	**12mg**
食物繊維総量		1.4g

消化酵素は生が効く
ジアスターゼ、カタラーゼ、オキシターゼなどの消化酵素を多く含む。この酵素には胃腸の働きをととのえるだけでなく、焼き魚の焦げに含まれる発ガン性物質を解毒してくれる働きもある。肉と食べ合わせると、食物繊維の働きで大腸ガンの予防にも。ぜひ生の大根おろしを添えよう。

食べ合わせ

代表的組み合わせ／ほかにも
- 大根 + ごぼう　なす　にんじん　シジミ　▶ 糖尿病の予防／貧血予防、ガン予防
- 大根 + あずき　アロエ　はちみつ　みかん　▶ せき、のどの痛みの緩和／美肌づくり、健脳効果
- 大根 + バナナ　とうがん　牛乳　りんご　▶ 胃潰瘍の予防／十二指腸潰瘍の予防
- 大根 + ほうれん草　かぼちゃ　鶏肉　ホタテ貝　▶ 胃・大腸ガン予防／強肝作用

Japanese radish — だいこん

品種群

「三浦大根」
昭和初期に生まれた白首大根。大型で中ぶくれなのが特徴。たくあん用に。

「大阪四十日大根」
超早生種。肉質は緻密で葉はやわらか。「正月大根」「雑煮大根」の別名も。輪切りで雑煮に。

赤大根
外皮はあざやかな紅色だが、中身は白い中型大根。果肉はしっとりして、歯ごたえもある。

「聖護院大根」
代表的な京野菜で、1kg以上もある大型の丸大根。おでんやふろふきなどの煮物に向いている。

黒大根
ヨーロッパ原産の品種。皮は黒いが中身は白い。生だと辛みが強いが、加熱するといもに似た食感に。

「レディサラダ」
皮が紅色の小型大根。色みを活かして生食される。神奈川県三浦市で多く栽培されている。

辛味大根
辛みが強いので、おろしたてのものを薬味代わりに用いる。小型。

「おでん大根」
肉質は繊細。円筒形なので輪切りすると無駄がない。コンビニのおでん用として人気。

紅総太り大根
長さ20cmほどの食べきりサイズ。赤紫色が美しい。甘みが強いので、甘酢漬けなどで。

「大蔵大根」
東京の世田谷で作られていた品種で、近年復活した。肉質は緻密で色白の筒形。煮物にすると、特に美味。

「支那青大根」
中国系の小型大根。中身も緑色で、色の濃い部分は甘みもたっぷり。生食で。別名、ビタミン大根。

ラディッシュ
別名「二十日（はつか）大根」。明治以降ヨーロッパから導入されたミニ大根。生食向き。

「桜島大根」
世界最大で、重さ10kg以上あるものも多い。辛みが少なく、どんな料理にも合う。鹿児島県産。

「守口大根」
世界最長の大根。長さは1.5mにも。奈良漬に似た「守口漬」に加工される。

料理

→ ガン予防、スタミナ回復、強壮作用も

鶏と大根のポトフ

材料
- 大根…1/3本
- 鶏手羽元…8本
- にんじん…1本
- セロリー…2本
- 白ワイン（酒でも可）…1/2カップ
- ローリエ…1枚
- 塩 黒粒こしょう…適宜

作り方
1. 大根、にんじんはよく洗い、皮つきのまま大きめに切っておく。セロリーは筋を取り、長さ5cmに切る。
2. 深めの鍋に、鶏手羽元と1を入れ、材料がひたるくらいの水、ワイン、粒こしょう、ローリエを加えて強火にかける。沸騰してきたらていねいにアクを取り、火を弱めて30〜40分煮込む。塩で味を調える。

かぶ 蕪 turnip

直根 淡色野菜 根

栄養価の高い葉も、捨てずに食べよう

白い実の部分には大根と同様に消化酵素のジアスターゼが含まれているので、胃もたれや胸焼けの解消などに効果があります。焼くと香ばしくなり、焼き加減によって食感と甘みがかなり変化するので、新たなおいしさが楽しめます。

葉はカロテンのほか、ビタミンB1、B2、Cなどを豊富に含むため、美肌効果も。油炒めなどにすれば、カロテンを効果的に摂れます。

食品成分表
（胚軸 可食部100gあたり）

エネルギー		18kcal
水分		93.9g
たんぱく質		0.7g
炭水化物		4.6g
灰分		0.6g
無機質	ナトリウム	5mg
	カリウム	**280mg**
	カルシウム	24mg
	リン	28mg
	鉄	0.3mg
	亜鉛	0.1mg
ビタミン	B1	0.03mg
	B2	0.03mg
	C	**19mg**
食物繊維総量		1.5g

おいしいカレンダー ●おいしい時期
2 **3 4 5** 6 7
9 **10 11 12** 1 2
千葉、埼玉、青森

Data
- 学名：Brassica campestris var. rapifera
- 分類：アブラナ科アブラナ属
- 原産地：中央アジア ヨーロッパ西南部
- 別名：くくたち、かぶら、あこな、すずな
- 仏名：navet

小かぶ（金町系）

緑があざやかで色が均一なほうがよい。みずみずしくピンとしているものを

ハリがあって傷がなく、ヒゲ根の少ないもの

保存法
葉にどんどん水分を奪われるので、すぐに切り分けよう。葉は、ぬれた新聞紙などで包み冷蔵庫に入れ、早めに食べる。根は、ビニール袋に入れて冷蔵庫で3〜4日。 

干す・漬ける
旬のものは甘く生でもおいしい。薄切りにして5％の塩水に一日じゅう漬けるだけで即席漬けのできあがり。一日干すだけで、うまみが増す。

ガンや生活習慣病の予防に、消化促進に
かぶとにんじんのピクルス

材料
- かぶ（胚軸）…5個
- にんじん（小）…1本
- 塩…適量
- ピクルス液
  - すし酢…1カップ
  - 水…1/2カップ
  - 唐辛子（タネを抜いたもの）…1本
  - ピクルスミックス（なければ好みのスパイス）…大さじ1

作り方
1. かぶは葉を落とし、よく洗ってくし形に切る。にんじんは皮をむき、半月切りにしておく。
2. 1をボウルに入れ、塩をふってしばらく置く。
3. 鍋にピクルス液の材料を入れ、ひと煮立ちさせたら、火を止めて冷ましておく。
4. 2の水けを切ったら清潔なびんに入れ、3を静かに注ぎ入れる。翌日から食べられる。

辛み成分がガン予防に
実と葉の両方に含まれている辛み成分グルコシアネートは発ガン性物質を解毒し、活性酸素を取り除く働きがある。胃の調子をととのえたいなら実の部分だけを。葉にはカルシウムが含まれているので、吸収を高めるビタミンDを含む食材をいっしょに摂ると、骨粗しょう症予防に効果がある。

食べ合わせ

代表的組み合わせ	ほかにも	効果
 かぶ + 白菜	ブロッコリー、にんじん、カリフラワー	ガン予防／整腸作用
かぶ + ごぼう	なし、白米、ふき	血中コレステロール値低下／高血圧予防
 かぶ + やまのいも	はちみつ、ヨーグルト、納豆	胃もたれ解消／胸やけ予防
 かぶ + わかめ	こんにゃく、さつまいも、おかひじき	血行促進／便秘の予防と解消

turnip — かぶ

品種群

「万木(ゆるぎ)かぶ」
滋賀県西万木地方の在来種。中身は白く、その肉質はやわらか。浅漬け、ぬか漬けが名物。

サラダかぶ
肉質のきめが細かく、やわらかくて甘みもある。生食向き。

芽かぶ
姿のまま、酢の物やおすましの具などに使われる。専門店での利用がほとんど。

「飛騨紅(ひだべに)かぶ」
岐阜県高山市特産。皮が赤く中身は白い。漬け物は高山名物。

「最上(もがみ)かぶ」
庄内市の在来種。日があたる首だけが薄紫色の長かぶ。甘酢漬けや汁物の具に利用されている。

「天王寺かぶ」
大阪の伝統野菜。色白で扁平形。緻密でやわらかく風味がよい。かぶら蒸しや煮物、漬け物と万能。 

「津田かぶ」
島根県松江市特産。牛の角のように曲がっており、色も2種。寒風に干して漬け物にされる。

「暮坪(くれつぼ)かぶ」
岩手県遠野地方の在来種。大根のように辛みが強いので、おろして薬味代わりにも。

「伊予緋かぶ」
愛媛県の在来品種。実ばかりか葉柄や葉脈まで紫赤色をしている。「緋かぶら漬け」が名物。

「長崎赤かぶ」
長崎の伝統種。やや扁平形でツヤのある赤かぶ。肉質はきめが細かく、漬け物や酢の物に用いられる。

ルタバガ
かぶの近species種で、通称「スウェーデンかぶ」。濃厚な味は、ゆでてつけ合わせにするほか、煮込み料理にも。

「聖護院(しょうごいん)かぶ」
京野菜のひとつで、重さ4〜5kgにもなる大型種。名物「千枚漬け」に使われる。煮物にも。 

黄かぶ
風味にややクセがあるものの、加熱するとホクホクした食感になり、色濃くなる。スープ煮に。

「金沢青かぶ」
直径約10cmの青首かぶ。加賀の正月料理「かぶら寿司」の材料。肉質がかたいので煮物向き。 

➡ **骨粗しょう症予防に最適。健脳効果や若返りにも**

かぶの葉とじゃこのおきな煮

料理

材料

かぶの葉…3〜4個分　水…1カップ
ちりめんじゃこ…大さじ2　酒…大さじ3
おぼろ昆布…5g　塩…少々
ごま油…小さじ1

作り方

1. かぶの葉は、ゆでて長さ3cmに切っておく。
2. 鍋にごま油を熱し、じゃこを炒める。カリッとなったら水、酒、塩を加える。沸騰したらアクを取って1を加える。
3. 粗くきざんだおぼろ昆布を2に加え、全体をまぜ合わせたら火を止めて味をなじませる。

にんじん
人参 / carrot

直根 / 緑黄色野菜 / 根

カロテンの力で活性酸素から体を守る

流通量の多い野菜のなかでは、含まれるカロテンの量がダントツ。カロテンは免疫力を高めて皮膚や粘液を強くする、ガンや心臓病、動脈硬化などを予防する効果があるとされています。表皮の下に多く含まれているので、できるだけむかずに調理しましょう。60年代のものと比べると独特のにおいが減り、かなり甘くなりました。カロテンの量は倍増したものの、そのほかの栄養素は減少傾向です。

Data
- 学名：Daucus carota
- 分類：セリ科ニンジン属
- 原産地：アフガニスタン
- 仏名：carotte

食品成分表（可食部100gあたり）
- エネルギー……35kcal
- 水分……89.1g
- 炭水化物……9.3g
- 無機質
  - ナトリウム……28mg
  - カリウム……300mg
  - **カルシウム……28mg**
  - 鉄……0.2mg
  - 亜鉛……0.2mg
- ビタミン
  - A β-カロテン当量……8600μg
  - B₁……0.07mg → B_1……0.07mg
  - B₂……0.06mg → B_2……0.06mg
  - B₆……0.10mg → B_6……0.10mg
  - C……6mg
- 食物繊維総量……2.8g

おいしいカレンダー ●おいしい時期
3　**4**　**5**　**6**　**7**　8
春夏にんじん：千葉、徳島、愛知
9　10　**11**　**12**　1　2
冬にんじん：千葉、茨城、愛知

保存法
湿気があると腐りやすいので、乾燥している時季なら通気のよい場所で常温保存。使いやすいサイズに切って、かためにゆでる。水けをきって冷凍しても便利。

品種群

「金時」(きんとき)
正月用に多く出回る、東洋種の京にんじん。あざやかな赤い色はカロテンでなくリコピン。

ミニにんじん
ベビーニンジンとも呼ばれる10cmほどの小型種。丸のままサラダやつけ合わせなどに。

「金美」(きんび)
中国系を掛け合わせた黄色い品種。クセがなく肉質はやわらかい。生食も可。長さは約20cm。

「島にんじん」
沖縄の在来種。ごぼうのように細長い黄色にんじん。冬のみ出回る。

大長人参
長さが60cmもある細長いタイプ。甘みが強い。

紫にんじん
表皮は紫だが、芯はオレンジ色。カロテンのほかアントシアニンも含む。

▼皮膚や粘膜を保護し肌の若さを保つ。免疫力アップ効果も
にんじんのきんぴら

材料
- にんじん…2本
- ごま油…大さじ1
- しょう油…大さじ1
- 砂糖…大さじ1
- みりん…小さじ1
- 炒りごま…少々

作り方
1. にんじんは千切りにする。
2. 鍋にごま油を熱してにんじんを炒める。全体に油が回ったら調味料を入れ、汁けがなくなるまで中火で炒める。
3. 火を止めたら炒りごまをふり、まぜ合わせる。

にんじんはビタミンCを壊す？
にんじんに含まれる酵素、アスコルビン酸オキシターゼは、還元型ビタミンCを酸化型にする働きがあり、「ビタミンCを壊す」と言われていた。しかし現在では酸化型も体内で還元型に戻ることがわかっており、その働きは同じとされている。

食べ合わせ

代表的組み合わせ	ほかにも	効能
にんじん ＋ たまねぎ ・ わかめ	セロリー ・ 豆腐	風邪予防、糖尿病予防、美髪効果、肥満防止
にんじん ＋ 白菜 ・ キャベツ	チンゲン菜 ・ トマト	ガン予防、老化防止、疲労回復
にんじん ＋ わかめ ・ ごぼう	たけのこ ・ こんにゃく	便秘予防、高血圧予防、肥満防止
にんじん ＋ ブロッコリー ・ ピーマン	かぼちゃ ・ 小松菜	白内障予防、緑内障予防、視力低下予防

carrot—にんじん　onion—たまねぎ

鱗茎
淡色野菜　根

たまねぎ
玉葱、葱頭
onion

涙を出す成分に生活習慣病の予防効果あり

独特のにおいと辛さの原因となる硫化アリルですが、体のなかではすぐれた効果を発揮します。疲労回復に必要なビタミンB_1の吸収を助け新陳代謝を活発にし、血液をサラサラに。抗菌作用もあるので、風邪の予防にも役立ちます。

硫化アリルは加熱すると成分が変わってしまうので、これらの効果を期待するなら生食しましょう。ただし水にさらすと硫化アリルやカリウムが水に溶け出して半減するので、さらすなら手短に。

食品成分表（可食部100gあたり）

エネルギー		33kcal
水分		90.1g
たんぱく質		1.0g
炭水化物		8.4g
無機質	ナトリウム	2mg
	カリウム	150mg
	カルシウム	17mg
	リン	31mg
	鉄	0.3mg
	亜鉛	0.2mg
	マンガン	0.15mg
ビタミン	B_1	0.04mg
	B_6	0.14mg
	C	7mg
食物繊維総量		1.5g

Data
- 学名：Allium cepa
- 分類：ユリ科ネギ属
- 原産地：中央アジア
- 仏名：oignon
- 独名：Zwiebel

- 頭部から傷むので、かたく、しっかりしたものがよい
- 持ってみて、ずっしり重みのあるものを

おいしいカレンダー　●おいしい時期
2 3 **4 5** 6 7
新たまねぎ
北海道、佐賀、兵庫

冷凍して炒めても
輪切りやざく切りして冷凍したものは水分が出やすくなっているので、炒め時間を大幅に短縮できる。カレーやハンバーグなどに使いやすい。

品種群

新たまねぎ 
春先に出回る早生種。扁平でやわらか。辛みが弱く、生食にも向いている。

「湘南レッド」 
赤たまねぎのなかで、もっとも食味がよいとされている品種。辛みも香りもマイルドなので、生食に向いている。出回るのは初夏から。

小たまねぎ 
別名ペコロス。たまねぎを密植させ小型化したもの。丸のまま煮込み料理に。

サラダたまねぎ 
白玉種。水分が多く辛みが少ないので生食向き。春先に出回る。

葉たまねぎ 
春先に早採りしたもの。葉はねぎのように使う。甘みとうまみ、ねばりが特徴的。

血糖値を下げてイライラを解消。肝臓病予防にも
親子煮

材料
- たまねぎ…1個
- 鶏もも肉…100g
- 卵…1個
- めんつゆ…1カップ

作り方
1. たまねぎは薄切りに、鶏もも肉は食べやすい大きさに切っておく。
2. 鍋で煮立てためんつゆにたまねぎを入れ、中火で1分ほど加熱してから、鶏肉を加える。
3. 鶏肉に火が通ったら溶き卵を回し入れる。ふたをして火を止め、余熱で半熟状態にする。

硫化アリルで疲労回復
薬効成分のひとつ硫化アリルがビタミンB_1の吸収を助けるので、豚肉やハム、うなぎといっしょに調理すると疲労回復やストレス解消に効果がある。硫化アリルは長時間水にさらすと失われてしまうので要注意。うまみ成分のジスルフィド類には、血糖値を下げて正常に保つ働きもあるといわれている。

食べ合わせ

代表的組み合わせ / ほかにも

組み合わせ	効果
たまねぎ＋シジミ／鶏肉、レバー、チコリー	肝臓病の予防
たまねぎ＋ごぼう／大根、アサリ、カレイ	糖尿病の予防　肥満防止
たまねぎ＋セロリー／きくらげ、えのきたけ、じゃがいも	高血圧予防　心筋梗塞予防
たまねぎ＋トマト／オクラ、ピーマン、いちご	ガン予防　ストレス解消

ごぼう 牛蒡 edible burdock

直根 / 淡色野菜 / 根

豊富な食物繊維が ガン予防にも効果的

ごぼうを食べるのは、世界でも日本や台湾だけだといわれてます。中国では、もともと利尿作用などのある薬草として扱われていました。食物繊維が特に多く、腸内環境をととのえる効果の高い野菜です。

ごぼうに含まれる不溶性食物繊維で、便秘解消、整腸、発ガン性物質の排除などに効果的。血糖値の上昇を抑制する働きもあり、糖尿病にも有効といわれています。

なお、水にさらすと出るアクはポリフェノール。うまみも出てしまうので、アク抜きは不要です。

食品成分表（可食部100gあたり）
エネルギー		58kcal
水分		81.7g
たんぱく質		1.8g
炭水化物		15.4g
灰分		0.9g
無機質	カリウム	320mg
	カルシウム	46mg
	マグネシウム	54mg
	リン	62mg
	鉄	0.7mg
	亜鉛	0.8mg
	銅	0.21mg
ビタミン	B₁	0.05mg
	B₆	0.10mg
食物繊維総量		5.7g

おいしいカレンダー ●おいしい時期
10 **11 12** 1 2 3
9 **4 5** 6 7 8
新ごぼう
茨城、青森、千葉

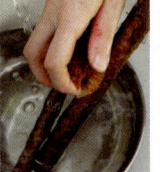

皮はむかずに洗い落とす
下ごしらえで、皮をむいたり酢水につけてアク抜きしたりすると、風味や豊かな栄養成分を捨てることに。皮はタワシでゴシゴシ洗う程度で。

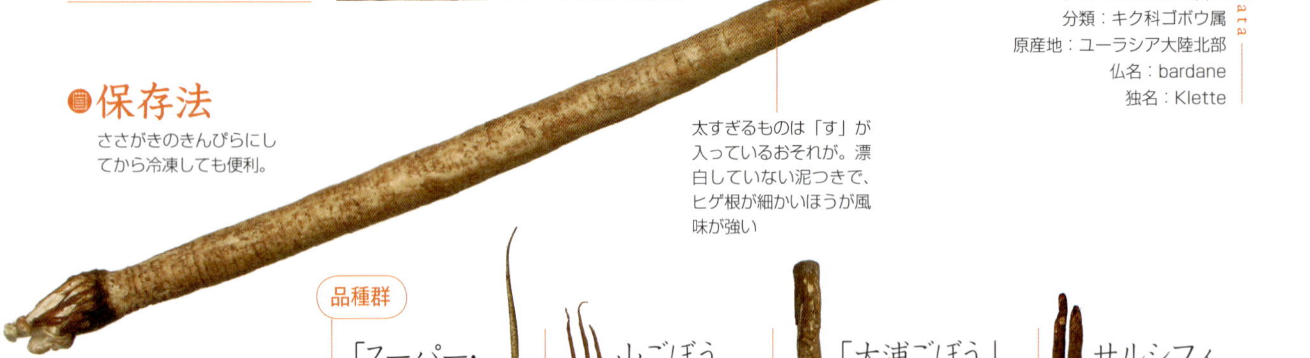

Data
学名：Arctium lappa
分類：キク科ゴボウ属
原産地：ユーラシア大陸北部
仏名：bardane
独名：Klette

太すぎるものは「す」が入っているおそれが。漂白していない泥つきで、ヒゲ根が細かいほうが風味が強い

保存法
ささがきのきんぴらにしてから冷凍しても便利。

品種群

「スーパー・理想」
ヒゲ根が少なく肉質のよい品種。長さ75cm前後。

山ごぼう
ごぼうの近種「もりあざみ」の根。みそ漬けにされる。

「大浦ごぼう」
千葉県匝瑳市大浦地区の特産。直径が10cm、長さが1mと大きく、肉詰め料理が有名。

サルシフィ
西洋ごぼうと呼ばれるキク科の野菜。フランスではスープやグラタンに。

コレステロール値を下げ便秘解消で美肌効果も

筑前煮

材料
ごぼう、にんじん、れんこん、しいたけ…各100g程度
こんにゃく…1枚
油揚げ…2枚
だし汁…2カップ
しょう油、みりん…各大さじ2
サラダ油…適量

作り方
1. 野菜類はひと口大に切る。こんにゃくはアク抜きを、油揚げは油抜きをしてからひと口大に切る。
2. 1を油で炒め、だし汁、しょう油、みりんを加えて煮る。

食物繊維で腸内すっきり

豊富に含む食物繊維には水溶性のイヌリンと不溶性のセルロース、ヘミセルロース、リグニンがあり、どれも血中コレステロール値を下げて腸内環境をととのえる。特にリグニンは発ガン性物質を吸収し排泄するので、大腸ガン予防に。食物繊維を含むほかの食材や、サポニンを含む大豆製品との相性もよい。

食べ合わせ

代表的組み合わせ	ほかにも	効果
 ごぼう + わかめ	セロリ・えのきたけ・こんにゃく	高血圧・動脈硬化予防、美髪効果、便秘解消
 ごぼう + 切り干し大根	しいたけ・セロリ・かぶ	健胃効果、ガン予防、美肌づくり
 ごぼう + ひじき	豆腐・たけのこ・寒天	血中コレステロール値低下、ダイエット効果
 ごぼう + 玄米	オートミール・コーンフレーク	糖尿病予防、肥満防止、動脈硬化予防

edible burdock―ごぼう　lotus root―れんこん

塊茎根　淡色野菜　根

れんこん
蓮根
lotus root

体を内側からきれいにする

白い色からかあまり栄養がなさそうに思えますが、じつは栄養の宝庫。ビタミンCが多く、野菜にはめずらしいビタミンB₁、B₂も含まれているので、疲労回復や、口内炎、目の充血、肌荒れなどを防ぐのに役立ちます。意外ですが、ビタミンB₁やCは60年代のものと比較すると倍増しているようです。

ほかにもカリウム、カルシウム、鉄、銅などのミネラル分がたっぷり。食物繊維も豊富なので、体を内側からきれいにしてくれます。

食品成分表(可食部100gあたり)
エネルギー		66kcal
水分		81.5g
たんぱく質		1.9g
炭水化物		15.5g
無機質	ナトリウム	24mg
	カリウム	440mg
	カルシウム	20mg
	鉄	0.5mg
	亜鉛	0.3mg
	マンガン	0.78mg
ビタミン	B₁	0.10mg
	B₆	0.09mg
	葉酸	14μg
	C	48mg
食物繊維総量		2.0g

おいしいカレンダー ●おいしい時期
10　**11　12　1　2**　3
茨城、徳島、愛知

新れんこん
6月から9月に出回る「新れんこん」は、やわらかく味はあっさり。生長途中なので実が充実せず、水分も多いため日もちしない。冬になると粘りが出て甘みも増す。

▶貧血防止、心臓病予防。胃腸のトラブルにも
れんこんと牛肉のオイスター炒め

材料
れんこん、牛肉…各150g
オイスターソース…大さじ1
にんにく…1片
塩　こしょう…少々
サラダ油…適量
ごま油…少々

作り方
1. 牛肉は食べやすい大きさに切り、塩とこしょうで下味をつけておく。れんこんは3mm程度の薄切りにする。
2. きざんだにんにくを油で炒めて香りを出したら、牛肉をサッと炒め、色が変わったられんこんを加えてさらに炒める。
3. オイスターソースをサッと回しかけ、火を止める直前に香りづけのごま油をたらす。

Data
学名：Nelumbo nucifera
分類：スイレン科ハス属
原産地：中国説、インド説

秋ものは皮が赤褐色の場合もあるが、これは「赤ブシ」といい、酸素をはき出して生きている証拠

よく太り、重みのあるもの

保存法
穴に空気が通らないようラップで包み、冷蔵庫で4～5日。5～6mm幅に切り、かたゆでして冷凍保存も可。

中 
茶色く変色しておらず、白くみずみずしいもの。穴のなかが黒くなっているものは古い

品種群
「加賀れんこん」
節間が短く、肉質はきめが細かい。でんぷん質が多く、もちもちした食感。「はす蒸し」が名物。

「岩国れんこん」
山口県岩国市で生産。太くて大型で粘りが強い。穴が通常より1つ多く9つあいているのが特徴。

胃腸に効くタンニン
れんこんに含まれるポリフェノールの一種タンニンには、消炎や止血、収れんといったすぐれた作用があり、胃腸のトラブルに効く。大根やかぶと合わせるといっそう効果が高まる。また切ったときに出る糸は食物繊維によるもので、消化不良の解消などにも効果大。

食べ合わせ

代表的組み合わせ	ほかにも			効果
れんこん＋レバー	牛肉	豚肉	鶏肉	▶造血作用による貧血防止　肝機能の強化
 れんこん＋かぶ	大根	もやし	みつば	▶胃腸の働きをよくする
 れんこん＋チンゲン菜	モロヘイヤ	じゃがいも	りんご	▶ガン予防　肥満防止
 れんこん＋こんにゃく	セロリー	レタス	ピーマン	▶血中コレステロール値低下　動脈硬化・心臓病予防

らっきょう 辣韭 rakkyo, scallion

鱗茎 / 緑黄色野菜 / 根

豊富な食物繊維でお腹すっきり

独特の刺激臭のもとになっているのは、たまねぎにも含まれる硫化アリル。ビタミンB₁の吸収を助けるので、これを多く含む豚肉などといっしょに摂るとスタミナ回復に役立ちます。

見かけによらず食物繊維も多く、食物繊維が多いことで知られるごぼうの3〜4倍も含んでいます。多くは水溶性なので、漬けたときには漬け汁もいっしょに摂ったほうが効果的です。

食品成分表（可食部100gあたり）

エネルギー		83kcal
水分		68.3g
たんぱく質		1.4g
炭水化物		29.3g
灰分		0.8g
無機質	ナトリウム	2mg
	カリウム	**230mg**
	カルシウム	14mg
	マグネシウム	14mg
	リン	35mg
	鉄	0.5mg
	亜鉛	0.5mg
	マンガン	0.45mg
ビタミン	C	23mg
食物繊維総量		**20.7g**

簡単みそ漬け
1粒ずつほぐし、よく洗って水けを充分にきる。薄皮をはがし上下を切りそろえたら、みそ＋みりん＋酒を合わせたみそ床に漬ける。10日ほどで食べごろに。

保存法
すぐに芽が伸びてくるので、その日のうちに使うこと。

Data
- 学名：Allium chinense
- 分類：ユリ科ネギ属
- 原産地：中国
- 別名：オオニラ、サトニラ
- おいしい時期：6月〜8月

エシャロット shallot

フランス料理に欠かせない

見た目は小さなたまねぎですが、らっきょうのように分球し、たまねぎほど甘くないのが特徴です。たまねぎの変種で、欧米や東南アジア、中国などで広く栽培され、香味野菜として利用されています。

たまねぎと同様、生活習慣病の予防、疲労回復、風邪の予防などに効果があります。

なお日本では、早採りのらっきょうがエシャロットの名で出回っていますが、これはまったく別の野菜です。

食品成分表（可食部100gあたり）

エネルギー		59kcal
水分		79.1g
たんぱく質		2.3g
炭水化物		17.8g
無機質	**カリウム**	**290mg**
	カルシウム	20mg
	マグネシウム	14mg
	リン	47mg
	鉄	0.8mg
	亜鉛	0.5mg
	マンガン	0.37mg
ビタミン	B₆	0.11mg
	葉酸	55μg
	C	21mg
食物繊維総量		11.4g

おいしい利用方法
細かくきざんでじっくり炒めると、コクとよい香りが出る。これを使ってソースを作ると絶品。また、すりおろしてドレッシングに加えると風味が増す。

効能と食べ合わせ
硫化アリルの一種アリシンを含むので、ビタミンB₁を含む食材と合わせるとより効果的。疲労回復、食欲増進、免疫力アップや、高血圧予防、むくみの解消に。

保存法
皮つきのまま、常温で。

Data
- 学名：Allium oschaninii
- 分類：ユリ科ネギ属
- 仏名：échalote
- 中名：胡葱
- おいしい時期：周年

いも類 根

rakkyo—らっきょう　shallot—エシャロット　Japanese yam—やまのいも

やまのいも
山芋 Japanese yam

消化のよいスタミナ食

ビタミンB群、C、カリウムなどのミネラル、食物繊維などをバランスよく含んでいる健康食材です。たっぷり含まれている消化酵素のジアスターゼは熱に弱いので、すぐれた消化作用を期待するなら生食がおすすめ。

手のかゆみなどが起きる人は、冷凍してからすりおろすとぬめりも気にならず、なめらかに仕上げられます。酢水を使うのもよいでしょう。

食品成分表
（長いも可食部100gあたり）

エネルギー	64kcal
水分	82.6g
たんぱく質	2.2g
炭水化物	13.9g
無機質 ナトリウム	3mg
カリウム	**430mg**
カルシウム	17mg
マグネシウム	17mg
リン	27mg
銅	0.10mg
ビタミン B₁	**0.10mg**
B₂	0.02mg
B₆	0.09mg
C	6mg
食物繊維総量	1.0g

おいしいカレンダー ●おいしい時期
10 11 12 1 2 3
青森、北海道、茨城、千葉、群馬

長いも
長い棒状のいも。きめはやや粗く、水分も多い。もっとも多く流通している栽培品種。

中
切り口が変色しておらず、白くみずみずしいものが新鮮

むかご
葉のつけ根にできるあずき大の小さないも（球芽）。

Data
学名：Dioscorea japonica
分類：ヤマノイモ科ヤマノイモ属
原産地：熱帯亜熱帯地方、中国、日本
別名：ヤマイモ

保存法
湿気を保つため、新聞紙で包んで冷暗所に。皮をむき酢水につけたら、すりおろして冷凍。平らにパックすると使いやすい。

品種群

自然薯（じねんじょ） 
自生している野生種。長さは60cm〜1m。粘りがとても強く、うまみも濃い。最近は栽培種も。

つくねいも 
近畿・中国地方に多く、げんこつのような形。粘りけがとても強く貯蔵性も高い。和菓子の原料にも。

いちょういも 
その扁平な形がイチョウの葉に似ている。粘りが強く、関東では大和いもとも呼ばれている。

ガン予防効果のほかホルモンバランスをととのえ、老化を防止

やまのいも入りお好み焼き

材料
やまのいも…100g
キャベツ…2〜3枚
豚肉…50g
卵…1個
小麦粉…100g
水…適量
揚げ玉（お好みで）
サラダ油…適量

作り方
1. キャベツはざく切り、豚肉は幅15mmに切る。
2. 皮をむいてすりおろしたやまのいもに小麦粉を加え、卵を割り入れ水を加える。
3. 2に1と揚げ玉を加えてまぜ、油をひいた鉄板で両面を焼く。

肉体疲労に酵素のパワー

消化促進と体力回復効果のある酵素アミラーゼとカタラーゼを含むので、肉体疲労時や胃腸が弱ったときに食すとよい。特に活性酸素を解毒する酵素カタラーゼは加齢とともに体内生産量が減少していくので、積極的に摂ろう。これらの酵素は熱によって破壊されやすいので、生食がおすすめ。

食べ合わせ

代表的組み合わせ / ほかにも

やまのいも + 大根 ・ かぶ ・ 白菜 ・ 唐辛子 ▶ 胃腸の働きを強化　食欲増進

やまのいも + モロヘイヤ ・ オクラ ・ れんこん ・ なめこ ▶ 血中コレステロール値低下　スタミナ増強

やまのいも + 大豆 ・ ざくろ ・ みょうが ▶ ホルモンバランスの調節　血行促進

やまのいも + キャベツ ・ じゃがいも ・ ブロッコリー ・ 白菜 ▶ ガン予防　老化防止

いも類 根

さといも
里芋 / taro

食物繊維が肥満予防に

水分以外のほとんどがでんぷんで、加熱すると消化吸収しやすくなります。高血圧予防に効果的なカリウムも大量に含まれ食物繊維がたっぷりなので、体脂肪や生活習慣病が気になる人にもおすすめです。

もうひとつの注目は、ぬめり成分のガラクタン。消化を促進し、腸内環境を整えてくれます。むくときは頭とおしりを厚めに落として、そこを持つとすべりにくくなり簡単にむけます。

食品成分表(可食部100gあたり)
- エネルギー……53kcal
- 水分……84.1g
- たんぱく質……1.5g
- 炭水化物……13.1g
- 灰分……1.2g
- 無機質
  - **カリウム……640mg**
  - リン……55mg
  - 鉄……0.5mg
  - 亜鉛……0.3mg
  - 銅……0.15mg
  - マンガン……0.19mg
- ビタミン
  - B_1……0.07mg
  - B_2……0.02mg
  - C……6mg
- 食物繊維総量……2.3g

Data
- 学名：Colocasia esculenta
- 分類：サトイモ科サトイモ属
- 原産地：マレー半島
- 別名：タロイモ

おいしいカレンダー ●おいしい時期
8 **9 10 11** 12 1

秋冬もの：千葉、埼玉、宮崎
春夏もの：鹿児島

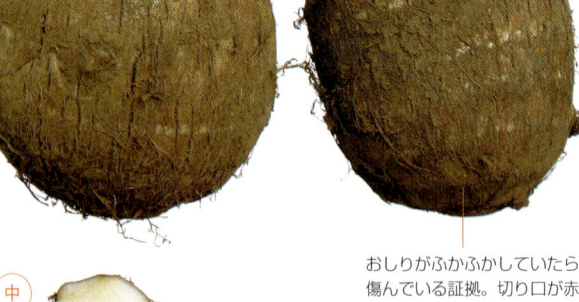

小いもの衣かつぎ（きぬかつぎ）
衣を脱がすように食べるのでこの名がある。いも自体の風味を楽しめる料理。

中 — 赤い斑点や網目、変色がなく、白くてツヤのあるものがおいしい

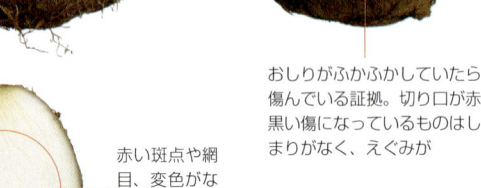

おしりがふかふかしていたら傷んでいる証拠。切り口が赤黒い傷になっているものはしまりがなく、えぐみが

保存法
寒さと乾燥が苦手。泥つきのまま新聞紙で包んで、風通しのよい場所に。

いものつき方
親いも／子いも／孫いも
中心の大きないも（親いも）とそれを囲むようにつく子いも、さらにそのまわりには孫いもがつく。

肝機能の強化、代謝アップ、肥満予防にも
衣かつぎの田楽

材料
- さといも（石川早生）…10個
- 田楽みそ
  - 八丁みそ…大さじ2
  - みりん…大さじ1
  - 砂糖…小さじ1
  - 酒…小さじ2

作り方
1. さといもはよく洗い、上下を切り落として耐熱皿に並べラップをしてレンジに6分ほど（竹串がスッと通るまで）かける。
2. 小鍋で田楽みその材料をよくまぜ、弱火にかけて、トロリとなるまで煮詰める。
3. 1に2のみそをのせる。

ダイエットの強い味方
カリウムが豊富で、同じ芋類であるじゃがいもの1.5倍以上。カリウムは浸透圧の調整などに作用し、ナトリウムを排出する働きがある。排泄が促進され、血圧を下げる効果がある。また、食物繊維も豊富。ダイエット中の人は同じく食物繊維が豊富なごぼうや、こんにゃくと合わせると効果的。

食べ合わせ

〈代表的組み合わせ〉 / 〈ほかにも〉

- さといも ＋ 卵 ・ 鶏肉 ・ イワシ ・ カツオ ▶ 健脳効果、体力増強 免疫力をつける
- さといも ＋ ゆば ・ 凍り豆腐 ・ 削り節 ・ 脱脂粉乳 ▶ 認知症予防 健脳効果
- さといも ＋ えのきたけ ・ おから ・ こんにゃく ・ ごぼう ▶ 血中コレステロール値低下 高血圧予防、ガン予防
- さといも ＋ 昆布 ・ みそ ・ たまねぎ ・ 唐辛子 ▶ 新陳代謝を活発にする 健胃効果、血行促進

taro—さといも

品種群

京いも
別名たけのこいも。子いもをつけず、肥大する親いもを食べる。地上に伸びる姿がたけのこに似ている。

田いも(水いも)
沖縄産。水田や湿地で作られ、縁起物として正月料理にも使われる。粘りが強く、アク抜きが必要。

「土垂」(どだれ)
関東地方で多く栽培されている品種。粘りが強く、やわらかい。

「石川早生」(いしかわわせ)
球形の小いも用品種で、大きさがそろっている。やわらかくやや淡泊。衣かつぎにも。

「セレベス」
別名赤芽、大吉。親子兼用種で全体的に赤みを帯びている。ホクホクとしており、ぬめりが少ない。

「ハツ頭」
親子兼用種。親いもと子いもが結合しており、ホックリとして味がよい。煮物のほか、縁起物としておせちにも。

「えびいも」
京野菜のひとつ。親子兼用品種の唐芋(とうのいも)を特殊栽培して湾曲させたもの。粉質で粘りが強い。

「ちば丸」
千葉県育成の新品種。土垂の改良種でクセがなく、さっぱりした風味。色白で丸形。

「伝燈寺さといも」(でんとうじ)
金沢市伝燈寺町で栽培されている品種。粘り強くもっちりしている。ずいき(茎)も食べられる。

「八幡いも」(やはた)
新潟県佐渡郡の在来品種。形状は細長く、粘りが強いのが特徴。のっぺ汁には欠かせない。

「大和早生」(やまとわせ)
新潟・富山を中心に作られている土垂系の品種。粘りが強く色白で、きめ細かいのが特徴。

ハスいも
いもでなく、葉柄を食用とする品種。

いもがら
いもの茎。別称ずいき。生のものは皮をむいてからゆで、アク抜きして酢の物や汁の具に使う。

ずいきいも
親いも、子いも、葉柄、葉のすべてが食べられる品種。葉柄は干してずいきに。いもは煮物や汁の具に。

料理

新陳代謝を活発にしコレステロールを下げる

根菜のバジル焼き

材料
さといも(大)…4個
ごぼう…2本
にんじん…1本
にんにく…1片
バジルの葉…7〜8枚
エクストラバージンオリーブ油…大さじ5
塩　こしょう…少々

作り方
1. さといもはよく洗ってから、皮つきのまま縦割りにする。にんじん、ごぼうもよく洗い、食べやすい大きさに切る。
2. みじん切りしたにんにくと、粗くちぎったバジルをオリーブ油と合わせ、よくまぜる。
3. 天板にオーブンペーパーを敷き、皮面を上にして1を重ならないように並べ、2をたっぷりかける。
4. 200度のオーブンで30分ほど焼く。熱いうちに塩、こしょうをふる。

いも類 根

じゃがいも
馬鈴薯 potato

ビタミンが豊富な「大地のりんご」

主食にもなるいも類なので、主成分はもちろんでんぷんですが、ビタミンC、B₁、B₆が豊富で、フランスでは「大地のりんご」と呼ばれています。

特に注目したいのが、免疫力を高め老化やさまざまな病気を予防する効果があるビタミンCです。含有量はりんごの約5倍で、でんぷんに包まれているため、保存や加熱によって壊れにくいというすぐれた特徴があります。品種改良の成果か、ビタミンCに関しては昔のものよりかなり増えています。

食品成分表(可食部100gあたり)
- エネルギー……59kcal
- 水分……79.8g
- たんぱく質……1.8g
- 炭水化物……17.3g
- 無機質
  - **カリウム　410mg**
  - マグネシウム……19mg
  - リン……47mg
  - 鉄……0.4mg
  - 亜鉛……0.2mg
  - マンガン……0.37mg
- ビタミン
  - B₁……0.09mg
  - B₂……0.03mg
  - B₆……0.20mg
  - **C　28mg**
- 食物繊維総量……8.9g

Data
- 学名：Solanum tuberosum
- 分類：ナス科ナス属
- 原産地：南アメリカ
- 仏名：pomme de terre
- 独名：Kartoffel
- 別名：ジャガタライモ、五升イモ、二度イモ

おいしいカレンダー ●おいしい時期
4　**5　6　7**　8　9
新じゃが
春植え：北海道　秋植え：長崎

凹凸が少なくなめらかな形のもの

芽が出始めている、あるいはしみや緑色になって部分のあるものは避ける

基本どおり水からゆでる
じゃがいもは熱が芯まで伝わりにくく、外側が煮えすぎてしまいがち。水からゆっくりゆでると、外側と芯のゆであがるタイミングが近くなるので熱が均一に通りやすくなり、うまくゆであがる。もちろんゆでるときは皮つきで。

保存法
新聞紙で包んで冷蔵庫の野菜室に。温かいと芽が出やすいので注意。

りんごのエチレンガスで
エチレンは果実の熟成を進めるが、りんごといっしょにポリ袋に入れると、じゃがいもの発芽を抑える働きがある。

新じゃがとは
じゃがいもは全国的に栽培されているので、収穫時期がずれる。九州では秋植えが2月〜3月収穫。平均的な静岡あたりは5月〜6月で、関東は6〜7月。北海道は9月以降。最大産地の北海道のものが貯蔵され、春まで出荷される。新じゃがは皮が薄く薬害も少ないので、おいしく食べよう。

疲労回復、スタミナアップ、美肌効果も
ジャーマンポテト

材料
- じゃがいも(中)…4個
- たまねぎ…1個
- ベーコン…100g
- 塩 こしょう…少々
- オリーブ油…適量

作り方
1. じゃがいもは皮をむき、ひと口大に切って塩ゆでしておく。たまねぎは薄切り、ベーコンは2cm幅に切る。
2. フライパンでオリーブ油を熱し、1のたまねぎとベーコンを炒める。たまねぎがしんなりしてきたらじゃがいもを加え、じゃがいもの表面がカリッとしたら、塩、こしょうで味を調える。

もっとも身近な美容野菜
抗酸化作用や美肌効果のあるビタミンCを多く含むので、果物などビタミンCを含むほかの食材と摂ると、その効能がいっそう高まる。また、じゃがいもの皮にはガン予防効果のあるクロロゲン酸が含まれているので、ぜひ有効利用を。芽や緑変した部分には有毒なソラニンがあるので除去する。

食べ合わせ

代表的組み合わせ	ほかにも	効能
じゃがいも + キウイフルーツ	きゅうり・緑茶・マヨネーズ	ガン予防、高血圧予防 老化防止
じゃがいも + 白菜	桃・バナナ・はちみつ	肥満防止、胃潰瘍の予防 十二指腸潰瘍の予防
じゃがいも + レモン	いちご・ほうれん草・ブロッコリー	ストレスの緩和 便秘予防、ガン予防
じゃがいも + 酢	鶏肉・カツオ・カキ	体力増進、スタミナ回復 疲労回復

potato—じゃがいも

品種群

「ジャガキッズレッド」
球形のいもで赤皮。果肉は黄色。ホクホク系だが、舌ざわりはなめらか。サラダ向き。

「キタアカリ」
明るい黄色の果肉が特徴的。最近生産量が増えている人気品種。果肉はホクホクとした粉質。

「メークイン」
長卵形で、淡い黄色の果肉はきめが細かい。粘質の代表品種で、煮崩れしにくいため煮物向き。

「男爵」（だんしゃく）
球形で果肉は白く、粉質。粉ふきいもやマッシュポテト向き。

「十勝こがね」
果肉は淡い黄色。ホクホクとねっとりのバランスがよく、特にフライドポテトにぴったり。長期保存できる。

「北海こがね」
外観が細長く、果肉はやや黄色。どちらかというとねっとり系で、フライドポテトに向いている。皮をむいたあとの変色が少ない。

「インカのひとみ」
「インカのめざめ」の後代品種。なめらかな黄色い果肉は栗やナッツに似た風味をもつ。「〜めざめ」よりひと回り大きい。

「インカのめざめ」
話題沸騰の人気品種。別名「アンデスの栗ジャガ」。あざやかな黄色の果肉はホクホクの粉質系。甘みがあり栗やナッツに似た風味をもつ。蒸しただけでもおいしい。

「シンシア」
フランスから導入された品種。卵形で肉色が淡黄色。やや粘質で、きめが細かく煮崩れしにくい。

「スタールビー」
比較的新しい品種。表皮は赤く果肉はやや黄色。ふかすとホクホク、煮るとねっとりで、中間の性質をもつ。

「とうや」
果肉は黄色で粘質。なめらかな食感が魅力。煮崩れが少ないので、煮物向き。

「マチルダ」
卵形でやや小粒。肉色は淡黄色。なめらかで甘みがあるのが特徴。凸凹が少なく皮をむきやすい。

「レッドムーン」
赤い表皮に黄色の果肉があざやか。粘質で煮物向き。形が似ているので、レッドメークインと呼ばれることもある。

「キタムラサキ」
皮も果肉も紫の、めずらしいいも。アントシアニンを含んでいる。やや粘質で煮崩れは少ないが、ゆでると色が出るのでフライ向き。

➡ **疲労回復、ストレス回避のほか集中力アップも**

料理

ポテトサラダ

材料
じゃがいも…3個
きゅうり…1本
ブロッコリー…1/4個
ハム…50g
マヨネーズ…大さじ4
すし酢…小さじ2
塩　こしょう…少々

作り方
1. じゃがいもは皮をむき、ひと口大に切ってゆでておく。きゅうりは薄切りにし、塩で軽くもむ。ハムは短冊切りにし、ブロッコリーは小房に分けてゆでておく。
2. ゆで上がったじゃがいもを大きなボウルに入れ、水けをしぼったきゅうり、ハム、ブロッコリーを入れて、塩、こしょうとすし酢を加える。
3. マヨネーズを加え、よくまぜる。

いも類 根

さつまいも
甘藷
sweet potato

豊富な食物繊維が女性にぴったり

ほっこりと甘いさつまいもの主成分はでんぷんで、加熱によって一部が糖質に変わり甘みが増します。主食代わりになるうえに、ビタミンC、B₁、B₆などを豊富に含んでいることが特徴。オレンジ色の品種では、その含有量は緑黄色野菜をしのぎます。

切ると出てくる白い液は、ヤラピンという樹脂の一種。腸の蠕動運動を促進する働きがあり、豊富に含まれる食物繊維との相乗効果で、お腹のなかをきれいにしてくれます。

食品成分表(可食部100gあたり)

エネルギー	127kcal
水分	64.6g
たんぱく質	0.9g
炭水化物	33.1g
無機質 ナトリウム	23mg
カリウム	380mg
カルシウム	40mg
マグネシウム	24mg
鉄	0.5mg
銅	0.13mg
マンガン	0.37mg
ビタミン E	1.0mg
B₁	0.10mg
C	25mg
食物繊維総量	2.8g

おいしいカレンダー ●おいしい時期
8 **9 10 11** 12 1

鹿児島、茨城、千葉

葉柄もおいしい
葉柄(葉の下の茎のような部分)は皮をむき、きんぴら風に煮つけるとほのかに甘い香りがするおいしいおかずに。最近は葉柄専用の品種も出てきた。

整腸作用による美肌効果、ストレスの解消にも

さつまいものレモン煮

材料
さつまいも…1本
レモン…1/2個
はちみつ…大さじ2

作り方
1. さつまいもはよく洗い、皮つきのまま2cmの厚さに切る。水にサッとさらす。
2. レモンは皮をよく洗い、5mmの薄切りにする。
3. 鍋にさつまいもを並べ、ひたひたになるくらいの水を入れ、レモンとはちみつを加えて弱火にかける。さつまいもがやわらかくなったら火を止める。

美肌を作りガンを予防
抗酸化作用が高く、ガン予防効果のあるビタミンEと、免疫力を高め美肌効果をもつビタミンCの両方を兼ね備えているので、相乗効果が期待できる。ビタミンEは脂溶性なので、脂質を含む乳製品をいっしょに摂ると、吸収率がアップする。

かたいヒゲ根があるものは繊維が多いので避ける

皮の色があざやかでツヤがあり、なめらかなもの

中

みずみずしいもの。「す」が入っているものは古い

Data
学名: Ipomoea batatas
分類: ヒルガオ科サツマイモ属
原産地: 中央アメリカ
仏名: patate
独名: süβe Kartoffeln

●保存と熟成
じつは収穫直後は甘くないので、1か月以上熟成させて売場に出す。上手に保存すれば甘みもってっおいしくなる。

さつまいものアク
薄い皮の下にアクが多い。皮つきで使う場合は3分ほど水に浸ける。長く浸けると水溶性のビタミンCが流出してしまうので注意。

食べ合わせ

代表的組み合わせ	ほかにも			効能
さつまいも + ごぼう	しいたけ	にんじん	ほうれん草	▶ 風邪予防、美肌づくり ガン予防(肺、大腸ガン)
さつまいも + こんにゃく	ひじき	もやし	りんご	▶ ガン予防、便秘予防 肥満防止、動脈硬化予防
さつまいも + きくらげ	しいたけ	昆布	ひじき	▶ 血中コレステロール値低下 肥満防止、糖尿病予防
さつまいも + いちご	レモン	ピーマン	小松菜	▶ ストレス解消、美肌づくり 食欲不振改善

sweet potato—さつまいも

品種群

「愛娘」(まなむすめ)
千葉県で生産されているブランドいも。高系14号品種で「鳴門金時」同様の紅いも。

「土佐紅」
高系14号という品種の系統。同系の「鳴門金時」同様、甘みの強いブランド紅いも。

「鳴門金時」(なるときんとき)
西日本を中心に作られている代表的な品種。上品な甘さと見た目の美しさを兼ね備えている。

「ベニアズマ」
関東地方の代表的品種。中身はあざやかな黄色。粉質で加熱すると甘みが増すので、焼きいもに最適。

「黄金千貫」(こがねせんがん)
焼酎の原料としても有名。果肉は白。さらりとした甘みとねっとりした食感で、美味。

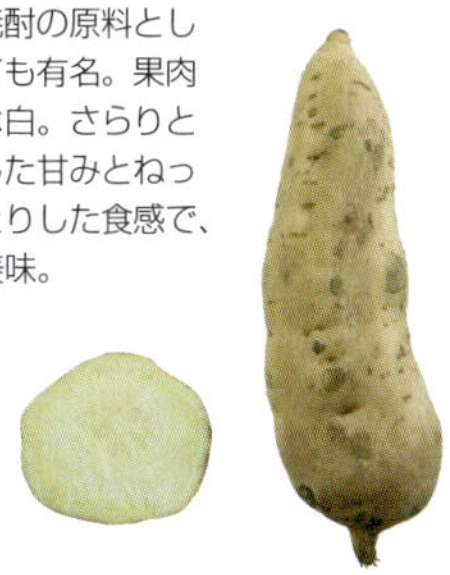

「五郎島金時」
加賀の伝統野菜。肉色は白。糖度が10〜12とかなり高く、焼きいもにするとその味は格別。

「種子島紫芋」
皮は白く、肉色は薄紫色。甘みが強くやや粉質で、加熱するとホクホクとした食感に。

「種子島昔蜜芋」(たねがしまむかしみついも)
種子島特産品種。丸形で、ややオレンジ色の果肉は加熱するとクリーミーになる。

「パープルスイートロード」
従来の紫いもに比べ段違いに味がいいと評判の品種。甘みもたっぷり。

「安納いも」(あんのう)
種子島特産。オレンジ色の果肉にはカロテンが含まれている。甘みが強く、ねっとり系。

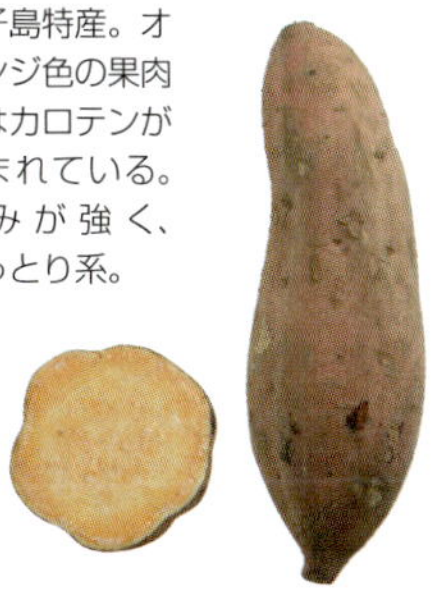

料理

◆血中コレステロール値を下げガンや老化を予防
簡単スイートポテト
材料
- 焼きいも…2本
- 砂糖…50g
- 生クリーム…60cc
- 牛乳…30cc
- バニラエッセンス…少々

作り方
1. 焼きいもが熱いうちに皮をむき、中身をつぶして砂糖、生クリーム、牛乳を加えてよく練り、バニラエッセンスを少々加える。
2. アルミカップに1を入れ、表面に軽く色がつくまでオーブントースターで焼く。

◆血行促進、感染症予防、整腸作用に美肌効果も
さつまいもと豆のカレースープ
材料 
- さつまいも…2本
- ミックスビーンズ(水煮)…100g
- カレー粉…小さじ2
- 塩 こしょう…少々
- ローリエ…1枚
- 水…適量
- サラダ油…適量

作り方
1. さつまいもはよく洗い、皮つきのまま食べやすい大きさに切って、サッと水にさらしておく。
2. 鍋を熱して油を入れ、1を炒める。全体に油が回ったらミックスビーンズを加え、カレー粉と塩、こしょうもよくからめる。
3. 2がひたひたになるくらい水を入れ、ローリエを加えたら中火にし、アクを取りながらいもがやわらかくなるまで煮る。

◆美肌効果、整腸作用、老化予防に
紫いものサラダ
材料 
- 紫いも(大)…1本
- りんご…1/2個
- ドライプルーン…6個
- マヨネーズソース
  - マヨネーズ…大さじ2
  - プレーンヨーグルト…大さじ2
  - レモン汁…小さじ1
  - 塩 こしょう…少々

作り方
1. 紫いもは皮をむき、ひと口大に切って水からゆでておく。りんごはよく洗い、皮つきのままいちょう切りにする。ドライプルーンはぬるま湯に浸けてやわらかくし、粗みじんにきざむ。
2. ボウルに1の材料をすべて入れ、マヨネーズソースの材料を合わせて和える。

直根 塊茎根 根

ホースラディッシュ

西洋山葵、陸山葵

horseradish

畑で育つ西洋のわさび

西洋わさびの和名どおり、わさびと同じ辛み成分、アリルイソチオシアネートを含む、アブラナ科の植物です。ローストビーフのつけ合わせやソースの材料として使われるほか、粉わさびの主原料にもなっています。日本には明治時代の初めに導入され、北海道や本州の中部以北では、野生化したものを見ることも。余分な塩分の排出をうながすカリウム、動脈硬化を予防するビタミンCなどを含みます。

食品成分表（可食部100gあたり）

エネルギー		69kcal
水分		77.3g
たんぱく質		3.1g
炭水化物		17.7g
灰分		1.6g
無機質	カリウム	510mg
	マグネシウム	65mg
	鉄	1.0mg
	亜鉛	2.3mg
ビタミン	B₁	0.10mg
	B₂	0.10mg
	B₆	0.23mg
	葉酸	99μg
	C	73mg
食物繊維総量		8.2g

シニグリン酸はわさびと同じ辛み成分。食欲増進のもとになる

ホースラディッシュソース

材料
ホースラディッシュ（おろしたもの）…大さじ2
生クリーム…50cc
レモン汁…少々
はちみつ…小さじ1
塩 こしょう…少々

作り方
材料をすべて、よくまぜ合わせる。

保存法
すりおろしたものはすぐに辛みや香りが飛んでしまうので、あまったらすぐ小分けにしてラップをかけ冷凍庫へ。

Data
学名：Armoracia rusticana
分類：アブラナ科
原産地：ヨーロッパ南東部
仏名：raifort
別名：わさび大根
おいしい時期：周年

きくいも

菊芋

Jerusalem artichoke

イヌリンが糖尿病を予防

北アメリカ原産の、ヒマワリの仲間となる植物。食べられるのは塊茎の部分で、アメリカ先住民の貴重な食料だったといわれています。日本には、江戸時代末期に飼料用作物として導入されました。注目成分は、豊富に含まれる難消化性の食物繊維、イヌリン。腸内の有害物質の排出をうながすほか、善玉菌を増やす、急激な血糖値の上昇を抑えて糖尿病を予防する、といった効果が期待できます。

食品成分表（可食部100gあたり）

エネルギー		66kcal
水分		81.7g
たんぱく質		1.9g
炭水化物		14.7g
灰分		1.3g
無機質	ナトリウム	1mg
	カリウム	610mg
	カルシウム	14mg
	マグネシウム	16mg
	リン	66mg
	鉄	0.3mg
	亜鉛	0.3mg
	銅	0.17mg
ビタミン	C	10mg
食物繊維総量		1.9g

傷がついておらず、重みのあるもの。身がしっかりしているもの

汁もいっしょに食す
イヌリンは水溶性のため、水に溶け出す。煮物などにしたときは汁ごと食べたい。

保存法
土をつけたまま新聞紙などで包み、冷蔵庫で。長期保存するときは、土に埋める。

Data
学名：Helianthus tuberosus
分類：キク科ヒマワリ属
原産地：北アメリカ東北部
別名：トピナンブール、アメリカいも、ぶたいも
おいしい時期：10月下旬〜

horseradish—ホースラディッシュ　Jerusalem artichoke—きくいも
table beet—ビーツ　parsnip—パースニップ

直根　根

ビーツ
火焰菜
table beet, garden beet

体を動かす エネルギー源に

ボルシチに欠かせないビーツは、ほうれん草と同じアカザ科の野菜です。原産地は地中海沿岸地方。泥くささのある甘みが特徴で、下ごしらえしたものをサラダや酢漬け、煮込み料理などに使います。皮を厚くむいて薄く切れば、生食もできます。

ショ糖を多く含むため、野菜のなかでは高カロリー。赤い色素はベタシアニンによるもので、抗酸化作用が期待できます。

食品成分表（可食部100gあたり）

エネルギー	38kcal
水分	87.6g
たんぱく質	1.6g
炭水化物	9.3g
灰分	1.1g
無機質　ナトリウム	30mg
カリウム	460mg
カルシウム	12mg
マグネシウム	18mg
リン	23mg
鉄	0.4mg
亜鉛	0.3mg
マンガン	0.15mg
ビタミン　葉酸	110μg
食物繊維総量	2.7g

下準備
皮つきのままかぶるくらいの水を入れ、塩と酢を加えて、竹串がスッと通るまで弱火でゆっくりゆでる。目安は30分程度。ゆであがったら皮をむき、スライスして調理を。または皮つきのものをホイルに包み、180度のオーブンで40分ほど焼いてもよい。

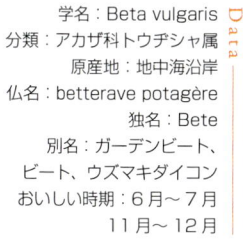

保存法
ビニール袋に入れ、冷蔵庫の野菜室で1週間。

Data
学名：Beta vulgaris
分類：アカザ科トウヂシャ属
原産地：地中海沿岸
仏名：betterave potagère
独名：Bete
別名：ガーデンビート、ビート、ウズマキダイコン
おいしい時期：6月～7月　11月～12月

パースニップ
parsnip

ショ糖を含む 甘いにんじん

見た目は白いにんじんですが、にんじんとは別種のセリ科の野菜です。古代ギリシア時代から栽培されていたといわれ、イギリスでは冬の野菜として食されています。日本にも明治初年に渡来しましたが、一般に広まることはありませんでした。香りはにんじんに似ていないものの、加熱すると甘みが増し、いものようなホクホクした食感になります。ローストしたり塩ゆでしたりするほか、スープやポトフなどにも用いられます。

保存法
新聞紙で包んで冷暗所に。土中に埋めておいてもよい。

薬効の高い野菜
ビタミンE、B1、C、ミネラル類、食物繊維などを含み、アメリカの国立ガン予防研究所ではガン予防が期待される野菜のトップグループに入っている。整腸・利尿作用、鎮静効果、消炎作用、動脈硬化予防効果も。

Data
学名：Pastinaca sativa
分類：セリ科アメリカボウフウ属
原産地：ヨーロッパ
仏名：panais
独名：Pastinak
別名：清正ニンジン、オランダボウフウ、シロニンジン、アメリカボウフウ
おいしい時期：1月～2月

アピオス

groundnut

塊茎根

女性に役立つ栄養がたっぷり

美しい花を咲かせるマメ科の植物で、原産地は北アメリカ。塊茎部分を食す、アメリカ先住民の食料でした。日本へは、明治期に輸入したりんごの苗木について青森県に入ったといわれています。
ホクホクした食感で甘みがあり、高カロリーでたんぱく質も豊富。食物繊維のほか、更年期障害や骨粗しょう症の予防効果がある、イソフラボンを多く含むことでも注目されています。

Data
- 学名：Apios americana
- 分類：マメ科ホドイモ属
- 原産地：北アメリカ
- 別名：ホドイモ、アメリカホドイモ
- おいしい時期：11月～1月

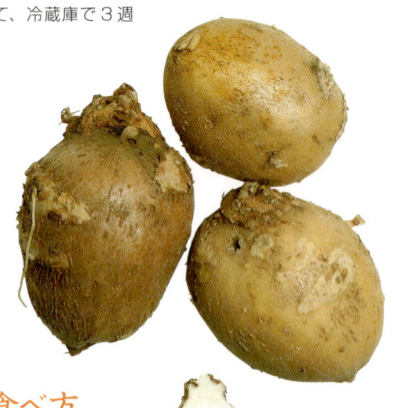

● 保存法
乾燥を嫌うので、しめらせた新聞紙などで包み、ビニール袋に入れて、冷蔵庫で3週間程度。

● 簡単な食べ方
いちばん簡単でおいしいのは、皮ごとゆでるか蒸すかして、塩やマヨネーズなどをかけ皮ごと食べる方法。

食品成分表（可食部100gあたり）
エネルギー		128kcal
水分		65.5g
たんぱく質		**6.3g**
炭水化物		**26.6g**
灰分		1.5g
無機質	ナトリウム	3mg
	カリウム	600mg
	マグネシウム	34mg
	リン	**150mg**
	亜鉛	2.2mg
	銅	0.71mg
	マンガン	0.13mg
ビタミン	B₁	0.12mg
	B₂	0.07mg
食物繊維総量		2.4g

くわい 慈姑

arrowhead

力がつく縁起物野菜

その姿から「芽（目）が出る」縁起物として、おせち料理に欠かせません。もとは中国で野生種から改良されたものといわれています。
時期ははっきりしませんが、少なくとも江戸時代にはさかんに栽培されていたようです。含め煮が一般的で、小ぶりのものを素揚げにしたり、洋風にクリーム煮にしたりしても。炭水化物のほか、野菜にしては豊富なたんぱく質を含み、ミネラル分も豊富です。

Data
- 学名：Sagittaria trifolia
- 分類：オモダカ科オモダカ属
- 原産地：中国
- 中名：慈姑
- おいしい時期：11月～1月

品種群
大黒くわい
日本のものとは別種の栽培品種。サクサクとした食感があり、中華食材として炒め物などに。

青くわい
- 芽がきれいに伸びているもの
- 色ツヤのよいもの

● 保存法
ラップで密封して冷蔵庫の野菜室で。

● 下準備
芽は落とさず、適当な長さに切る。まず底の部分を薄く切り、立つように土台を作ってから、下から上に皮をむいていく。

groundnut—アピオス　arrowhead—クワイ　turmeric—ウコン　yacon—ヤーコン

塊茎根 根

ウコン
鬱金　turmeric

黄色の色素成分が肝機能を強化

秋に花をつける秋ウコンはクルクミン（黄色い色素成分）を多く含み、肝臓の機能を高めて、解毒機能や胆汁の分泌を促進するといわれています。また、クルクミン、クルクモール、アズレンなど、抗がん作用や胃をすこやかにする効果のある精油成分も多数含まれています。

すりおろしたりきざんだりして食事にまぜれば、天然のサプリメントとして活用できます。冷凍もできるので、上手に取り入れてみましょう。

Data
- 学名：Curcuma longa
- 分類：ショウガ科ウコン属
- 原産地：熱帯アジア
- 別名：ターメリック
- おいしい時期：11月

秋ウコンと春ウコンの違い
春にピンクの花をつける「春ウコン」。秋に白い花をつける「秋ウコン」。秋ウコンのほうがクルクミンが多く、薬効範囲が広いが、苦みが強い春ウコンのほうが消化器系に有効ともいわれている。

品種群

春ウコン
苦みが強く秋ウコンよりクルクミン成分が少ない。

秋ウコン

あざやかな黄色からオレンジで、スカスカしていないもの

使い方
生のままかじってもよいが、味にクセがある。すりおろして湯を注ぐと飲みやすい。10gほどを毎日、朝夕飲むと効果が期待できるといわれている。

ヤーコン
yacon

お腹の調子をととのえる効果絶大

いもの一種のように見えますが、なしに似た味と食感が特徴で、生のままやサッと炒める程度で食べるのがおすすめです。主成分は腸内のビフィズス菌を増やし、お腹の調子をととのえるフラクトオリゴ糖と食物繊維。またポリフェノールの一種、水溶性のクロロゲン酸も多く含んでいるため、ガン抑制効果も期待できます。

ポリフェノールは皮の部分にもたっぷり含まれているので、摂取を重視するならよく洗ってこそげ落とすくらいにするといいでしょう。

Data
- 学名：Smallanthus sonchifolius
- 分類：キク科ポリムニア属
- 原産地：南アメリカ アンデス地方
- 別名：アンデスポテト
- おいしい時期：10月～12月

食品成分表（可食部100gあたり）
- エネルギー……52kcal
- 水分……86.3g
- たんぱく質……0.6g
- 炭水化物……12.4g
- 灰分……0.4g
- 無機質
  - カリウム……240mg
  - カルシウム……11mg
  - マグネシウム……8mg
  - リン……31mg
  - 鉄……0.2mg
  - 亜鉛……0.1mg
  - 銅……0.07mg
  - マンガン……0.07mg
- ビタミン　ナイアシン……1.0mg
- 食物繊維総量……1.1g

食べ方
掘りたてのものは少し苦みがあるが、1週間ほどの熟成でオリゴ糖が甘みに分解される。さつまいもと違いでんぷん質を含まないので、生食もよい。サラダや酢の物、サッと炒めてきんぴら風など、甘みを活かした料理を。

全体がふっくらとして、重みのあるもの

ほんのり黄からオレンジがかった色で、みずみずしいもの

保存法
土つきのまま、新聞紙で包んで冷蔵庫で3～4日。貯蔵しておくと甘くなるのはフラクトオリゴ糖が分解され、ショ糖や果糖、ブドウ糖に変化するため。薬効を望むのなら、早めに食べること。

塊茎根 **根**

こんにゃく
蒟蒻 elephant's foot

カルシウムと食物繊維の宝庫

市販されているものの多くは、このいもを製粉して作ります。よく知られているように低カロリーで、食物繊維のグルコマンナンをたっぷり含んでいます。グルコマンナンは優秀な腸内の掃除屋。有害物質を排出し、同時に血圧やコレステロール値を下げる効果もあります。また、不足しがちなカルシウムも豊富。ちなみに、いもから手作りしたできたてこんにゃくのおいしさは、格別です。

食品成分表
（生いもこんにゃく可食部100gあたり）

エネルギー		8kcal
水分		96.2g
たんぱく質		0.1g
脂質		0.1g
炭水化物		3.3g
灰分		0.3g
無機質	カリウム	44mg
	カルシウム	**68mg**
	マグネシウム	5mg
	鉄	0.6mg
	亜鉛	0.2mg
	マンガン	0.05mg
	B6	0.02mg
食物繊維総量		3.0g

白色と黒色
普通に作られたものは白色。こんにゃくは、白は東日本、黒は西日本が一般的。黒い色は海藻の粉でつける。

手づくりも
こんにゃくも大部分が水分なので、新鮮なおいしい水でつくったものの味は格別。いもから作るのは容易ではないが、製粉したものを使えば比較的簡単にできる。

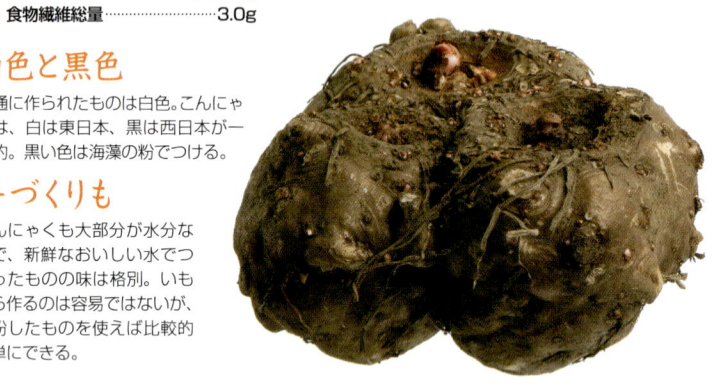

Data
学名：Amorphophallus konjac
分類：サトイモ科コンニャク属
原産地：インドシナ半島

栽培期間
こんにゃくの原料となる大きさになるまでに、3年かかる。群馬で9割を生産。

栽培は困難
葉と1本の茎しかないので、病害虫や台風の影響を受けやすい。秋ごとに収穫し、また春植えつけるので栽培は容易ではない。

チョロギ
草石蚕 Chinese artichoke

おせち料理に使う縁起のよい野菜

イモムシのような形をしたこの物体は、シソ科の植物、チョロギの地下茎の一部が肥大化したもの。梅酢に漬けて赤く染めたものがおせち料理に使われます。原産地は中国南部とされ、江戸時代に日本に伝わりました。

チョロギの名は「ミミズ」を意味する韓国語に由来するともいわれています。味はほとんどなく、サクサクした食感がもち味。ゆでたものをフライやバター炒め、サラダに使っても美味です。

保存法
生のものはビニール袋に入れ、冷蔵庫の野菜室で2～3日。なるべく塩ゆでしてから保存を。

名前の表記
原産地の中国では、朝露が落ちて地中にできた球という意味で「朝露葱」書いたといわれているが、その音から縁起をかついで「長老喜」「千代呂木」などと表記されるようにもなった。またその形から「ねじ芋」や「ほら芋」と呼ばれることも。一般には「草石蚕」の字をあてる。

色むらがなく、みずみずしいものがいい

Data
学名：Stachys sieboldii
分類：シソ科イヌゴマ属
原産地：中国
おいしい時期：12月～1月

elephant's foot—こんにゃく　Chinese artichoke—チョロギ
celeriac—セロリアック　lily root—ゆりね

塊茎根 根

セロリアック
celeriac

根を食べるセロリー

その姿からは想像しにくいのですが、セロリーの一種で、食べるのは肥大化した根の部分です。セロリと同じ野生種から変化して誕生したと考えられています。普通のセロリよりも香りは繊細。厚めに皮をむいて使います。サラダやスープ、煮込み料理にしたり、バターで炒めてつけ合わせにしたりしても。塩分の排出をうながし、高血圧を予防する働きがあるカリウムを豊富に含んでいます。

Data
学名：Apium graveolens var. rapaceum
分類：セリ科オランダミツバ属
原産地：ヨーロッパ
仏名：céleri-rave
独名：Sellerie
別名：根セロリ、セロリアーク
おいしい時期：12月～3月

下準備
皮は厚くむく。アクが強いので切ったらすぐ酢水にさらす。一度に食べきれない場合は、切り口にレモン汁を塗っておくとよい。

ゆでるときは「白ゆで」
沸騰した湯に小麦粉を水で溶いたもの、レモンの輪切り、塩を加えてからゆでるとアクが抜け、ふっくらときれいにゆであがる。この白ゆではカリフラワーやホワイトアスパラガス、きくいもなど、白い野菜をゆでるときに使う方法。ふきこぼれに注意しよう。

有効成分は
ビタミンB₁、C、食物繊維を含み、整腸作用や美肌効果、生活習慣病予防に効果がある。

ゆりね
百合根
lily root

ほろ苦さと食感がもち味

もっちりとした食感と、ほんのり甘く、ほろ苦い風味がもち味のゆり根はユリの球根。滋養強壮の薬としても利用されてきました。食用にするのはヤマユリ、オニユリ、コオニユリなど。甘露煮やきんとん、茶わん蒸しの具のほか、梅肉と和えたり唐揚げにしたりしても美味です。血圧を下げる作用のあるカリウムも豊富ですが、糖質を多く含むためかなり高カロリーです。

Data
学名：Lilium leichtlinii var. tigrinum
分類：ユリ科ユリ属
原産地：中国、日本
仏名：ulbe de lis
おいしい時期：10月～12月

食品成分表（可食部100gあたり）
エネルギー	119kcal
水分	66.5g
たんぱく質	3.8g
炭水化物	28.3g
灰分	1.3g
無機質 カリウム	740mg
マグネシウム	25mg
鉄	1.0mg
亜鉛	0.7mg
銅	0.16mg
マンガン	0.96mg
ビタミン B₁	0.08mg
B₂	0.07mg
B₆	0.12mg
食物繊維総量	5.4g

保存法
繊細な鱗片（りんぺん）を傷つけないよう、やわらかな紙やおがくずなどで保護し、風通しのよい冷暗所で。日もちするが、しめらせると傷むので注意。

下準備
汚れやゴミをていねいに洗い落としたら、芯の部分を底からえぐり取る。鱗片を外側から1枚ずつはがして使う。

栄養と薬効
カリウム、マグネシウム、リン、鉄といったミネラル類を比較的多く含む。漢方では空せきや不眠、イライラに効果があるとされている。

山菜 | 山

うど
独活
udo-salad

クロロゲン酸が体の酸化を防ぐ

日本各地の山野に自生する多年草で、その新芽を食します。漢方では根を乾燥させたものを生薬として用います。江戸時代には、早くも現在と同じような軟化栽培が始まりました。香りとシャキシャキした歯ざわりを失わないように、酢の物、酢みそ和え、サラダなどでいただきます。ほとんどが水分で、カリウム以外目立った成分はありませんが、抗酸化作用をもつクロロゲン酸が、緑色の葉に多く含まれています。

Data
学名：Aralia cordata
分類：ウコギ科タラノキ属
原産地：日本
おいしい時期：3月

食品成分表(可食部100gあたり)
- エネルギー……19kcal
- 水分……94.4g
- 炭水化物……4.3g
- 灰分……0.4g
- 無機質
  - **カリウム……220mg**
  - カルシウム……7mg
  - マグネシウム……9mg
  - リン……25mg
  - 鉄……0.2mg
- ビタミン
  - B₁……0.02mg
  - ナイアシン……0.5mg
  - 葉酸……19μg
  - パントテン酸……0.12mg
  - C……4mg
- 食物繊維総量……1.4g

山うどとうどの違い
本来は自生のものを山うど、光をあてずに軟化栽培したものをうどと呼ぶ。しかし市場では、軟化栽培したうどに出荷前に日光をあて、芽に色をつけたものを山うどと呼んでいる。緑化うどとも。

茎が白く太く、まっすぐなもの

うぶ毛が全体に密についていて、痛いくらいのものが新鮮

保存法
光にあてるとかたくなる。新聞紙で包んで冷暗所で保存。

下準備
皮をむいて切ったものを、酢水に5分ほどさらす。むいた皮はきんぴらにするとおいしい。

ふき
蕗
Japanese butterbur

香りを楽しむ日本の山菜

各地の山野にも自生していますが、すでに平安時代には栽培されていたという古い歴史をもつ、日本特産の山菜です。現在、流通しているもののほとんどは「愛知早生ふき」で、180年ほど前に愛知県で作られました。ほかの葉菜類に比べて特に目立った栄養素はありませんが、独特の香りとほろ苦さがもち味。葉は、打ち身の湿布や蛇にかまれたときの手あてにも使われてきました。

Data
学名：Petasites japonicus
分類：キク科フキ属
原産地：日本
おいしい時期：4月〜6月

食品成分表(可食部100gあたり)
- エネルギー……11kcal
- 水分……95.8g
- たんぱく質……0.3g
- 炭水化物……3.0g
- 灰分……0.7g
- 無機質
  - ナトリウム……35mg
  - **カリウム……330mg**
  - **カルシウム……40mg**
  - マグネシウム……6mg
  - リン……18mg
  - 亜鉛……0.2mg
  - マンガン……0.36mg
- ビタミン
  - B₂……0.02mg
  - 葉酸……12μg
- 食物繊維総量……1.3g

下準備
塩で板ずり(P28参照)し、熱湯でゆでてから水にとり、皮をむいて調理する。

保存法
ビニール袋などに入れて冷蔵庫に。鮮度が命なので、なるべく早く食べる。

黄ばみや黒ずみがなく、緑色がきれいなもの

葉がいきいきしていて、全体がみずみずしいもの

ふきの種類
ふきの栽培種には、ほかに、より香りがよく、やわらかな「水ふき」、茎の長さが2mにもなり、おもにつくだ煮や砂糖漬けなどに加工される「秋田ぶき」がある。

udo-salad—うど　Japanese butterbur—ふき
taranome—たらのめ　flower cluster—ふきのとう

山菜 山

たらのめ
楤の芽　taranome

たんぱく質が豊富な木の芽

山菜の王様ともいわれるたらのめは、日本各地に山野に自生するタラノキの若芽。天然ものもありますが、多くは栽培品で、収穫までが早い促成栽培が中心です。早いものでは12月から出回ります。たんぱく質を感じる食味のとおり、たんぱく質が豊富。その量は大豆もやし並みです。カロテンも多く含み、民間療法では樹皮や根の皮を煎じて飲むと糖尿病に効果があるとされています。

食品成分表(可食部100gあたり)

エネルギー		27kcal
水分		90.2g
たんぱく質		**4.2g**
炭水化物		4.3g
無機質	カリウム	460mg
	マグネシウム	33mg
	リン	120mg
	鉄	0.9mg
	亜鉛	0.8mg
	銅	0.35mg
ビタミン	A β-カロテン当量	570μg
	B₂	0.20mg
	葉酸	160μg
食物繊維総量		4.2g

Data
学名：Aralia elata
分類：ウコギ科タラノキ属
原産地：日本
別名：タランボ
おいしい時期：3月〜4月

芽の先が少し開き、ふっくらしているもの

緑があざやかで、いきいきしているもの

下準備
根元のかたい部分を切り取り、はかまを取り除く。和え物やおひたしにするときは、少々塩を入れた熱湯でサッとゆで、冷水にさらす。

保存法
新聞紙などで包み、冷蔵庫で2〜3日。

ふきのとう
蕗の薹　flower cluster

春の苦みが体を目覚めさせる

まだ寒い時期に、地面からポッと顔を出すふきのとうは、その姿からも、ほろ苦い風味からも、春の到来を感じさせてくれる存在です。
生育中の花茎だけに、ふきよりも栄養が豊富。カロテンやビタミンB₁、カリウムなどのミネラル分、食物繊維を比較的多く含みます。
また苦み成分には、冬の間に滞った新陳代謝を活発化させる働きがあり、香りが食欲を増進させ、消化を助けます。

食品成分表(可食部100gあたり)

エネルギー		38kcal
水分		85.5g
炭水化物		**10.0g**
灰分		1.9g
無機質	カリウム	740mg
	マグネシウム	49mg
	リン	89mg
	鉄	1.3mg
ビタミン	A β-カロテン当量	390μg
	B₁	0.10mg
	B₂	0.17mg
	B₆	0.18mg
	C	14mg
食物繊維総量		6.4g

Data
学名：Petasites japonicus
分類：キク科フキ属
原産地：日本、朝鮮半島、中国
別名：ヤマブキ、フウキ
おいしい時期：2月〜3月

葉が開いておらず、つぼみがかたいもの

緑色があざやかでツヤのあるもの。黒ずんでいるものや傷のあるものは避ける

保存法
しめらせた新聞紙で包み、ビニール袋に入れて冷蔵庫で1〜2日。

下準備
苦みを減らしたいときは塩を少々加えた熱湯でゆで、冷水にさらしてアクを抜く。

山菜｜山

蕨 わらび
bracken

万葉の人々も食した山菜

日本全国に分布し、「万葉集」にもうたわれているほど古くから親しまれてきた山菜で、すでに明治時代には栽培が始まっていました。食すのは、春に出る若芽の部分。地下茎から採れるでんぷんは、わらび粉として和菓子の材料になります。皮膚や髪の再生に関与するビタミンB₂、細胞の老化を防ぐビタミンEのほか、カロテンや食物繊維も含みます。干すと養分が凝縮され、カリウムなどのミネラル分やカロテンの含有量が増えます。

食品成分表（可食部100gあたり）

- エネルギー ……… 19kcal
- 水分 ……… 92.7g
- たんぱく質 ……… 2.4g
- 炭水化物 ……… 4.0g
- 無機質
  - カリウム ……… 370mg
  - カルシウム ……… 12mg
  - マグネシウム ……… 25mg
  - リン ……… 47mg
  - 鉄 ……… 0.7mg
  - 銅 ……… 0.13mg
  - マンガン ……… 0.14mg
- ビタミン
  - E ……… 1.6mg
  - B₂ ……… 1.09mg
  - C ……… 11mg
- 食物繊維総量 ……… 3.6g

Data
- 学名：Pteridium aquilinum
- 分類：ワラビ科ワラビ属
- 原産地：温帯〜熱帯地方
- 別名：ワラビナ、ヤワラビ、シトケ、サワラビ
- おいしい時期：3月〜5月

下準備
沸騰させたお湯にわらびを入れ、上から重曹をまぶし、すぐに火から下ろす。落としぶたをしてひと晩おき、きれいな水ですすぐ。

保存法
アク抜きしたわらびを水に浸けた状態で冷蔵庫で。水を毎日取り換えれば、1週間ほどもつ。

必ずアク抜きを
若芽の部分に発ガン性物質が含まれていることが近年、明らかになった。しかし従来のアク抜きをおこなえば、大半は取り除ける。

薇 ぜんまい
royal fern

干せば栄養も風味もアップ

わらびと並ぶ、代表的な山菜のひとつ。春に出る若芽を食します。アク抜きしたら乾燥させるか塩漬けにするのが一般的ですが、アク抜きだけでも煮物などにも利用できます。採取や乾燥などに手がかかるため、今では市販品の80％以上が中国などからの輸入となっています。カロテン、ビタミンB₂、C、鉄分、食物繊維などを多く含みます。ビタミンB₁を分解してしまう酵素も含んでいますが、それは加熱によって不活性化されます。

食品成分表（可食部100gあたり）

- エネルギー ……… 27kcal
- 水分 ……… 90.9g
- たんぱく質 ……… 1.7g
- 炭水化物 ……… 6.6g
- 無機質
  - カリウム ……… 340mg
  - マグネシウム ……… 17mg
  - リン ……… 37mg
  - 鉄 ……… 0.6mg
  - 銅 ……… 0.15mg
- ビタミン
  - A β-カロテン当量 ……… 530μg
  - B₂ ……… 0.09mg
  - B₆ ……… 0.05mg
  - C ……… 24mg
- 食物繊維総量 ……… 3.8g

Data
- 学名：Osmunda japonica
- 分類：ゼンマイ科ゼンマイ属
- 原産地：日本、東アジア
- 別名：ゼンゴ、ゼンノキ、ゼンメ、コゼンマイ
- おいしい時期：3月〜5月

保存法
アク抜きしたものを水に浸けた状態で冷蔵庫へ。水を毎日取り換えれば、1週間ほどもつ。

下準備
アク抜きが必要。鍋に湯をわかし、重曹を加えた熱湯に綿毛を取ったぜんまいを入れ、火を消す。冷めたら水洗いする。

栄養豊富な干しぜんまい
アク抜きしたぜんまいを、もみほぐしながら日光や火力によって乾燥させたものが市販されている。炭水化物やたんぱく質、ナトリウムなどの含有量がグッと増え、風味もよくなる。

bracken — わらび　royal fern — ぜんまい

◀ そのほかの山菜　　山菜 山

つくし

Data
- 学名：Equisetum arvense
- 分類：トクサ科トクサ属
- 原産地：北半球の温帯地方
- 別名：杉菜（すぎな）
- おいしい時期：2月～4月初旬

食べごろは頭がかたいうち

道路や鉄道、田畑の土堤やあき地などに繁茂するスギナの胞子茎です。春、新芽が出る前に地面からヌッと顔を出したところを取って食します。上部にある胞子嚢（ほうしのう）が開く前が美味。はかまを取り、塩少々を入れた熱湯でサッとゆがき、1時間ほど水にさらしてから卵とじや油炒めなどにしていただけば、春のほろ苦さと歯ざわりが。カリウム、マグネシウム、リン、カロテン、ビタミンE、たんぱく質、食物繊維などを含みます。

行者にんにく（ぎょうじゃ）

Data
- 学名：Allium victorialis var. Platyphyllum
- 分類：ユリ科ネギ属
- 原産地：日本、東アジア
- 別名：アイヌねぎ、山蒜（やまびる）
- おいしい時期：4月～5月

修行僧も食べたねぎの仲間

にらに似た強い香りが特徴で、アイヌの人たちが古くから食していました。奈良県以北の本州の深山などにも自生していますが、乱獲により数が減少し、栽培ものが増えています。タネから成株になるまで5年以上も要する手のかかる山菜です。アク抜き不要で、そのままゆでたり炒めたりしていただきます。強い殺菌力と血栓を溶かす効果があり、ビタミンB1とともに摂ると疲労回復にも効果を発揮する硫化アリルを多く含みます。

こごみ

Data
- 学名：Matteuccia struthiopteris
- 分類：オシダ科クサソテツ属
- 原産地：アジア東部、北米、ヨーロッパ
- 別名：草蘇鉄（くさそてつ）、コゴメ、ガンソウ
- おいしい時期：4月～5月

手をかけずに味わえる山菜

シダ類のなかで、もっともおいしいといわれているこごみ。いちばんの特徴は、アク抜き不要なことです。サッとゆでて和え物にすればクセがなく、軽いぬめりと独特の歯ざわりが楽しめます。炒め物も簡単で美味。北海道から九州まで広く自生していますが、栽培ものも増えています。カロテンや食物繊維が豊富で、ビタミンCも含みます。またクロロゲン酸とアミノ酸の一種、カフェオイルホモセリンの抗酸化作用も期待されています。

うるい

Data
- 学名：Hosta montana
- 分類：ユリ科ギボウシ属
- 原産地：東アジア
- 別名：擬宝珠
- おいしい時期：5月～7月

ぬめりが美味。ギボウシの若葉

うるいは、観賞にも用いられるギボウシの若い葉で、葉が開く前のものが食されます。利用されるのは、おもにオオバギボウシ。クセがなく、ねぎに似たぬめりと、ほろ苦さが特徴です。アク抜きは必要なく、汁の具や炒め物、サッとゆがいて和え物などにします。北海道から九州まで、広域に自生していますが、最近では栽培ものも増えました。生で食べられる、軟白化栽培したものも登場しています。

山菜 山

こしあぶら

最近人気の木の芽

Data
学名：Acanthopanax sciadophylloides
分類：ウコギ科ウコギ属
原産地：中国
別名：ゴンゼツノキ
おいしい時期：4月〜5月

たらのめと同じウコギ科の木の芽。若芽や若葉を食します。見た目も味も似ていますが、こちらのほうが香りが強く、コクがあります。山菜の定番、天ぷらにすると絶品。近年、人気が出てきた山菜です。栽培ものも増えてきています。

おひたしや和え物にするときは、塩を少々加えた熱湯でゆでて、冷水にさらしアク抜きをして、天ぷらはそのままで。抗酸化作用をもつクロロゲン酸を含んでいます。

かたくり

きれいな花も食べられる

Data
学名：Erythronium japonicum
分類：ユリ科カタクリ属
原産地：日本
別名：カタゴ、カタカゴ
おいしい時期：3月〜5月

春先に紅紫色の花を一面に咲かせる姿が見事で、その群落地が観光名所にもなっている野草ですが、葉、花、鱗茎のすべてが食用になります。かつては、かたくり粉といえばこの鱗茎を大量に集めて作られたでんぷんのことでした。

葉や花は熱湯でサッとゆがいて、おひたしや和え物に。シャキシャキした歯ざわりと甘みが楽しめます。酢の物にすると、花の色がひときわきれいです。鱗茎だけなら一年じゅう採取可能。熱湯でサッとゆがいて酢みそ和えにすれば、らっきょうに似た風味と辛みが味わえます。

のびる

手軽に味わえる野の風味

Data
学名：Allium grayi
分類：ユリ科ネギ属
原産地：日本
別名：ヒルナ、コビル、ヒル
おいしい時期：5月〜7月

道ばたや川の土手、公園の片すみなどにも生えている野草で、都会でも比較的簡単に見つけられるはず。春、花が咲く前に掘り上げ、鱗茎部分とやわらかな葉を食すのが一般的ですが、鱗茎だけなら一年じゅう採取可能。食べるのは茎の部分。葉を取り、太いものは皮をむいて、おひたしや和え物、煮物、ぬめりなどに。クセのない風味が特徴です。茎を生のまま粘りが出るまで包丁の背でたたき、しょう油やみそなどで味つけした「みずとろろ」も美味。ビタミンC、カリウム、カロテン、カルシウム、食物繊維、さらに殺菌や動脈硬化を防ぐ作用のあるアリシンも含みます。

あかみず

ソフトな風味とぬめりが特徴

Data
学名：Elatostema umbellatum var.majus
分類：イラクサ科ウワバミソウ属
原産地：日本
別名：ウワバミソウ、ミズ、ミズナ
おいしい時期：4月〜6月

ウワバミソウとも呼ばれ、北海道から九州までの、きれいな水の流れる沢沿いなど、しめりけのある場所に群生します。茎が赤い色をしていることが、その名の由来です。

82

しどけ
標準名はモミジガサ。ほろ苦く、独特の香りがある。若い茎葉をサッとゆでて水にさらし、おひたしなどに。

あずき菜
標準名はナンテンハギ。ゆでるとあずきに似た香りがする。クセがなく、和え物やおひたしなど、ふつうの野菜感覚で使える。

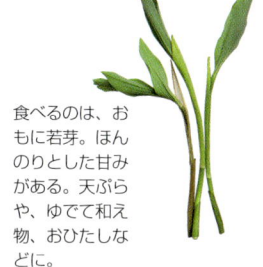

あまどころ
食べるのは、おもに若芽。ほんのりとした甘みがある。天ぷらや、ゆでて和え物、おひたしなどに。

いたどり 品種群
酸味のある若い茎を食べる。皮をむいてアク抜きし、油炒めなどに。スカンポとも呼ばれる。

ほんな
茎の歯切れのよい食感と、春菊に似た香りが特徴。ゆがいて水にさらす。標準名はヨブスマソウ。

のかんぞう
ぬめりのある食感が独特で、新芽を酢みそ和えなどでいただく。夏にはオレンジ色のきれいな花を咲かせる。

よもぎ
草もちにするほか、和え物や炊き上がったご飯にサッとまぜても。若芽をゆがき、水にさらして使う。

アイコ
クセがなく、ほんのり甘く食べやすい。茎にトゲがあるので、素手でふれないこと。標準名はミヤマイラクサ。

よめな
道ばたなどにも生えている野草。若い葉をゆでて、ご飯にまぜたよめな飯や、和え物、天ぷらなどに。

ゆきのした
日陰のしめった場所に生える野草。天ぷらにするとサクサクした食感が楽しめる。おひたしにも。

みつばあけび
春に伸び出すつるの先を食す。おひたしのほか、マヨネーズ和えも美味。ほろ苦い大人の味。

青みず
標準名はヤマトキホコリ。名のとおり、全体が緑色。クセがなく、シャキシャキとした食感と甘みが味わえる。

身近な摘み草
ハコベ、ハルジオン、シロツメクサなど、身近に生えているおなじみの野草にも、栄養や効能がたっぷりあるものが少なくない。特に旬のものは生命力にあふれていて味わいもひとしお。探して摘む楽しみと味わう喜びを同時に得られる、摘み草にはそんな魅力がある。

注意することは3つ。①誤って有毒なものを摘まないよう、専門家と始めること。②採取する場所を吟味し、他人の所有地や保護地区には入らないこと。③植物を根絶させないよう、すべてを採りきらずに必ず一部を残してくること。

今日から散歩の楽しみが増える!?

摘み草の品種

かたばみ
わずかに酸味がある。サラダのアクセントや薬味として。花も食べられる。

たねつけばな
カラシナの仲間。ピリリと辛みがある。サラダのほか、ゆでておひたしにも。

はこべ
春の七草のひとつ。クセがなく食べやすい。おひたし、卵とじ、汁の具に。

山菜の調理法一覧　　山菜　山

	下処理	保存法	料理
うど	皮をむいて切ったものを、酢水にさらす。むいた皮はきんぴらに。	光にあてるとかたくなる。新聞紙で包んで冷暗所で。	天ぷら、フライ、酢みそ和え、きんぴら
ふき	塩で板ずりし、熱湯でゆでてから水にとり、皮をむいて調理する。	ビニール袋などに入れて冷蔵庫に。鮮度が命なので、できるだけ早く食べる。	煮物、天ぷら、きんぴら
たらのめ	根元のかたい部分を切り取り、はかまを取り除く。	新聞紙などで包み、冷蔵庫で2～3日。	天ぷら、和え物、汁の具、煮びたし
ふきのとう	苦みを減らしたいときは、塩少々を加えた熱湯でゆで、冷水にさらしてアクを抜く。	しめらせた新聞紙で包み、ビニール袋に入れて冷蔵庫で1～2日。	天ぷら、炒め物、みそ炒め（ばんけみそ）
わらび	先の胞子の部分は摘み取り、水でしっかり洗う。沸騰させたお湯に入れて重曹をまぶし、すぐに火から下ろす。落としぶたをしてひと晩おき、きれいな水ですぐ。	ゆでたものを天日に干して乾燥させるか、アク抜きしたわらびを水に浸けた状態で冷蔵庫に。毎日水を取り換えれば、1週間ほどもつ。	煮物、おひたし、炒め物、わらびたたき
ぜんまい	鍋に湯をわかし、重曹を加えた熱湯に綿毛を取ったぜんまいを入れ、火を消す。冷めたら水洗いする。	ゆでたものを天日で干して乾燥させるか、アク抜きしたものを水に浸けた状態で冷蔵庫へ。毎日水を取り換えれば、1週間ほどもつ。	煮物、炊き込みご飯、汁の具
つくし	はかまを取り、よく水洗いし土と胞子を落とす。ひと晩水にひたしたあと、塩を少々を加えた熱湯でサッとゆで、冷水にさらす。	アク抜きしたものをラップで包み、冷蔵庫に入れ2～3日。ゆでたものは冷凍保存も可能。	炒り煮、卵とじ、炒め物、つくだ煮
行者にんにく	アク抜きは不要。水でよく洗い、必要なら下ゆでを。	しめらせたキッチンペーパーなどで根元を包み、ビニール袋に入れ冷蔵庫に立てて。ゆでたものはしょう油漬け、塩漬けにしても。	炒め物、和え物、おひたし、ギョーザの具
こごみ	茎のかたいところは取り、水でよく洗う。少量の塩を入れたお湯でサッとゆでる。	新聞紙で包み、冷蔵庫で2～3日。ゆでたものは冷凍保存も可。	油炒め、天ぷら、和え物
うるい	アク抜きは不要。水でよく洗い、必要なら下ゆでを。	新聞紙で包み、冷蔵庫で2～3日。かためにゆでて冷凍保存も可。	炒め物、和え物、サラダ、卵とじ
こしあぶら	はかまを取り、塩を少々を加えた熱湯でサッとゆで、冷水にさらしてアクを抜く。	新聞紙で包み、冷蔵庫で2～3日。かためにゆでて冷凍保存も可。	天ぷら、ごま和え、おひたし
かたくり	水でよく洗う。葉も茎も食べられる。	新聞紙で包み、冷蔵庫で2～3日。	和え物、天ぷら、油炒め
のびる	アク抜きは不要。水でよく洗い薄皮をむき、ヒゲ根を落とす。生でも食べられる。	しょう油漬けにすれば長期保存可能。	炒め物、松前漬け、酢みそ和え、生食
あかみず	葉は取り除き、茎の太いものは薄皮をむく。塩を少々を加えた熱湯に入れ、茎の色が薄赤から緑に変わったら引きあげ水にさらす。	新聞紙で包み、冷蔵庫で2～3日。	みずとろろ、天ぷら、煮物、おひたし、みそ汁

料理

ふきと油揚げの煮物

材料
ふき…3本分
油揚げ…2枚
だし汁…1カップ
しょう油…大さじ1
酒…大さじ1
みりん…大さじ1

作り方
1. 下処理したふきを4～5cm幅に切る。油揚げは短冊に切ってから熱湯をかけ、油抜きしておく。
2. だし汁と調味料を煮立てて1を入れ、ひと煮立ちさせたら火を止めて味を含める。

行者にんにくと豚肉の炒め物

材料
行者にんにく…100g
豚薄切り肉…100g
しょうが…少々
オイスターソース…大さじ1
みりん…大さじ1
サラダ油…適量

作り方
1. 行者にんにくは長さ5cmに、豚肉は食べやすい大きさに切る。しょうがは千切りに。
2. 鍋に油を熱し、しょうが、豚肉、行者にんにくの順に炒め、調味料で味つけする。

つくしのつくだ煮

材料
つくし…200g
しょう油…大さじ3
砂糖…大さじ3

作り方
1. 下処理したつくしを食べやすい長さに切る。
2. 鍋に1と調味料を入れて中火にかけ、やわらかくなるまで加熱する。火を止めたらふたをして味をなじませる。

Japanese mushroom — しいたけ

きのこ類 茸

しいたけ
椎茸
Japanese mushroom

生活習慣病や ガン予防に効果が

低カロリーでミネラルや食物繊維が豊富なしいたけは、生活習慣病で悩む人におすすめ。

しかもうま味成分でアミノ酸の一種、グアニル酸が含まれているため、複雑なうまさがあります。この成分は加熱することで増えるといわれているので、うまく利用を。丸のまま焼くときは、かさのほうだけにすると、おいしい汁をこぼさず摂れます。

グアニル酸は昆布や加熱したトマトなどが含むうま味成分、グルタミン酸と合わさると、さらにおいしい相乗効果が生まれます。

Data
- 学名：Lentinus edodes
- 分類：キシメジ科シイタケ属
- 別名：ナバ、ナラノコ

食品成分表
（菌床栽培 可食部 100g あたり）

エネルギー		25kcal
水分		89.6g
たんぱく質		3.1g
炭水化物		6.4g
無機質	カリウム	290mg
	マグネシウム	14mg
	リン	87mg
	鉄	0.4mg
	亜鉛	0.9mg
	マンガン	0.21mg
ビタミン	B₁	0.13mg
	B₂	**0.21mg**
	B₆	0.21mg
	葉酸	49μg
食物繊維総量		**4.9g**

おいしいカレンダー ●おいしい時期
2 **3 4 5** 6 7
8 **9 10 11** 12 1

徳島、群馬、岩手

原木栽培と菌床栽培
しいたけは原木栽培が主と思われがちだが、近年は原木不足と手間の問題で菌床栽培がほとんど。菌床のものは香りが少ない。

洗ってはいけない
菌床、原木ともに栽培物はほぼ無農薬でゴミや虫の心配もない。風味を保つために、汚れが気になったらふきとる程度に。

▼免疫力を高めガンを予防。脳の老化も防止

しいたけとベーコンのマヨネーズ焼き

材料
- しいたけ…6個
- ベーコン…50g
- マヨネーズ…大さじ1
- 牛乳…大さじ1
- 塩 こしょう…少々

作り方
1. 石づきを取ったしいたけと、ひと口大に切ったベーコンを耐熱皿に並べる。
2. マヨネーズと牛乳を合わせてよくまぜ、塩とこしょうで味を調えたら 1 にかける。
3. オーブントースターで約10分焼き、ほどよい色がついたらできあがり。

八分咲きで表面にキズがなく、丸みがあり巻き込みの強いもの

軸が太く短いもの

「加賀百万石ジャンボしいたけ」
菌床の上面だけを使って栽培。肉厚で味が濃く、しいたけステーキにすると美味。

保存は冷凍
生のものはすぐ鮮度が落ちるので、当日使わないなら適当な大きさに切って冷凍を。冷凍すると生のものよりうまみ成分が出やすくなり、おいしくなるといわれている。

干しいたけを保存する
紫外線を浴びたしいたけは、ビタミンDが増える。乾いていてもカビや虫の心配はあるので、冷蔵庫の野菜室で。

天日干しでおいしく
乾燥させると細胞がこわれ、うまみ成分に酸素が働く。調理加熱でグアニル酸が10倍に増えることも、うまみの源に。

ビタミンDの供給源
ビタミンDに変わるエスゴステリンを豊富に含んでいる。ビタミンDはカルシウムの吸収をアップし骨粗しょう症の緩和と予防に有効。抗ウイルス性物質βグルカンや脳の老化予防効果のあるグルタミン酸を含むのも特徴。生しいたけを30分ほど日光にあてるとビタミンDが生成される。

食べ合わせ

代表的組み合わせ	ほかにも			効果
しいたけ + ごぼう	ブロッコリー	にんじん	アスパラガス	▶ ガン予防 / 美肌づくり
しいたけ + 昆布	ほうれん草	イワシ	ごま	▶ 骨粗しょう症予防、血行促進 / 神経痛・リウマチに効果的
しいたけ + ごま	くるみ	かぼちゃ	マヨネーズ	▶ 老化防止 / 認知症予防
しいたけ + セロリー	イカ	タコ	サバ	▶ 強肝作用、高血圧予防 / 心臓病予防、動脈硬化予防

きのこ類 茸

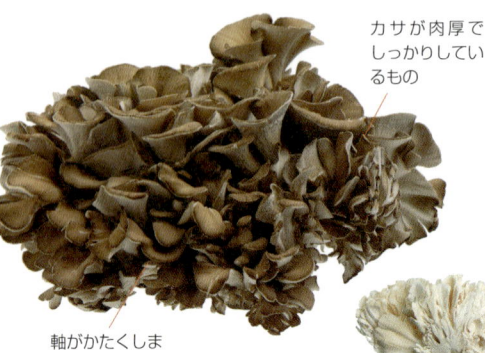

まいたけ
舞茸 / hen of the woods

βグルカンの働きで免疫機能アップ

きのこ類にはβグルカンという多糖類が含まれ、免疫機能を回復させガン細胞の増殖を抑える働きをしますが、まいたけはこの効力が群を抜いて強いとされています。βグルカンは食物繊維と同じように腸を刺激して腸内をきれいにする効果があるため、大腸ガンの予防にも役立ちます。またビタミンDも豊富に含まれており、カルシウムの吸収を助け、骨や歯を丈夫にしてくれます。

食品成分表（可食部100gあたり）

エネルギー		22kcal
水分		92.7g
たんぱく質		2.0g
炭水化物		4.4g
灰分		0.6g
無機質	カリウム	230mg
	リン	54mg
	鉄	0.2mg
	亜鉛	0.7mg
	銅	0.22mg
ビタミン	B_1	0.09mg
	B_2	0.19mg
	ナイアシン	5.0mg
	葉酸	53μg
食物繊維総量		3.5g

保存法
パックのまま冷蔵庫で保存。小分けにして冷凍も可。

機能食品として知られるβグルカン
ガン予防、血圧・血糖値・コレステロールを下げるなど、さまざまな効果を期待できるβグルカン。欧米では健康に役立つ機能食品として認知されている。

- カサが肉厚でしっかりしているもの
- 軸がかたくしまり、ピンとしているもの

Data
- 学名：Grifola frondosa
- 分類：サルノコシカケ科 マイタケ属
- 別名：クロブサ、クロフ
- おいしい時期：10月～11月

白まいたけ
まいたけよりもやわらかな肉質。黒ずんだ煮汁が出ず、料理がきれいに仕上がる。

えのきたけ
榎茸 / enoki mushroom

安眠効果のある成分がたっぷり

えのきたけにはギャバという成分が豊富に含まれています。これは発芽玄米などに多く含まれ、神経の興奮を鎮め腎臓や肝臓の働きを活発にする働きがあり、血圧や神経の安定に役立ちます。また、疲労回復に効果のあるビタミンB_1の含有量は、きのこ類のなかでもトップクラス。夕食に食べると一日の疲れを取り、安眠をもたらしてくれます。ほかにもビタミンB_1には、皮膚や髪の毛、爪などの健康維持に役立つうれしい効果があります。

食品成分表（可食部100gあたり）

エネルギー		34kcal
水分		88.6g
たんぱく質		2.7g
炭水化物		7.6g
灰分		0.9g
無機質	**カリウム**	**340mg**
	マグネシウム	15mg
	リン	110mg
	鉄	1.1mg
	亜鉛	0.6mg
	銅	0.10mg
ビタミン	**B_1**	**0.24mg**
	B_2	0.17mg
	B_6	0.12mg
食物繊維総量		3.9g

甘シャキトラさん味えのき
栽培種に野生種を交配したもの。調理後も残る歯ごたえとフルーティーな香り、甘みが特徴。

- カサが開いていないもの
- 背丈がそろっていて、軸にピンとハリのあるもの

Data
- 学名：Flammulina velutipes
- 分類：キシメジ科
- 別名：アマンダレ、ユキノシタ、カンタケ
- おいしい時期：11月～3月

保存法
冷凍するときは、根元を切り取って小分けにすると便利。真空パックのものは冷蔵庫で1週間程度。

hen of the woods — まいたけ　　enoki mushroom — えのきたけ
nameko — なめこ　　shimeji — しめじ

きのこ類 茸

なめこ
滑子　nameko

あのヌルヌルが お腹をととのえる

なめこのヌルヌルはペクチンなどの食物繊維。腸内の善玉菌を増やして腸内環境を整える効果があります。なめこ自体は消化がいいとはいえないので、大根のような消化を助ける野菜といっしょに摂るといいでしょう。美肌効果や骨粗しょう症の予防も期待できるトレハロースも豊富で、ビタミンB1、B2、ビタミンDと同じ効果を持つものも少量含まれています。

食品成分表（可食部100gあたり）
- エネルギー　21kcal
- 水分　92.1g
- たんぱく質　1.8g
- 炭水化物　5.4g
- 無機質
  - カリウム　**240mg**
  - カルシウム　4mg
  - マグネシウム　10mg
  - リン　68mg
  - 鉄　0.7mg
  - 銅　0.11mg
- ビタミン
  - B1　0.07mg
  - B2　0.12mg
  - ナイアシン　5.3mg
  - パントテン酸　**1.29mg**
- 食物繊維総量　3.4g

かぶとりなめこ
株の状態で出荷されるもの。加工品に比べ歯ごたえがよく、おいしい。

ジャンボなめこ
大きく育てた風味の濃いなめこ。ぬめりが少なく、軸の歯ごたえが楽しめる。

カサが割れているものは避ける
肉厚で身がかたくしまったもの

Data
- 学名：Pholiota nameko
- 分類：モエギタケ科
- 別名：ナメスギタケ、ホンナメコ
- おいしい時期：天然9月〜11月

保存法
傷みやすいので、すぐに食べる。難しければ塩を加えた湯にサッとくぐらせてから冷凍。そのまま汁物の具にできる。冷凍すると風味が落ちるので、1か月以内に食べきろう。

しめじ
湿地　shimeji

不足しがちな 必須アミノ酸を含む

しめじとして出回っているものは、多くがぶなしめじやひらたけで、ほんしめじとは別種。ぶなしめじは、カルシウムの吸収を助けるビタミンDやビタミンB1、B2、ナイアシンなどを含む、栄養価の高いきのこです。日本人に不足しがちな必須アミノ酸で、たんぱく質やカルシウムの吸収を促進する働きがある、リジンも含まれています。ひらたけには免疫系を活性化し、ガン抑制効果のあるたんぱく質、レクチンが含まれています。

食品成分表
（ぶなしめじ 可食部100gあたり）
- エネルギー　22kcal
- 水分　91.1g
- たんぱく質　2.7g
- 炭水化物　4.8g
- 無機質
  - カリウム　370mg
  - マグネシウム　11mg
  - リン　96mg
  - 亜鉛　0.5mg
- ビタミン
  - D　**0.5mg**
  - B1　0.15mg
  - B2　0.17mg
  - ナイアシン　6.1mg
  - B6　0.09mg
  - パントテン酸　0.81mg
- 食物繊維総量　3.5g

丹波しめじ
ほんしめじに近い、はたけしめじの栽培品。苦みが少なく、加熱しても変わらない歯ざわりが特徴。

カサの色が濃く、小さめで開きすぎず、しまりのあるもの
軸のかたいもの

Data
- 学名：Hypsizygus marmoreus
- 分類：キシメジ科　シロタモギタケ属
- おいしい時期：9月〜11月

下準備
ゆでてもしんなりしないので、塩を加えたお湯にサッとくぐらせて冷凍。パックのまま、もしくは密閉容器に入れれば冷蔵庫でも数日もつ。

きのこ類 茸

まつたけ 松茸 matsutake mushroom

あの香り成分が食欲を増進

まつたけといえば秋の味覚の王様で、人工栽培が難しく自然のなかでも繁殖しにくいため、とても貴重な食べ物となっています。

命ともいえるあの香りを作るもととなる成分、マツタケオールや桂皮酸メチルには、食欲増進や消化酵素の分泌をうながす作用と同時に、ガン予防に効果があるといわれています。

食物繊維が豊富で、皮膚炎の予防に効果的なビタミンB₂や余分な塩分を排出するカリウムも多く含んでいます。

食品成分表(可食部 100gあたり)

エネルギー		32kcal
水分		88.3g
たんぱく質		2.0g
炭水化物		8.2g
無機質	カリウム	410mg
	リン	40mg
	鉄	**1.3mg**
	亜鉛	0.8mg
	銅	0.24mg
ビタミン	B₁	0.10mg
	B₂	0.10mg
	ナイアシン	8.0mg
	B₆	0.15mg
	パントテン酸	1.91mg
食物繊維総量		**4.7g**

カサがあまり開いていないもの。内側のひだが白く、汚れていないものがよい

軸の部分は繊維もかたいが、弾力のないものは虫食いのおそれも

輸入品の一部はまつたけにあらず

減る一方の国産ものに対して、増えているのが輸入もの。韓国や中国産のものは日本のものと同種だが、香りが強いといわれる北米産のものや北欧、トルコ産のものは、じつはまつたけとは別種のきのこ。

Data
学名：Tricholoma matsutake
分類：シメジ科キシメジ属
おいしい時期：10月〜11月

🔖 保存法
風味が落ちるので、すぐに食べる。

マッシュルーム mushroom

脂肪を燃やすためダイエットに最適

しいたけに比べたんぱく質が多く、カリウム、食物繊維が含まれています。ビタミンB₂、カリウムの働きで余分なコレステロール値を下げ、動脈硬化や高血圧の予防が期待できるほか、腸内を洗浄して体のなかからきれいにしてくれます。

脂肪の代謝を助けて効率よくエネルギーに変えてくれる、ビタミンB₂との相乗効果で、ダイエットにもおすすめできるきのこです。

うまみ成分であるグルタミン酸も多く含まれ、味がよいのも魅力です。

食品成分表(可食部 100gあたり)

エネルギー		15kcal
水分		93.9g
たんぱく質		**2.9g**
炭水化物		2.1g
無機質	ナトリウム	6mg
	カリウム	350mg
	リン	100mg
	鉄	0.3mg
	銅	0.32mg
ビタミン	B₁	0.06mg
	B₂	0.29mg
	ナイアシン	3.0mg
	B₆	0.11mg
	パントテン酸	1.54mg
食物繊維総量		**2.0g**

丸く、かさの表面がすべすべして割れていないもの

ブラウン種

ホワイト種

太く短い軸のもの。切り口が変色していないもの

Data
学名：Agaricus bisporus
分類：ハラタケ科ハラタケ属
和名：つくりたけ
おいしい時期：4〜6月　9〜11月

🔖 保存法
傷みやすいので、早めに食べる。

matsutake mushroom—まつたけ　mushroom—マッシュルーム
eringi mushroom—エリンギ　truffle—トリュフ

きのこ類 茸

エリンギ
eringi mushroom

食物繊維豊富な健康きのこ

歯ざわりのよさが特徴ですが、これはさつまいもより豊富に含まれる食物繊維によるもの。腸内を掃除し、コレステロール値を下げるなど、生活習慣病予防にはとても効果的です。カリウムもすいか、ネーブルなどの果物より多く、体内のナトリウムを排出するため高血圧の解消に役立ちます。またエリンギだけでなく、きのこ全般に多く含まれるビタミン B₂ は、ガンの発生にかかわる活性酵素の働きを抑えるといわれています。

食品成分表（可食部100gあたり）
- エネルギー……31kcal
- 水分……90.2g
- たんぱく質……2.8g
- 炭水化物……6.0g
- 無機質
  - カリウム……**340mg**
  - リン……89mg
  - 亜鉛……0.6mg
  - 銅……0.10mg
- ビタミン
  - B₁……0.11mg
  - B₂……0.22mg
  - ナイアシン……6.1mg
  - B₆……0.14mg
  - 葉酸……65μg
  - パントテン酸 1.16mg
- 食物繊維総量……3.4g

Data
- 学名：Pleurotus eryngii
- 分類：ヒラタケ科
- 別名：かおりひらたけ、常念茸、貝柱茸、しもふり茸、かんむり茸
- おいしい時期：周年

・カサの色が薄い茶色で開きすぎていないもの
・軸が白くて太く、弾力とかたさのあるもの

ヨーロッパ原産のきのこ

きのこのなかでは新顔。日本には自生しておらず、愛知県林業センターが1993年ごろ、栽培法を確立。以後、急速に日本じゅうに広まった。南欧から中央アジアの草原地帯が原産地。

保存法
ラップで包み、冷蔵庫で保存。なるべく早く使いきる。

トリュフ
truffle
西洋松露

魅惑的な香りの世界三大珍味

地面の下にできる黒いじゃがいも風のきのこ。発生量が少なく、見つけるのも難しいためとても高価で、キャビア、フォアグラとともに世界三大珍味に数えられています。ゴツゴツした見かけからは想像もできないほどの、独特で魅惑的な香りが特徴です。ほかの食材と合わせて、その香りを移すのがトリュフの楽しみ方。
フランスはペリゴール産の黒トリュフと、イタリアの、ピエモンテ産の白トリュフが最上級といわれています。

Data
- 学名：Tuber spp.
- 分類：セイヨウショウロタケ科　セイヨウショウロタケ属
- おいしい時期：
  - 黒トリュフ 1月〜3月
  - 白トリュフ 10月〜12月

白トリュフ
にんにくにも似た魅惑的な香り。ごく少量を生で使うことが多い。黒トリュフよりも産出量が少なく高価。

黒トリュフ
のりのつくだ煮を思わせる香りで、料理にふんだんに使われる。ピューレ以外に、加熱することも。

保存法
黒トリュフは、米や卵といっしょに密閉容器に入れておくと、2週間ほどもつ。米はリゾットに、卵はオムレツに。白トリュフは保存に適さない。

> 栽培きのこ

本ひらたけ
味も香りもクセがなく、だれにでも親しまれる。特に寒い時期のものは、アワビにたとえられるほどの風味。

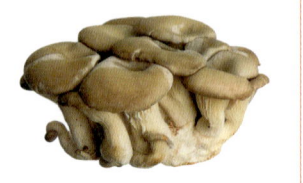

はなびらだけ
クセのない味に、シャキシャキした歯ごたえ。健康成分βグルガンをアガリスクの約4倍含むとされている。

はくれいだけ
しっかりした肉質で適度な歯ごたえがあり、陸のアワビとも呼ばれる。βグルカンが豊富。

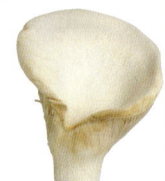

かきのきだけ
えのきたけの原種といわれ、なめこのようなぬめりがある。わかめなどと合わせ、酢の物にも。

たもぎだけ
歯切れ、舌ざわりがソフトで味がよい。炊き込みご飯などの和風料理のほか、グラタン、ピザなどにも。

さんごやまぶしたけ
ガン抑制に効くβグルカンや記憶力をアップするヘリセリンが豊富。よい味が出るので、お吸い物に。

ちゃじゅたけ
生のものはほとんど流通していないが、豊富なグルタミン酸を含み、味がよく、格別な香りをもつ。

はくおうだけ
コリッとした食感で風味がよく、和洋中の料理に合う。ビタミン類やフラボノイドなどが豊富。

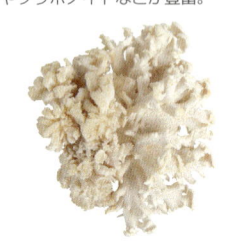

本あわびたけ
肉厚でジューシー、コリコリとした食感はアワビのよう。炭火で焼き、ポン酢で食べるのもいい。

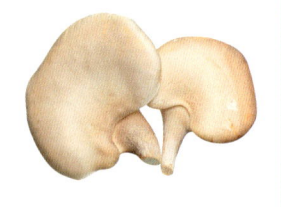

とき色ひらたけ
淡いピンク色をした、ひらたけの仲間。火を通してもあまり色が変わらないので、料理の彩りにも。

山あわび
黒あわびたけのこと。低カロリーでビタミン、ミネラルが豊富。プリプリした歯ごたえが楽しめる。

みねごし
さくらしめじともいう。さっぱりした風味で少し苦みがある。しょう油、砂糖での濃いめの味つけがいい。

きくらげ
味よりもコリコリ、プリプリした食感を楽しむ。鉄分が多く、ビタミンD、食物繊維も豊富なきのこ。

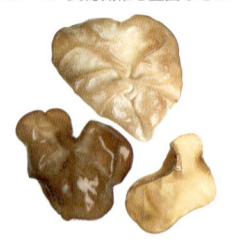

コプリーヌ
アワビのような歯ごたえでうまみが濃く、クセのない味が特徴。シチューなど、洋風の煮物料理に。

ほうびたけ
ほかのきのこと比べてたんぱく質が多く、ビタミン・ミネラルが豊富。風味がよく、和洋中どの料理にも。

松きのこ
しいたけの突然変異から生まれた新種。ほんのり甘みのある風味と、ほどよい歯ごたえがある。

天然きのこ

しょうげんじ
ツガなどの針葉樹の林床に、秋に生える。たいへん歯ごたえがよく、上品な香りと味わいで、よいだしが出る。

あみたけ
かさの裏側がネット状で、夏から秋にマツの林床に生える。ぬめりがあり、ゆでて大根おろしで食べるのが美味。

ぶなはりたけ
ブナなどの広葉樹の枯れた幹に、秋に群生する。強い甘い香りがあり、歯ごたえがよい。ゆでて洗ってから調理を。栽培もされている。

はつたけ
よいだしが出るので、吸い物や炊き込みご飯に。傷がつくと青緑色に変色する。夏から秋に、アカマツやクロマツの林床に生える。

さるのこしかけ
独特の形をした数種類のきのこの総称。煎じて飲むと、抗ガンや免疫力を高める効果があるといわれている。

くりふうせんたけ
秋にナラ類の林床に生える、クセのないきのこ。ぬめりが少しあり、煮物に使うとうまみが出る。歯切れもよい。

くりたけ
おもに広葉樹の倒木に、秋に発生する。柄の歯ごたえがよく、クセがないので、どんな料理にも合う。栽培ものも出回っている。

さんごはりたけ
クセがなく、酢の物やわさびじょう油で食べても。ミズナラなど広葉樹の倒木などに、秋に発生することが多い。栽培もされている。

ひらたけ
うまみが強く、しっかりとした歯ごたえが特徴。晩秋と春に、広葉樹の枯れ木などに群生する。栽培もされている。

ならたけ
歯切れがよく、汁物などに入れるとぬめりが出る。食べすぎは厳禁。春から秋に、立ち木や枯れ木などに生える。栽培もされている。

さけつばたけ
春から秋に、草地や道ばたなどに生える身近なきのこ。クセのない味わいで、どんな料理にも使える。栽培も始まっている。

あかもみたけ
秋に、モミ類の林床に発生する。味はよいが、ボソボソした食感が欠点。煮物にすると歯ごたえがよくなる。

むきたけ
秋にブナなどの枯れた幹に生える。肉厚で、ツルッとした食感が特徴。表皮を取って煮物や野菜炒めなどにする。栽培品も出回っている。

はたけしめじ
道ばたや草地、庭などに、夏から秋に生えるきのこで、栽培もされている。シャキシャキとした歯ざわりが特徴。どんな料理にも合う。

きしめじ
全体が黄色いきのこ。秋にマツなどの針葉樹の林床に生える。近年、海外で中毒事故が相次いだため、現在は食用にしないほうがよい。

むらさきしめじ
食感はいいが、やや土臭いので、油を使って調理するとよい。雑木林や竹やぶに初秋から晩秋に生える。生食は厳禁。栽培も始まっている。

Column

焼く

鏡のように磨かれた鉄板。その上で焼かれた野菜には、一滴の油も使われていない。

それは「焼く」というより「干す」に近いのかもしれない、と「今彩」の主人、熊谷加津雄氏は語る。

野菜に限らず、鉄板で焼くには従来、油が不可欠だった。これは下味のための塩やこしょうを定着させ、油の被膜でムラなく早く焼きあげるための準備で、西洋料理の基本。素材を焦がさないためにも、つねに油が必要だったわけだ。

だが熊谷氏はそう考えない。野菜のうまみ、甘み、風味をそのまま味わうには油は不要、塩さえしないのだと。

大根、かぶ、にんじん、どれも2cm以上の厚みがあって、芯まで火が通るのだろうか、と思うほど。適度に温められた鉄板に根菜を並べると、表面にある水分がプチパチッと弾ける。ふたをかぶせ、蒸らすわけでもなく、鉄板の表面温度で乾かしていくのだ。

バーベキューでは一般に、肉や魚をおいしく焼くことはできても、野菜となると難しい。火力が強すぎると、すぐに焦げて炭の味しかしない。だれもが一度は味わったことのある、苦い経験だ。

焼きあがった分厚い根菜類には、粗めに挽いた岩塩が合う。全体に効かせるのではなく、根菜自体から引き出された甘みに岩塩のシャープさを活かしたい。アクセントとして香り高いみそやオイルをつけてもおいしい。少し焦げた表面の香りは野菜全体を包み、野菜の香りと相まって、まるで燻製（くんせい）のような複数の風味を織りなしてくれる。焼いただけの野菜が、みごとに、ひと皿の料理となっている。

この焼き方はテフロン加工のホットプレートを使えば、家庭でも簡単に楽しめるそうだ。葉物野菜などは、パリッとのりのように焼いてみると、これもまた美味。

鉄板の上で、またひとつ新たな料理の理想が生まれた。

葉を食べる

Leaves

スプラウト　食用菊　エディブルフラワー　イタリア野菜

ルバーブ　カクタスリーフ　もやし　とうみょう

アスパラガス　たけのこ　セロリー　アーティチョーク　コールラビ

アイスプラント　グラパラリーフ　ブロッコリー　カリフラワー

ふだんそう　プルピエ　おかのり　食用たんぽぽ

つるな　コーンサラダ　おかひじき　じゅんさい

チコリー　トレビス　せり　エンダイブ

あしたば　タアサイ　ロケットサラダ　クレソン

コリアンダー　モロヘイヤ　つるむらさき　みつば

ねぎ　みずな　にら　チンゲンサイ　くうしんさい

つけな類　からしな　たかな　なばな　しゅんぎく

キャベツ　レタス　はくさい　ほうれんそう　こまつな

淡色野菜 　葉

キャベツ
甘藍
cabbage

たくさん摂れば胃炎や胃潰瘍の改善に効果が

胃酸の分泌を抑え粘膜の修復を助けるといわれているビタミンUを、たっぷり含んでいます。水溶性で熱に弱いビタミンCやUを上手に摂るなら、サラダなどの生食がおすすめ。葉の緑の部分にはカロテンが豊富で、アミノ酸、カルシウムがたくさん含まれています。芯のまわりはビタミンCが多く、カルシウムもみすれば浅漬け、煮ればホクホクしたうまみが活きるスープの具と、ムダなくおいしく食べられます。

食品成分表(可食部100gあたり)

エネルギー		21kcal
水分		92.7g
炭水化物		5.2g
無機質	ナトリウム	5mg
	カリウム	200mg
	カルシウム	**43mg**
	マグネシウム	14mg
	リン	27mg
ビタミン	A β-カロテン当量	50μg
	K	**78μg**
	ナイアシン	0.2mg
	葉酸	78μg
	C	41mg
食物繊維総量		1.8g

Data
学名：Brassica oleracea
分類：アブラナ科アブラナ属
原産地：ヨーロッパ
仏名：chou
独名：Kraut

おいしいカレンダー ●おいしい時期
冬キャベツ：12 1 2 3 4 5
春キャベツ：3 4 5 6 7 8
夏キャベツ：6 7 8 9 10 11

春キャベツ：千葉、神奈川、茨城
夏キャベツ：群馬、長野
冬キャベツ：愛知

春キャベツ以外は、葉がしっかり巻いてツヤがあり重く感じるものがよい

保存法
カットしたものは切り口が空気にふれないように、しっかりラップし冷蔵庫へ。サッと塩ゆですれば冷凍も可。

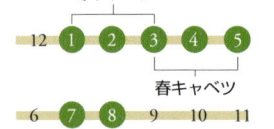

外葉に厚みがあり緑のあざやかなもの。冬は霜にあたって部分的に紫になることも

水にさらすなら
切った野菜をサッと水にさらすと、切り口から水を吸ってくれるのでパリッとした食感が楽しめる。ごく短時間なら水を吸うだけなので、栄養分が流れ出る心配もない。

▶ ガン予防に効果大。頭をすっきりさせ、ストレス緩和にも
コールスローサラダ

材料
キャベツ…1/3個
にんじん…2/3本
ドレッシング
　オリーブ油…大さじ2
　ワインビネガー…大さじ2
　砂糖…小さじ1
　塩…小さじ2/3
　こしょう…少々

作り方
1. キャベツとにんじんは千切りにする。にんじんはサッとゆでておく。
2. ボウルでドレッシングを作り、1を加えてまぜ合わせる。

ビタミンU,Kで胃腸を元気に
潰瘍で傷ついた部分の止血作用があるビタミンKを含むので、ビタミンUとの相乗効果が期待できる。発ガン抑制物質の含有量はピカイチ。グルタミン酸を始め多くのうまみ成分と糖質を含むため、煮込むとおいしいが、ビタミンCは水溶性で熱に弱いのでスープごと摂るように。

食べ合わせ

〈代表的組み合わせ〉　〈ほかにも〉

キャベツ + アサリ ・ シジミ ・ レバー ・ 植物油 ▶ 貧血予防、肝機能強化　老化防止、健脳効果

キャベツ + レモン ・ オレンジ ・ グレープフルーツ ・ みかん ▶ 動脈硬化予防、血行促進　ストレス緩和、美肌づくり

キャベツ + ほうれん草 ・ ウナギ ・ にんじん ・ にら ▶ 風邪予防、ガン予防　精力増強

キャベツ + カシューナッツ ・ 植物油 ・ 落花生 ・ タラコ ▶ ストレスに強くなる　老化防止、記憶力向上

cabbage—キャベツ

品種群

「プチベール」
結球しない芽キャベツで、カロテン、ビタミンCが豊富。栄養価の高さは芽キャベツ以上。

高原キャベツ
春まきをし夏から秋に収穫される。おもな産地は長野の野辺山や群馬の嬬恋などの冷涼地。

冬キャベツ(寒玉)
夏まきをし冬に収穫される。葉は何枚も重なり重量感があり、形は扁平。煮込むと甘みが出る。

春キャベツ(春玉)
秋にタネをまいて春に収穫される。葉の巻きがゆるく内部まで黄緑色。やわらかいので生食向き。

たけのこキャベツ
長円すい形のとんがりキャベツ。小型種でポインテッドタイプとも呼ばれる。やわらかく生食向き。

紫キャベツ
赤キャベツ、レッドキャベツともいわれる。色味はアントシアニンによるもので、天然着色料の原料にも。

サボイキャベツ
フランスのサボア地方発祥の品種で、葉がちりめん状にちぢれている。煮込み向き。日もちもよい。

「グリーンボール」
やや小ぶりのボール形。葉質はやわらかで色が濃く、中心まで緑がかっている。生食、漬け物に。

アフリカキャベツ
別名スクマイキ。スワヒリ語で「命の泉」という意味をもつ、栄養価の高いスーパーキャベツ。

ケール
キャベツの原種といわれている。ビタミンCとカロテンが豊富。青汁の原料にされるほか、煮込みにも。

黒キャベツ
「カーボロネロ」とも呼ばれる、ちりめん状の不結球型キャベツ。繊維も風味も強いので、煮込み向き。

芽キャベツ
葉のつけ根にできるわき芽が結球したもの。一般的なキャベツの4倍のビタミンCを含む、緑黄色野菜。

料理

❤ ガン予防、スタミナアップにも
ウナギ茶漬けのキャベツ添え
材料
キャベツ…4枚　ウナギ…1人前
ご飯…2人分　酒、緑茶…適量
作り方
1. キャベツは千切りにする。
2. ウナギはひと口大に切り、添付のタレを酒と水少々で割ったもので煮て、味をよくからめる。
3. 器にご飯を盛り、1の上に2を盛りつけて緑茶をかける。緑茶をだし汁にしてもおいしい。

❤ 血中コレステロール値低下、胃腸病予防、風邪の治療にも
キャベツと厚揚げ、じゃこの卵とじ
材料
キャベツ…3～4枚
厚揚げ…1枚
ちりめんじゃこ…20g
卵…2個
めんつゆ…300cc
作り方
1. 厚揚げはサッとゆでて油抜きしてから、ひと口大にきざんでおく。キャベツはざく切りに。
2. めんつゆを煮立ててじゃこを入れ、やわらかくなるまで中火で煮る。アクを取ったら、1を加える。
3. 火が通ったら溶き卵を流し入れ、ふたをして火を止め余熱で卵を半熟状にする。

淡色野菜 葉

レタス
萵苣
head lettuce

油で炒めれば食物繊維もたっぷり摂れる

ビタミンC、E、カロテン、カルシウムなどをほどよく含む、シャキシャキした食感が魅力の野菜です。油で炒めればカロテンの吸収率がアップし、かさも減るため量を食べられ、食物繊維がたっぷり摂れます。茎を切ると出る白い乳状の液はサポニン様物質といい、食欲増進や、肝臓、腎臓の機能を高める働きがあるので、芯もきざんで食べましょう。ちなみに切り口が赤く変色するのはポリフェノールが酸化したから。腐食ではありません。

食品成分表
（土耕栽培 可食部100gあたり）

エネルギー		11kcal
水分		95.9g
炭水化物		2.8g
無機質	カリウム	200mg
	カルシウム	19mg
	マグネシウム	8mg
	リン	22mg
	鉄	0.3mg
	亜鉛	0.2mg
	銅	0.04mg
	マンガン	0.13mg
ビタミン	A β-カロテン当量	240μg
	葉酸	73μg
食物繊維総量		1.1g

おいしいカレンダー ●おいしい時期
4 5 6 7 8 9

春レタス（4月～5月）：茨城、長野
夏レタス（6月～9月）：長野

Data
学名：Lactuca sativa
分類：キク科アキノノゲシ属
原産地：西アジア、地中海沿岸
仏名：laitue
独名：Lattich、Salat

いびつなものは生育が不順で、重すぎるものは収穫が遅れ育ちすぎの場合も

◉保存法
芯がある場合は、ぬらした新聞紙で包みポリ袋に。葉だけの場合はプラスチック容器で冷蔵庫へ。

病害虫に弱い
レタスは高温多雨の影響を受けやすく、殺虫剤・殺菌剤が多く使われることも。残留農薬が心配な場合は、念のため外葉1枚を捨て1枚ずつ流水で洗おう。

（中）
切り口が2cmほどで、弾力のあるものがよい

老化予防、健脳効果。美肌と若返り効果も
レタスチャーハン

材料
レタス…1/4個
ご飯（温かいもの）…茶碗2杯分
卵…2個
しょう油…適量
塩 こしょう…少々
サラダ油…適量

作り方
1. レタスは食べやすい大きさにちぎっておく。
2. フライパンを熱し、油を入れたら溶き卵を流し入れ、かたまる前にご飯を加えてよく炒める。
3. ご飯がパラパラになったらレタスを加え、鍋肌からしょう油を回し入れ、塩、こしょうで味を調える。

ビタミンEで美肌効果
ビタミン、ミネラル、食物繊維をバランスよく含んだ低カロリー野菜。しかもレタスに含まれるラクチュコピクリンには鎮静・鎮痛効果がある。ミネラル類は貧血予防や血圧降下に適しているが、体を冷やす作用もあるので、お年寄りや子どもは夜の生食は避けたほうがよい。

🍴食べ合わせ

〈代表的組み合わせ〉 〈ほかにも〉

レタス + 牛乳	しそ	ごま	カキ	▶ 健脳効果、不眠症予防 精神安定
レタス + サバ	イワシ	ハマグリ	イカ	▶ 血中コレステロール値低下 高血圧予防、貧血予防
レタス + きゅうり	あずき	とうがん	にがうり	▶ ストレス緩和、利尿作用 腎機能改善
レタス + 大豆	カシューナッツ	かぼちゃ	ごま	▶ 老化防止、健脳効果 精力増強

head lettuce—レタス

品種群

茎レタス
セルタス、ステムレタスとも呼ばれる不結球レタスで、おもに若い葉と太い茎を食す。茎は生でも加熱してもおいしい。細く切って乾燥させたものが山くらげで、コリコリとした食感が特徴。

「サニーレタス」
代表的なリーフレタスのひとつ。葉先は濃い紅色で葉質はやわらか。サラダや巻き物に。呼称はブランド名。

「ブーケレタス」
水耕栽培で作られたやわらかいレタス。花嫁の持つブーケに似た美しい形からこの名がつけられた。呼称はブランド名。

フリルレタス
葉が厚く、シャキシャキしている。小さめにちぎってサラダにすると、たいへんおいしい。

「モコヴェール」
モコモコとしたやわらかい葉が特徴。ボリューム感があって甘みもあり、とても食べやすい。

コスレタス
シーザーサラダによく使われるレタスで、ロメインレタスともいう。葉は厚くしっかりしているので、加熱調理にも向いている。

「グリーンカール」
クセがなく食べやすい非結球レタス。カールした葉が特徴。グリーンリーフとも呼ばれる。

「ハンサムグリーン」
結球しないリーフレタス。やや肉厚でフリルが強いのが特徴。シャキシャキとした食感をもつ。

サンチュ
かきちしゃとも包菜とも呼ばれる。葉をかきとって食べるレタス。焼き肉には欠かせない葉ものとして人気。

サラダ菜
バターヘッドとも呼ばれるのは、その葉にバターを塗ったような照りがあるから。カルシウム、鉄、各種ビタミンなどが豊富で、栄養価の高い緑黄色野菜。

料理

老化防止、スタミナアップ、健脳効果も
牛肉の炒め物レタス包み

材料
- レタス…5枚
- 牛もも薄切り肉…100g
- きゅうり…1本
- ねぎ…1/4本
- 調味料
  - しょう油…大さじ1
  - 砂糖…小さじ1
  - みりん…小さじ2
  - 酒…小さじ1
  - おろししょうが…少々
  - 塩 こしょう…少々
- かたくり粉…適量
- サラダ油…適量

作り方
1. きゅうりとねぎはそれぞれ千切りにする。レタスははがしてよく洗う。
2. 牛肉は細切りにし、調味料を合わせたものに10分ほど漬けてから、かたくり粉をまぶす。
3. フライパンを熱し、油を入れたら2を炒める。
4. レタスに3と、1のきゅうりとねぎを巻いていただく。

不眠症予防、イライラを鎮める
しそと梅のレタスサラダ

材料
- レタス…5枚
- しそ…5枚
- 炒りごま…少々
- ドレッシング
  - 梅干し…2個
  - ポン酢…小さじ2
  - オリーブ油…大さじ1

作り方
1. レタスは食べやすい大きさにちぎり、しそは千切りにする。梅干しは包丁でたたいておく。
2. ドレッシングの材料を合わせる。
3. 器にレタスとしそを盛り2をかけたら、仕上げにごまをふる。

貧血予防、体力の増強に
レタスののり風味

材料
- レタス…1個分
- ちりめんじゃこ…大さじ3
- のり…全型1枚分
- めんつゆ…1カップ

作り方
1. レタスは食べやすい大きさに手でちぎっておく。のりはひと口大にちぎる。
2. 鍋にめんつゆを温め、じゃこを煮る。やわらかくなったら1を加え、しんなりしたらのりを加えて全体をまぜ合わせる。

淡色野菜 葉

はくさい
白菜 *Chinese cabbage*

油で炒めれば食物繊維もたっぷり

中国では大根、豆腐と合わせて養生三宝と呼ばれ、体調を崩しがちな冬の風邪予防や免疫力アップにも効果的な葉菜です。

特に芯葉の黄色っぽい部分は甘みがあり、ビタミンCもたっぷり。余分な塩分を排出し高血圧予防が期待できるカリウムなど、健康維持に欠かせないミネラル類も含んでいます。クセがないので食欲のないときにも食べやすく、栄養補給にもうってつけの、体にやさしい野菜です。

食品成分表(可食部100gあたり)
エネルギー		13kcal
水分		95.2g
炭水化物		3.2g
無機質	ナトリウム	6mg
	カリウム	**220mg**
	カルシウム	43mg
	マグネシウム	10mg
	リン	33mg
	鉄	0.3mg
	亜鉛	0.2mg
	マンガン	0.11mg
ビタミン	B₁	0.03mg
	B₂	0.03mg
	C	**19mg**
食物繊維総量		1.3g

Data
- 学名：Brassica campestris
- 分類：アブラナ科アブラナ属
- 原産地：中国
- 仏名：chou chinois

おいしいカレンダー ●おいしい時期
10 **11 12 1 2** 3

- 春白菜：茨城、長野
- 夏白菜：長野
- 秋冬白菜：茨城、長野、愛知

安全のために
旬以外の春から秋の収穫のものは、農薬を使わないと栽培できない。農薬は外葉に残りやすいので1枚は捨てる。1枚ずつ流水で洗うとよい。

品種群

「長崎はくさい」
白菜の変種で、結球せず葉がやや外側に反るのが特徴。やわらかく小型。長崎の伝統野菜。

「ミニ」
果重が1kgくらいの小型白菜。一度に使いきれるので人気が高まっている。

「オレンジ」
外葉は変わりないが、中の葉があざやかなオレンジ色。歯ざわりがよく、色を活かしてサラダにも。

葉がすき間なく詰まり、フカフカしていないもの

切り口がみずみずしいものを。芯のあたりが盛りあがっていると古い

葉がちぢれてしっかり巻き、重みのあるもの。切り口が白ければ鮮度がある

🍴 疲労回復、肝機能強化、初期の風邪対策にも
白菜のスープ

材料
- 白菜…1/8個
- ベーコン…100g
- ブイヨンスープ…2カップ
- 塩 こしょう…少々
- 粉チーズ…少々

作り方
1. スープを煮立て、ざく切りにした白菜と、ひと口大に切ったベーコンを入れる。
2. 火が通ったら、塩、こしょうで味を調える。
3. 器に盛りつけ、粉チーズをかける。

食べ合わせ

ガン予防の強い味方
ガンを抑制する作用のあるインドール化合物を含む。特にジチオールチオニンという白菜特有の成分は、発ガン性物質を解毒する酵素の生成を活発にする。カロテンを多く含む食材と合わせれば、ガン予防効果はさらにアップ。肝機能を高めたければ、ビタミンB₁を含む食材といっしょに。

〈代表的組み合わせ〉 〈ほかにも〉

白菜＋柿 ・ 鶏肉 ・ 大豆 ・ 削り節 ▶ **健脳効果、二日酔い防止 肝機能強化**

白菜＋しいたけ ・ にんにく ・ ごぼう ・ 酢 ▶ **ガン予防、肥満防止 血行促進**

白菜＋れんこん ・ 唐辛子 ・ 大根 ・ りんご ▶ **ガン予防 胃腸の働きをととのえる**

白菜＋こんにゃく ・ セロリー ・ ふき ・ 昆布 ▶ **肥満防止 高血圧・動脈硬化予防**

Chinese cabbage—はくさい　spinach—ほうれんそう

緑黄色野菜 葉

ほうれんそう

菠薐草　spinach

抜群の栄養価。健康増進の決め手に

緑黄色野菜のなかでも抜群の栄養価を誇ります。牛レバーに匹敵するほどの鉄分に加え、多種多様なミネラル類、カロテン、ビタミンB群、C、葉酸などが豊富なので、造血作用があります。またカロテンのもつ抗酸化作用によって、ガン予防に加え、肌の老化を防ぐという女性にうれしい美容効果も。独特のえぐみは、油を使って調理したり、じゃこなどのカルシウムと合わせたりすることで抑えられます。

食品成分表(可食部100gあたり)

エネルギー		18kcal
水分		92.4g
無機質	ナトリウム	16mg
	カリウム	**690mg**
	カルシウム	49mg
	マグネシウム	**69mg**
	鉄	2.0mg
	亜鉛	0.7mg
ビタミン	A　β-カロテン当量	4200μg
	K	270μg
	B₂	0.20mg
	葉酸	210μg
	C	35mg
食物繊維総量		2.8g

品種群

ちぢみほうれん草
寒にあてて栽培することで低温ストレスを与え、糖度や甘みをアップさせてある。葉肉も厚い。

赤茎ほうれん草
アクの少ない生食用品種。サラダの彩りに最適。ベビーリーフとして用いられることも多い。

サラダほうれん草
生食用に改良された品種。あるいは水耕栽培されたもの。アクが少なくやわらかで、色はやや薄い。

葉の色が濃く、葉先にピンとハリがあり、みずみずしいもの

Data
学名：Spinacia oleracea
分類：アカザ科ホウレンソウ属
原産地：西アジア
和名：唐菜、赤根菜
仏名：épinard
独名：Spinat

おいしいカレンダー ●おいしい時期

10　11　**12**　**1**　2　3

千葉、埼玉、群馬、茨城
夏もの：北海道

根元の赤い部分は、骨の形成に重要なマンガンが豊富。甘みもあるので、捨てずに使おう

「山形赤根ほうれん草」
山形の在来種で貴重な東洋種。赤く色づいた根はとても甘く、メロンやぶどう並みの糖度をもつ。

保存法
葉先が乾かないよう、しめらせた新聞紙で包む。ビニール袋に入れ冷蔵庫の野菜室に立てておく。

貧血予防だけでなく、粘膜や目を保護しガン予防も

ほうれん草の卵とじ

材料
ほうれん草…1束
もめん豆腐…1丁
卵…2個
中華スープの素…適量
塩　こしょう…少々
サラダ油…適量

作り方
1. ほうれん草はサッとゆで、食べやすい長さに切っておく。
2. 熱して油をひいたフライパンに1を入れ、豆腐を手で崩しながら加える。
3. 中華スープの素で味をつけ、塩、こしょうで味を調えたら、溶き卵を入れてとじる。

貧血予防の代表野菜
造血ビタミンと呼ばれる葉酸、マンガンや鉄を豊富に含むので、ビタミンCやたんぱく質を含む食材と食べ合わせると貧血予防に有効。またほうれん草には、体内の異物を取り除き免疫細胞を活性化する作用があり、ガン細胞を死滅させる働きが。ごまといっしょに摂るとさらに効果アップ。

食べ合わせ

〈代表的組み合わせ〉　〈ほかにも〉

組み合わせ	効果
ほうれん草 + ピーマン・にんじん・プラム・トマト	白内障・緑内障予防　視力低下予防、貧血予防
ほうれん草 + なす・じゃがいも・ブロッコリー・ごま	ガン予防　血行促進
ほうれん草 + カキ・ハマグリ・ごま・レバー	貧血予防　認知症予防
ほうれん草 + しいたけ・わかめ・イワシ・サバ	血中コレステロール値低下　高血圧予防、心臓病予防

緑黄色野菜 葉

こまつな
小松菜
komatsuna

学名：Brassica rapa var. perviridis
分類：アブラナ科アブラナ属
原産地：中国

たっぷりの カルシウムで 骨を丈夫に

栄養価の高い緑黄色野菜で、鉄分やカルシウムなどはほうれん草以上。特にカルシウムの量は牛乳並みで、野菜のなかでは飛び抜けています。それゆえ骨粗しょう症予防にも効果があり、成長期の子どもにも積極的に食べさせたい野菜です。豊富なビタミンCは風邪予防や美容効果があり、カロテンは動脈硬化やガンなどの生活習慣病予防に効きます。軽くゆでてすぐ食べれば、素材のおいしさが存分に味わえます。

食品成分表（可食部100gあたり）
エネルギー		13kcal
水分		94.1g
無機質	ナトリウム	15mg
	カリウム	500mg
	カルシウム	**170mg**
	リン	45mg
	鉄	2.8mg
ビタミン	A β-カロテン当量	3100μg
	K	210μg
	B₁	0.09mg
	B₂	0.13mg
	ナイアシン	1.0mg
	C	39mg
食物繊維総量		1.9g

おいしいカレンダー ●おいしい時期
10　11　**12**　**1**　**2**　3

埼玉、東京、神奈川

品種群

ちぢみ小松菜
冬の寒さにさらし「寒締め栽培」されたもの。うまみが濃い。最近は品種改良による「ちぢみ品種」もある。

濃い緑で、肉厚の葉がよい

大きな葉のものは味が濃いが、小ぶりのものはやわらかい

茎は短く厚く、ピンとしたもの

保存法
かためにゆでれば冷凍できる。生なら、しめらせた新聞紙で包み、立てて冷蔵庫に入れ2〜3日。

きれいな色の青菜を
青菜をサッとゆでると、色があざやかになる。ただし、さらに加熱すると茶色っぽくなるので、変色を止めるために冷水で冷やす。また味つけにしょう油を使うとすぐに色が変わるので、色合いを楽しむなら塩とだしで。

江戸生まれ
知名度は全国的だが、じつは漬け菜の一種。江戸時代に「茎立菜」を改良して生まれた品種で、江戸在来の野菜。現在は関東地方だけでなく大阪、京都、福岡でも栽培されている。

骨粗しょう症予防に効果大。若返りにも
小松菜のくるみ和え
材料
小松菜…1束
くるみ…20g
だし汁…小さじ2
みそ…大さじ1
砂糖…小さじ2
しょう油…適量

作り方
1. 小松菜はサッとゆで、3〜4cmに切っておく。くるみは粗く砕いておく。
2. みそと砂糖をよくまぜ、だし汁を加えてのばしたら、しょう油で味を調え、くるみを加える。
3. 1を2で和える。

小魚と食べて 骨粗しょう症予防
骨粗しょう症対策にはじゃこ、煮干し、ごま、牛乳といったカルシウムを含む食材と食べ合わせるほか、きのこ類に多く含まれるビタミンDと摂るとカルシウムの吸収が高まる。またビタミンCは水溶性なので、スープも飲めるよう調理すると損失が少なく、カロテンの吸収もよくなる。

食べ合わせ

〈代表的組み合わせ〉　〈ほかにも〉

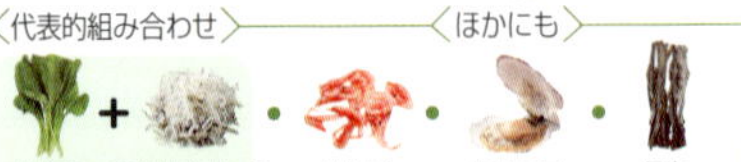

小松菜 +				→
ちりめんじゃこ	桜エビ	ホタテ貝	昆布	骨粗しょう症予防 健脳効果、若返り効果
トマト	わかめ	にんじん	ししとうがらし	視力減退予防 ガン予防
酢	オレンジ	レモン	イチゴ	ストレス予防、肩こり解消 疲労回復
こんにゃく	マッシュルーム	セロリー	たけのこ	肥満防止、高血圧予防 血中コレステロール値低下

100

komatsuna—こまつな　つけな類

緑黄色野菜 葉

つけな類

漬菜、菘

冬においしい健康野菜

漬け菜類とは、結球しないアブラナ科の葉菜類の総称で、日本各地でさまざまな地方品種が発達しました。いずれも霜にあたるほど味がよくなるといわれています。

品種によって栄養成分は多少違いますが、カリウム、カルシウム、鉄などのミネラル類が多く、血圧の調整をスムーズにし、カルシウムとリンのバランスをよくして、カルシウムの吸収効率をアップします。カロテンやビタミンC、食物繊維も豊富で、風邪などの感染症に対する抵抗力や、ガン抑制効果も期待できます。

食品成分表
（野沢菜 可食部 100gあたり）

エネルギー		14kcal
水分		94.0g
たんぱく質		0.9g
無機質	ナトリウム	24mg
	カリウム	390mg
	カルシウム	130mg
	リン	40mg
	鉄	0.6mg
ビタミン	A β-カロテン当量	1200µg
	B₂	0.10mg
	B₆	0.11mg
	葉酸	110µg
	C	41mg
食物繊維総量		2.0g

Data
学名：Brassica campestris
分類：アブラナ科アブラナ属
原産地：地中海、中央アジア、北ヨーロッパ

品種群

「大和真菜」 奈良の在来品種。霜にあたるとよりやわらかくなり、うまみも増す。

「広島菜」 広島の在来品種で白菜の一種。日本三大漬物として有名。

「仙台雪菜」 仙台の在来種。肉厚の丸葉は甘みとほろ苦さを併せもっている。

「女池菜（めいけな）」 新潟市の在来品種。雪の下で越冬栽培する。ほろ苦さが特徴。

「しんとり菜」 江戸野菜のひとつ。ちぢれた葉はやわらかく、茎はシャキシャキ。

「高山真菜」 なにわ伝統野菜のひとつ。江戸時代から栽培されている漬け菜。

「雪白体菜（せっぱくたいさい）」 パクチョイを改良したもので、別名杓子菜、布袋菜。葉柄は純白。

「鳴沢菜」 山梨県鳴沢村の在来品種。葉は大きく、葉柄も太くてみずみずしい。

「野沢菜」 長野県の在来品種。野沢菜漬は日本三大漬け物のひとつとされている。

おいしいカレンダー ●おいしい時期
10 11 ●12 ●1 ●2 3
全国各地

保存法
新聞紙に包んでからビニール袋に入れ、冷蔵庫の野菜室で立てる。1〜2日。

食べ合わせ

栄養豊富な優等生
カロテン、ビタミンC、E、食物繊維の豊富なものが多く、生活習慣病対策に有効。品種によって栄養成分が異なり、辛みが出たりアクが強くなったりと、それぞれの個性に。一般的には漬け物にされることが多いが、サッとゆでてから油揚げや豚肉などといっしょに調理すると、効能が高まる。

漬け菜 + ごま・レバー
▶ 集中力アップ 免疫力強化

漬け菜 + しいたけ
▶ 骨粗しょう症緩和 ガン予防

感染症予防に、整腸作用も
野沢菜と油揚げの炒め煮

材料
- 野沢菜（ほかの漬け菜でも）…1/2株程度
- 油揚げ…1枚
- しょう油…小さじ2
- みりん…小さじ2
- だし汁…小さじ2
- ごま油…小さじ2
- 削り節…適宜

作り方
1. 野沢菜はサッとゆでてから長さ3〜4cmに切る。
2. 油揚げはサッと湯通しし、短冊切りに。
3. 熱してごま油をひいたフライパンに1を入れて炒め2を加え、油がからまったところで調味料とだし汁を入れて味をなじませる。
4. 器に盛りつけ、削り節をかける。

緑黄色野菜 葉

からしな
芥子菜
leaf mustard

骨を丈夫にする カルシウムが豊富

タネがからしの原材料になっている葉もの野菜で、葉にもピリッとした辛みがあります。カロテンやビタミンC、カリウムやカルシウムなどの成分をたっぷり含む、非常に栄養価の高い緑黄色野菜です。

特にカルシウムは100g中140mgと牛乳よりも多く含まれ、骨粗しょう症の予防に効果が期待できます。新陳代謝や成長促進に大きな役割を果たす葉酸は、ブロッコリーの約1.5倍も含まれているので、成長期の子どもや、特に妊娠初期の妊婦に積極的に食べてほしい野菜です。

食品成分表（可食部100gあたり）

エネルギー		26kcal
水分		90.3g
炭水化物		4.7g
無機質	ナトリウム	60mg
	カリウム	620mg
	カルシウム	**140mg**
	鉄	2.2mg
	マンガン	1.02mg
ビタミン	A β-カロテン当量	2800μg
	B₁	0.12mg
	B₂	0.27mg
	葉酸	**310μg**
	C	64mg
食物繊維総量		3.7g

Data
学名：Brassica juncea
分類：アブラナ科
　　　アブラナ属
原産地：中央アジア

おいしいカレンダー ●おいしい時期
12 1 ●2 ●3 ●4 5
全国各地

保存法
新聞紙で包んでからビニール袋に入れ、冷蔵庫の野菜室で立てておく。1～2日。

品種群

「レッドマスタード」
大型の赤葉からし菜。幼葉はベビーリーフとして利用されることが多い。

「わさび菜」
ちりめん状にちぢむ丸葉タイプ。サラダにもおひたしにも。

「リアスカラシナ」
細かい切り込みが入る、水菜に似たタイプ。鍋物にもぴったり。

「マスタードグリーン」
大型種。葉が薄いので、サンドイッチにぴったり。漬け物にも。

「二塚（ふたつか）からしな」
加賀の伝統野菜。近年復活傾向にある。辛みも香りも強く、漬け物向き。

「博多蕾菜（はかたつぼみな）」
大型からし菜のわき芽を食すという新顔野菜。ほどよい辛みと甘みがバランスよく、歯ごたえもある。サラダ、炒め物、揚げ物に。

葉の緑が濃く、葉先までピンとしたみずみずしいもの

葉からし菜
一般にからし菜と呼ばれる品種。葉に切れ込みがあり、辛みが強い。

ガン予防、老化防止、体力の増強にも
からし菜チャンプルー

材料
からし菜…1束
豆腐…1/2丁
ちりめんじゃこ…大さじ2
卵…2個
だしじょう油…大さじ1
みりん…小さじ1
サラダ油…適量

作り方
1. からし菜は塩ゆでし、食べやすい長さに切っておく。豆腐は水切りする。
2. 熱したフライパンに油をひき、1のからし菜を炒め、じゃこと豆腐を加えて、だしじょう油とみりんで味をつける。
3. 2に溶き卵を回し入れ、サッと火を通す。

辛みがうまみ。活かして調理を
辛み成分のアリルイソチオシアネートが含まれており、食欲増進効果とともに高い抗ガン作用が期待される。辛み成分はきざんだりゆでたりして、細胞が壊されると生成される。ただし水溶性のビタミンCも多いので、ゆですぎないように。漬け物以外にもおひたしや炒め物で辛みを楽しもう。

食べ合わせ

からし菜 + 豚肉・ベーコン
▶ 感染症予防 免疫力強化

からし菜 + ちりめんじゃこ・チーズ
▶ 骨粗しょう症予防 集中力アップ ガン予防

leaf mustard—からしな　　leaf Chinese mustard—たかな

たかな
高菜
leaf Chinese mustard

緑黄色野菜 葉

下ゆでして炒めればおいしいひと品に

葉にはピリッとした辛みがありますが、この成分はマスタードなどと同じアリルイソチオシアネートといい、殺菌や食欲増進に効果があります。塩漬けのほかにも、きちんと下ゆでさえすればアクや苦みを抑えつつしっかりした食感と甘みが得られるので、おいしくいただけます。カロテンを摂取しやすくすることも。さらに油で炒めると、おいしくすることも。DHAの形成や細胞分裂にかかわることで妊婦のビタミンともいわれる葉酸も、豊富に含んでいます。

食品成分表（可食部100gあたり）
エネルギー	21kcal
水分	92.7g
炭水化物	4.2g
無機質　ナトリウム	43mg
カリウム	300mg
カルシウム	**87mg**
鉄	1.7mg
ビタミン　A　β-カロテン当量	2300μg
B₁	0.06mg
B₂	0.10mg
B₆	0.16mg
葉酸	**180μg**
C	69mg
食物繊維総量	2.5g

Data
学名：Brassica juncea var. integlifolia
分類：アブラナ科アブラナ属
原産地：中央アジア

おいしいカレンダー　● おいしい時期
11　**12**　**1**　**2**　**3**　4
全国各地

保存法
新聞紙に包んでからビニール袋に入れ、冷蔵庫の野菜室で立てておく。1～2日が目安。かためにゆでて冷凍も可。

品種群

「雲仙こぶ高菜」
近年復活した長崎県雲仙市の在来種。葉は大きく、つけ根に長いこぶができるのが特徴。

「かつお菜」
福岡県博多の在来品種。煮るとかつおだしに似た味がすることからこの名がついた。九州では雑煮に欠かせない。

「結球高菜」
近年導入された中国野菜のひとつ。中央部分の芯葉がソフトボール大に結球する、めずらしい高菜。

葉の色があざやかでツヤツヤし、全体に肉厚のもの

株がしっかり張り、茎や葉がしっかりしているものがおいしい

赤大葉高菜
大型で葉色は赤紫色を帯びている。葉の表面はちりめん状で、葉も葉柄もやや肉厚。辛みと香りは強め。

▼食欲増進、体力アップに
からし高菜

材料
高菜漬…1/2株
唐辛子（輪切り）…小さじ1
白ごま…小さじ1
削り節…大さじ1
ごま油…適量

作り方
1. 高菜漬は水けをよく切り、細かくきざむ。
2. 熱したフライパンにごま油を入れ、1、唐辛子、白ごまを順に入れて炒める。火を止めてから削り節を加えてまぜる。

漬け物も上手に利用
アブラナ科野菜の高菜には、わさびや大根と同じ辛み成分のアリルイソチオシアネートが含まれている。食欲増進や抗菌効果が高く、生活習慣病予防効果が期待できる。一般的な「高菜漬」は塩漬けを乳酸菌発酵させたもので、乳酸菌には整腸作用や抗ガン作用もある。塩分が多いので注意。

食べ合わせ

高菜 + アサリ・ごま
▶ 貧血予防　健脳効果

高菜 + 納豆
▶ 美肌づくり　風邪予防

緑黄色野菜 / 葉

なばな
菜花 rapeseed

トップクラスのビタミンCで免疫力アップ

菜の花のつぼみと花茎、若葉をなばなといい、春の訪れを告げる葉菜です。

ビタミン類やミネラル類を豊富に含みますが、特にビタミンCの含有量は野菜のなかでもトップクラス。白血球の働きを強めることで、風邪などの病気に対する免疫力を高め、貧血の予防や、コラーゲンの育成を促進するなど美肌効果もあります。またカルシウムは、冬採りのほうれん草の約2倍も含まれています。

食品成分表
（洋種 可食部100gあたり）

エネルギー		36kcal
水分		88.3g
無機質	ナトリウム	12mg
	カリウム	410mg
	カルシウム	**97mg**
	マグネシウム	28mg
	鉄	0.9mg
ビタミン	A β-カロテン当量	2600μg
	B₁	0.11mg
	B₂	0.24mg
	B₆	0.22mg
	葉酸	240μg
	C	**110mg**
食物繊維総量		3.7g

おいしいカレンダー ●おいしい時期
11　**12**　**1**　**2**　**3**　4
千葉、香川、愛知、三重

Data
学名：Brassica campestris var. campestris
分類：アブラナ科アブラナ属
原産地：地中海沿岸、北ヨーロッパ、中央アジア

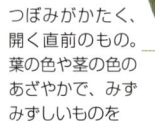

つぼみがかたく、開く直前のもの。葉の色や茎の色のあざやかで、みずみずしいものを

品種群
オータムポエム
中国野菜の紅菜苔と菜心をもとに育成された新種。アスパラ菜ともいわれる。茎にはアスパラガスの風味がある。

15cmほどの短く切った菜花。やわらかい穂先部分を摘んでいるので、ほろ苦さが活きる。

🔖 保存法
束ねたテープなどを必ずはずして、しめらせたキッチンペーパーで包み、冷蔵庫で2〜3日。

ゆで方のコツ
葉がやわらかいわりに茎がしっかりとしたものが多いので、葉先の部分と茎とを切り分けて別々にゆでるとよい。ゆであがったら、すぐに冷水にとってからしぼること。

▼ カロテンの吸収を高め、免疫力をアップ
なばなの温サラダ

材料
なばな…1束
豚肉もも薄切り…100g
ソース
　マヨネーズ…大さじ1
　みそ…小さじ1
　オリーブ油…小さじ1
　すりごま…適量

作り方
1. なばなはゆでて、食べやすい長さに切る。豚肉はひと口大に切り、サッとゆでておく。
2. ソースの材料をよくまぜ合わせる。
3. 1を器に盛り2をかけ、仕上げにすりごまを飾る。

抗酸化力が高い野菜
ビタミンC、B₂、E、カロテンといった抗酸化作用の高い成分をたっぷり含んでおり、その相乗効果が期待できる。また辛み成分イソチオシアネートにもガン予防効果がある。さらに食物繊維をたっぷり含むことから大腸ガンの予防にも。カロテンを効果的に摂るには脂質をいっしょに。

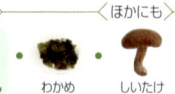

🍴 食べ合わせ

〈代表的組み合わせ〉　〈ほかにも〉

なばな + にんじん	・わかめ ・しいたけ ・きくらげ	▶ 糖尿病予防 ガン予防、肥満予防
なばな + たまねぎ	・にんにく ・豆腐 ・えのきたけ	▶ 血行促進、疲労回復 血中コレステロール値低下
なばな + ワイン	・お茶 ・イカ ・タコ	▶ 血中コレステロール値低下 精力増強、心機能アップ
なばな + マヨネーズ	・豚肉 ・植物油 ・チーズ	▶ 骨粗しょう症予防 風邪予防、免疫力強化

rapeseed—なばな　garland chrysanthemum—しゅんぎく

緑黄色野菜 / 葉

しゅんぎく
春菊
garland chrysanthemum

胃腸の働きをよくする独特の香り

秋から冬にかけて鍋料理などで活躍する、栄養価の高い緑黄色野菜です。牛乳以上のカルシウムや豊富なミネラル類は貧血、骨粗しょう症の予防などに効果的。アクセントになる強い香りの成分には、自律神経に作用して食欲の増進やせきを鎮めるなどの働きがあります。

生でもおひたしでもいただけますが、豚肉やベーコン、ごまなど、油脂分があり香りが強いものとの相性が比較的よいようです。

食品成分表（可食部100gあたり）

エネルギー		20kcal
水分		91.8g
炭水化物		3.9g
無機質	ナトリウム	73mg
	カリウム	460mg
	カルシウム	120mg
	リン	44mg
	鉄	1.7mg
ビタミン	A β-カロテン当量	4500μg
	K	250μg
	B₁	0.10mg
	B₂	0.16mg
	C	19mg
食物繊維総量		3.2g

Data
学名：Chrysanthemum coronarium
分類：キク科キク属
原産地：地中海沿岸

葉の色が濃い緑色でみずみずしく、根元まで密生して香りの強いものが新鮮

茎が細く短めのほうがやわらかく、切り口の新しいものがよい

おいしいカレンダー　●おいしい時期
10　**11**　**12**　**1**　**2**　3
千葉、大阪、茨城

保存法
たっぷりの水に浸して洗うとラク。新聞紙で包み、ポリ袋に入れて冷蔵庫へ。サッとゆでて冷凍も可。

品種群

「スティック春菊」
香りがマイルドでクセがなく、食べやすい春菊。歯ごたえのある長い茎がおいしい。生食も。

大葉春菊
葉の切れ込みが浅く肉厚な品種。香りは控えめ。九州での栽培が多く「おたふく」「鍋春菊」の名も。

▼集中力を高め、能率アップ。美肌効果も
春菊と桜エビのかき揚げ

材料
春菊…1束
桜エビ…30g
衣
　小麦粉…2/3カップ
　卵…1個
　冷水…1/2カップ
揚げ油…適量

作り方
1. 春菊は葉先を摘んでおく（茎の部分はおひたしや汁の具に使う）。
2. ボウルに衣の材料を合わせ、1と桜エビを加えてよくまぜ合わせる。
3. 揚げ油を170℃に熱し、2をスプーンなどですくって入れ、カラリと揚げる。

豊富なカロテンパワー

豊富なカロテンは皮膚や粘膜を保護し、抗酸化物質として生活習慣病予防に効果を発揮。ゆでるとカロテン吸収率が上がり、さらに薬効も高まるといわれている。濃い緑色はポリフェノールのクロロフィルで、血中コレステロール値を下げる働きがある。ビタミンB群と合わせると美肌にも。

食べ合わせ

〈代表的組み合わせ〉　〈ほかにも〉

春菊 + レタス・白菜・牛乳・チーズ	不眠予防 / 美肌づくり
春菊 + にんじん・レバー・かぼちゃ・なす	眼精疲労予防、白内障予防 / スタミナ強化
春菊 + ごま・わかめ・大豆・くるみ	肌荒れ防止 / 集中力アップ
春菊 + じゃがいも・なばな・さつまいも・セロリー	ガン予防 / 便秘予防

緑黄色野菜 葉

葱 ねぎ
welsh onion

学名：Allium fistulosum
分類：ユリ科ネギ属
原産地：中国西部、シベリア
仏名：ciboule
独名：Lauch

きざんで使えば血液サラサラに

古くから薬効成分のある野菜として知られ、殺菌効果のある薬味としてはもちろん、魚や肉のにおい消しにも使われてきました。白い部分にはビタミンCと、血行をよくする香り成分の硫化アリルが多く、緑の部分にはカロテンやカルシウムが豊富。緑の部分に多いセレンというミネラルには、活性酸素の発生と発ガンの抑制効果もあるとか。みじん切りにして薬味や玉子焼きの彩りにしたり、うすく斜め切りし汁物の青みにしたりして、おいしくいただきましょう。

関西は緑、関東は白
古くから、関西では白い部分を好み、土をかぶせて栽培する根深ねぎが多かった。関西では緑の葉の先端まで食べられる、やわらかい葉ねぎの品種「九条ねぎ」などが好まれてきた。

食品成分表
（根深ねぎ 可食部 100gあたり）

エネルギー		35kcal
水分		89.6g
炭水化物		8.3g
無機質	カリウム	200mg
	カルシウム	**36mg**
	リン	27mg
	鉄	0.3mg
	亜鉛	0.3mg
	マンガン	0.12mg
ビタミン	B$_1$	0.05mg
	B$_2$	0.04mg
	B$_6$	0.12mg
	葉酸	72μg
	C	**14mg**
食物繊維総量		2.5g

おいしいカレンダー ●おいしい時期
10　**11　12　1　2**　3

春ねぎ：千葉、茨城
夏ねぎ：茨城
秋冬ねぎ：埼玉、千葉、群馬、茨城

保存法
新聞紙で包んで冷暗所で保存。泥つきのものは日陰の土に埋めておくと長もちする。

ねぎの薬効
頭痛には／ねぎとしょうがを水から煮出し、煎じたものを飲む。生薬として発汗、解熱効果があるとされる。
不眠症には／きざんだねぎをキッチンペーパーに包み枕元に置く。香り成分の硫化アリルが、リラックス効果をもたらしてくれる。

【しもにた】「下仁田」
群馬特産の一本ねぎ。別名上州ねぎ、殿様ねぎ。肉質がやわらかく、加熱すると甘みが出る。

弾力があり、巻きのしっかりしているものがよい

硫化アリルでスタミナ増強
香り成分の硫化アリルは、ビタミンB$_1$の吸収を促進するだけでなく、体内でアリチアミンという物質を作り、これを蓄えるので、体力が持続する。またアリシンには血栓予防作用もあり、脳卒中や心筋梗塞防止にも。ねぎの有効成分は水溶性なので、さらしねぎは薬効を期待できない。

▼脳の働きを活発にし、乳ガンや前立腺ガンの予防にも
ねぎとふのみそ汁
材料
ねぎ…1/2本
ふ（水で戻したもの）…適量
だし汁…2カップ
みそ…適量
作り方
1. ねぎはきざんでおく。
2. 鍋で温めただし汁にふを入れ、みそを溶き入れる。火を止めてから、ねぎをたっぷり入れる。

食べ合わせ

〈代表的組み合わせ〉　〈ほかにも〉

ねぎ + きくらげ・イワシ・サバ・昆布	▶ 血中コレステロール値低下 高血圧・動脈硬化予防
ねぎ + 梅干し・酒・しょうが・しそ	▶ 風邪の予防と治療 老化防止、疲労回復
ねぎ + たまねぎ・きゅうり・にんにく・きくらげ	▶ 血液サラサラ効果 血栓予防
ねぎ + ぜんまい・わかめ・さつまいも・れんこん	▶ 便秘予防 肥満防止

welsh onion—ねぎ

品種群

リーキ
西洋種。ポロねぎとも呼ばれる緑黄色野菜。白い茎の部分をゆでてから、グラタンや煮込みで食す。

わけぎ
ねぎとたまねぎの雑種。よく枝分かれするので「分け葱（わけぎ）」の名がついた。香りはややマイルドな緑黄色野菜。

小ねぎ（万能ねぎ）
「博多万能ねぎ」というブランド名で有名。葉ねぎを若採りしたもの。やわらかく色も美しい緑黄色野菜。

根深ねぎ
土を寄せて葉鞘（ようしょう）部分を白く長くしたもの。長ねぎ、白ねぎと呼ばれる。緑の葉はかたい。

「赤ねぎ」
茨城県特産。別名レッドポワロー。軟白部分が赤紫色になる。肉質はやわらかく辛みも少ないのが特徴。

芽ねぎ
密植させたやわらかい芽を7cmほどで刈り取ったもの。あしらいや寿司のねた、汁の具に。

「九条太」
京都特産の葉ねぎ。別名青ねぎ。1本の茎から5〜6本枝分かれする。茎と葉の両方を食す。

あさつき
ねぎの近親種。別名糸ねぎ。おもに薬味として使われる。さしみに添えるのは殺菌効果があるから。カロテンを多く含む緑黄色野菜。

「宮ねぎ」
栃木市周辺で栽培されている在来種。太くて短いが、味と香りは格別。霜にあたると、いっそう甘くなる。

「仙台曲がりねぎ」
宮城県の伝統野菜。軟白する際に寝かして植えつけると、直立しようとするねぎが曲がって生長する。

「観音ねぎ」
広島市の在来種。夏から秋に収穫される品種で、葉ねぎと白ねぎの中間的なタイプ。

「佐久殿様ねぎ」
下仁田ねぎと同品種。その昔、殿様に献上していたことから、この名がついた。加熱すると甘みが増す。

「ひろっこ」
山形県庄内地方で栽培されている。サッとゆでておひたしや酢みそ和え、卵とじにされる。

「越津（こしづ）ねぎ」
愛知県津島市越津発祥。軟白栽培に適しているが、葉もやわらかいので葉鞘と葉の両方を利用できる。

料理

➤ ガン予防や血液サラサラ効果も
ねぎと干しエビの蒸し煮

材料
ねぎ…2本　　　酒…大さじ1
干しエビ…10g　しょう油…小さじ1
にんにく…1片　ごま油…小さじ1

作り方
1. ねぎは長さ5cmに切りそろえる。にんにくはみじん切りに。干しエビは150ccのぬるま湯で戻してからきざんでおく。
2. 鍋でごま油を熱し、にんにくを炒めてからねぎを炒め、エビをもどし汁ごと加える。酒としょう油を入れ、ふたをして中火で10分ほど蒸し煮する。

緑黄色野菜 葉

みずな（きょうな）
水菜（京菜） mizuna

デトックス効果のある葉緑素もたっぷり

独特のピリッとした辛みと香りが魅力の水菜。肉や魚の臭みを消してくれるため鍋物に使われていましたが、サラダでもおいしく食べられることから一躍人気となりました。

豊富に含まれる葉緑素には、体内の細胞や血液を酸化させる有害物質を解毒する作用があり、造血効果も期待できます。美肌づくりに効果のあるポリフェノール群が含まれることからも話題の、女性にうれしい葉菜です。

食品成分表（可食部100gあたり）

エネルギー		23kcal
水分		91.4g
無機質	ナトリウム	36mg
	カリウム	480mg
	カルシウム	210mg
	リン	64mg
	鉄	2.1mg
ビタミン	A β-カロテン当量	1300μg
	B₁	0.08mg
	B₂	0.15mg
	B₆	0.18mg
	葉酸	140μg
	C	55mg
食物繊維総量		3.0g

おいしいカレンダー ●おいしい時期
10 **11 12 1 2** 3
京都、茨城

Data
学名：Brassica rapa var. nipposinica
分類：アブラナ科アブラナ属
原産地：日本

保存法
葉先を乾燥させないよう新聞紙で包んでから、ビニール袋に入れて冷蔵庫の野菜室へ。

塩もみ
旬の露地ものをサラダなどにして生食する場合は、きざんでから軽く塩もみし、少ししんなりさせると食感がよくなる。

新芽
水菜のスプラウト。ピリッとした辛みがある。

品種群

晩生種京菜（おくてしゅ）
一般に流通している早生種の水菜は細くやわらかい。収穫まで時間がかかる晩生種は、葉はかたく大株になり、漬け物にうってつけ。

「壬生菜（みぶな）」
京菜から分かれたもので、京都の壬生付近原産。名物千枚漬けにも添えられている。水菜よりクセがあるが、葉はやわらか。浅漬けにも。

葉の緑色があざやかで、先までピンとまっすぐなもの

水耕栽培のものは株が小さく味も薄め。露地栽培のものは、茎がしっかりしていて全体に量感があり、風味も強い

▼貧血や生活習慣病の予防に。美肌づくりにも
水菜とカキのソテー

材料
水菜…1束　カキ…1パック
バター…20g　塩　こしょう…少々

作り方
1. 水菜は食べやすい長さに切っておく。カキはサッと洗っておく。
2. フライパンにバターを入れて熱し、カキを炒める。
3. カキに火が通ったら水菜を加え、塩とこしょうで味を調えたらすばやく火を止める。

代表的な美容野菜
複合的なポリフェノールには傷ついた肌細胞を修復する働きがある。ビタミンC、E、食物繊維も多いので美肌づくりに有効。肉の臭みを消す効果があるので、鍋料理によく合う。水溶性ビタミンが多いので生食がおすすめ。カロテンの吸収を高めるため、油を使ったドレッシングをからめてもよい。

食べ合わせ

水菜 + カキ
▶ 貧血予防
　美肌づくり

水菜 + トマト ・ 大根
▶ ガン予防
　血行促進
　下痢予防

mizuna—みずな　Chinese chive—にら

緑黄色野菜 葉

にら
韮　Chinese chive

滋養強壮効果が高く冷え性にも効く

漢方薬としても知られ、冷え性の緩和や整腸に効果的な野菜です。強い香りのもと硫化アリルは、ビタミンB_1の吸収率を高め糖の分解を促進します。血行をよくして体を温め胃腸の働きも助けるので、風邪予防や回復にも効果的。抗酸化作用によるガン抑制効果も期待できます。

乾燥や水気に弱くしおれやすいため、使い切れないときはみじん切りにし、好みの香辛料などを加えたしょう油やみそに漬けて、香りの効いた自家製調味料にしても重宝します。

食品成分表(可食部100gあたり)
- エネルギー……18kcal
- 水分……92.6g
- たんぱく質……1.7g
- 無機質
  - カリウム……510mg
  - カルシウム……48mg
  - 鉄……0.7mg
  - マンガン……0.39mg
- ビタミン
  - A　β-カロテン当量……3500μg
  - K……180μg
  - B_2……0.13mg
  - B_6……0.16mg
  - 葉酸……100μg
  - C……19mg
- 食物繊維総量……2.7g

おいしいカレンダー ●おいしい時期
10　**11**　**12**　**1**　**2**　**3**
高知、栃木、茨城

風邪をひいたら
きざんだにらとしょう油を器に入れ、熱湯を注いで熱いうちに飲み干し、すぐに寝ると風邪のひき始めに効く。「硫化アリル」がビタミンB_1などの吸収を高める。

ガンや老化予防に。冷え性にも効果あり
白身魚のホイル焼き

材料
- にら…1束
- しいたけ…4個
- たまねぎ、レモン…1/2個
- 白身魚…2切れ
- 塩　こしょう…少々
- 白ワイン…大さじ1
- バター…大さじ1

作り方
1. 白身魚に塩、こしょうをし、白ワインをふって10分ほどおく。
2. にらは4cmくらいの幅に、たまねぎは薄切り、しいたけは縦に四つ割りにする。
3. ホイルにバターを薄く塗り、たまねぎを置いたら白身魚、しいたけ、にら、残りのバターをのせて包む。
4. 200℃のオーブンで15分ほど焼く。
5. レモン汁やポン酢をかけていただく。

葉の幅があって肉厚なもの。色ツヤがよく香りの強いものがよい

品種群
黄にら
日光をあてず軟白栽培したにら。見た目が美しいだけでなく、やわらかく甘みもある。にらもやしともいう。

「花にら」
やわらかい花茎とつぼみを食用にする。香りはマイルドで甘みがあり、歯ざわりがよい。

強壮効果がたっぷり
ビタミンB_1の吸収を高めるアリシンを含むので、レバーや豚肉と合わせると効果的。アリシンは揮発性なので、火を通しすぎないように。カロテンは脂質と合わせると吸収がよいので、おひたしにごま油をかけるなどひと工夫を。体を温めるので、胚芽米を使った雑炊に入れるのもよい。

Data
- 学名：Allium tuberosum Rottler
- 分類：ユリ科ネギ属
- 原産地：東アジア

保存法
水けと乾燥対策に紙やラップで巻き、立てて冷蔵庫に。めんどうなら使いやすいように切って冷凍。そのまま炒め物や汁物に使える。

有効成分が多い
根元の白い部分には、香りと味のもとになるアリシンが葉先の約4倍。うまみとシャキシャキ感のためにも切り捨てないように。

食べ合わせ

代表的組み合わせ	ほかにも			
にら + やまのいも	とうがん	大根	りんご	胃腸の働きを強化 / 腎機能の強化
にら + チンゲン菜	トマト	にんじん	しいたけ	ガン予防 / 糖尿病予防
にら + レバー	シジミ	ウナギ	にんにく	精力増強 / 健脳効果
にら + ごま	植物油	カシューナッツ	大豆	骨粗しょう症予防 / 老化防止、認知症予防

緑黄色野菜 葉

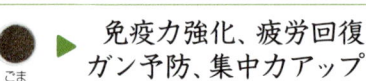

青梗菜

チンゲンサイ

qing geng cai

油炒めで栄養の吸収率がアップ

カロテン、ビタミンC、Eなどが豊富で強い抗酸化作用があり、ガンや生活習慣病の予防効果も期待できます。またカルシウムや鉄などのミネラル類も多く、栄養価の高い緑黄色野菜です。肉や魚介類と炒めたり油をたらしてゆでたりすると色があざやかになり、おいしさもビタミン・ミネラル類の吸収率も高まります。

茎の独特の食感を活かすなら、一枚ずつはがした葉を縦に二等分するくらいがおすすめ。下ゆで不要でアクのない便利な葉菜です。

食品成分表（可食部100gあたり）

エネルギー		9kcal
水分		96.0g
炭水化物		2.0g
無機質	ナトリウム	32mg
	カリウム	260mg
	カルシウム	**100mg**
	リン	27mg
	鉄	1.1mg
	亜鉛	0.3mg
	マンガン	0.12mg
ビタミン	A β-カロテン当量	2000μg
	B₂	0.07mg
	C	24mg
食物繊維総量		1.2g

おいしいカレンダー ●おいしい時期
8 **9 10 11 12 1**
茨城、静岡、愛知

品種群

ミニチンゲンサイ
手のひらにのるほどの小型種。丸のまま調理できる手軽さが受けている。

花芽（かが）
葉だけよりも栄養価が高く、ほのかに甘みを感じる。「青菜花」という商品名でも流通している。

Data
- 学名：Brassica rapa var. chinensis
- 分類：アブラナ科アブラナ属
- 原産地：中国・華中地方
- 中名：青梗白菜、青菜

保存法
生鮮野菜のなかでは、わりに長く保存できる。しめらせた新聞紙などで包み、立てて冷蔵庫に入れると、日もちがいい。

・幅広でツヤがあり、葉がきれいな緑のもの
・白菜の仲間なので茎の下部にハリがあり、肉厚でツヤのあるもの

免疫力を高め感染症予防に。肌荒れにも
チンゲン菜の煮びたし

材料
- チンゲン菜…2株
- 干しエビ…50g
- 黒ごま…適量
- だし汁…2/3カップ
- しょう油…小さじ2
- みりん…少々

作り方
1. 干しエビはぬるま湯（カップ1/3）で戻しておく。
2. だし汁にしょう油とみりんを加え、干しエビを戻し汁ごと入れて火にかける。
3. 2が煮立ったら、ざく切りにしたチンゲン菜を入れ、サッと煮て火を止める。
4. 器に盛り、黒ごまをふる。

ガン予防に効果を発揮

カロテン、ビタミンC、B₁、B₂とビタミン類を豊富に含むので、相乗効果で免疫力を高めガンを抑制する働きがある。アブラナ科野菜特有の成分イソチオシアネートにも抗ガン作用がある。カルシウムも多いので、たんぱく質やビタミンDを含むサケと食べ合わせるとストレス解消にも。

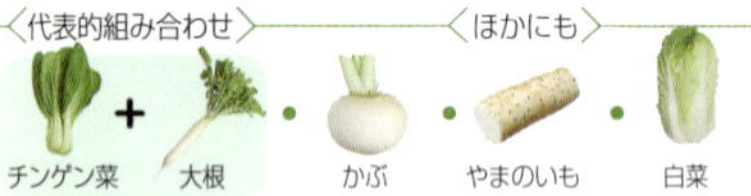

食べ合わせ

〈代表的組み合わせ〉 〈ほかにも〉

チンゲン菜 + 大根	かぶ・やまのいも・白菜	▶ 胃腸の働きをととのえる 便秘予防、ガン予防
 チンゲン菜 + えのきたけ	川エビ・れんこん・にんじん	▶ 生活習慣病予防 胃・大腸ガン予防
 チンゲン菜 + わかめ	アスパラガス・こんにゃく・しいたけ	▶ 血中コレステロール値低下 動脈硬化予防、ガン予防
 チンゲン菜 + トマト	ブロッコリー・レバー・ごま	▶ 免疫力強化、疲労回復 ガン予防、集中力アップ

qing geng cai—チンゲンサイ　　water spinach—くうしんさい

緑黄色野菜 葉

空心菜

くうしんさい

water spinach

濃い味つけの油炒めでスタミナをつける

茎のなかが空洞なことから空芯菜と名づけられた中国野菜で、葉にぬめりが、茎にはシャキシャキした歯ごたえがあります。カロテンも多い栄養満点の緑黄色野菜で、特に鉄分が豊富なため貧血に効果が。夏バテ予防にも役立ちます。

にんにくや香辛料を加えて塩やしょう油で10秒程度炒めればシンプルなおいしさを楽しめますし、ナンプラーやオイスターソース、XO醤で炒めれば複雑な香りが食欲をそそります。

食品成分表（可食部100gあたり）

エネルギー		17kcal
水分		93.0g
炭水化物		3.1g
無機質	ナトリウム	26mg
	カリウム	380mg
	カルシウム	74mg
	鉄	1.5mg
	マンガン	1.07mg
ビタミン	A β-カロテン当量	4300μg
	E	2.2mg
	K	250μg
	B2	0.20mg
	C	19mg
食物繊維総量		3.1g

おいしいカレンダー ●おいしい時期

5　**6　7　8**　9　10

九州、静岡、愛知

Data
学名：Ipomoea aquatica
分類：ヒルガオ科サツマイモ属
原産地：熱帯アジア
別名：エンサイ
中名：蕹菜（ヨウサイ）

葉や茎がみずみずしい緑で、全体にハリがあるものを

茎のなかが空洞になっている。切り口がきれいなものが新鮮

保存法
しめらせたペーパータオルで切り口を巻き、ぬらした新聞紙などで包んで冷蔵庫で。

ベトナムでは
もっともポピュラーな野菜。青菜炒めはやはり定番だが、ゆでたものをめん類のようにして辛い汁につけて食べたり、茎を裂いて水にさらし薬味のように使ったりもする。食感のいい茎は人気で、茎だけをサラダに入れて食すそう。

品種群

空心菜スプラウト
アサガオの双葉そっくりな空心菜の芽。鍋に入れたりサッとゆでておひたしにしたりしてもおいしい。

細胞の若返り、認知症予防にも
空心菜のピリ辛炒め

材料
空心菜…1束
にんにく…1片
唐辛子（輪切り）…小さじ1/2
中華スープ…大さじ2
塩…少々
サラダ油…適量

作り方
1. 熱した鍋に油をひき、みじん切りにしたにんにくと唐辛子を入れ、香りが出たら空心菜を加えて手早く炒める。
2. 1に中華スープで味つけし、塩で味を調える。

貧血予防の強い味方
鉄分を多く含むので、たんぱく質やビタミンCを含む食材と合わせると貧血予防効果がいっそう高まる。またカロテンとビタミンCもたっぷり含むので、植物油で調理すると老化や認知症予防の効能が。血行を促進するナイアシンや抗ストレス効果のあるパントテン酸も含む。

食べ合わせ

空心菜 + ごま・油
▶ 若返り効果 認知症予防

空心菜 + イカ・タラ
▶ ガン予防 血行促進

緑黄色野菜 葉

コリアンダー
coriander

香り成分が整腸、健胃、解毒に効く

中国では香菜（シャンツァイ）、タイではパクチーと、それぞれ呼ばれています。独特の香りには好き嫌いがありますが、エスニック料理の人気の高まりとともに、一般家庭でも親しまれるようになりました。

香り成分には整腸、健胃、解毒の作用があり、胃弱や食欲不振、腹痛などに効くだけでなく、神経の緊張をほぐし、イライラや不眠の解消にも効果があります。

食品成分表（可食部100gあたり）

エネルギー		18kcal
水分		92.4g
炭水化物		4.6g
無機質	カリウム	**590mg**
	カルシウム	**84mg**
	マグネシウム	16mg
	鉄	1.4mg
ビタミン	A β-カロテン当量	1700μg
	K	190μg
	B₁	0.09mg
	B₂	0.11mg
	葉酸	**69μg**
	C	40mg
食物繊維総量		4.2g

Data
- 学名：Coriandrum sativum
- 分類：セリ科コエンドロ属
- 原産地：地中海沿岸
- 別名：香菜、パクチー、チャイニーズパセリ

おいしいカレンダー ●おいしい時期
種：5〜7
葉：3〜6
モロッコ、インド

香りがしっかりして葉先までハリがあり、きれいな緑色のものを

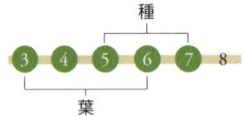

スパイス
かんきつ系に似た香りをもつタネは、カレーはもとよりチャツネ、ラタトゥイユ、サルサソース、ピクルスに用いられるほか、アップルパイ、シフォンケーキ、クッキー、マーマレードなどの風味づけにも。

▶消化不良を解消。食欲増進やストレス解消にも

タイのカルパッチョ

材料
- タイのさしみ…100g
- コリアンダー（葉のみ）…大さじ1
- にんにく…1/2片
- エクストラバージンオリーブ油…適量
- 塩 こしょう…少々

作り方
1. 皿ににんにくの断面をこすりつけ、香りをつけておく。
2. 1の皿に薄切りにしたタイを並べ、塩、こしょうをふってからオリーブ油を回しかけ、仕上げにコリアンダーの葉をあしらう。

胃腸のトラブルに
生葉とタネ、両方が食用とされる。タイ料理や中華料理に使われる生葉は、かなりクセのある香り。完熟したタネはスパイスとしてカレーや煮込み料理、製菓にも用いられ、甘くスパイシーな香りをもつ。どちらもお腹のふくれを抑え胃液の分泌をうながす作用があり、消化器官に薬効が。

保存法
しめらせたキッチンペーパーで包み、ビニール袋に入れて冷蔵庫の野菜室で2〜3日。

簡単利用法
- 生の葉、にんにく、唐辛子をきざみ、しょう油に漬け込んでおくと、薬味として重宝する。
- エビやカニを食べるときのフィンガーボウルに葉を数枚浮かべると、におい消しになる。

食べ合わせ

〈代表的組み合わせ〉／〈ほかにも〉

コリアンダー＋アスパラガス ・ アロエ ・ しそ ・ 白菜	胃腸の働きを高める／ストレスの緩和
コリアンダー＋きゅうり ・ じゃがいも ・ あずき ・ すいか	腎臓病予防／血行促進
コリアンダー＋タイ ・ タコ ・ イカ ・ にんにく	強精・強壮、体力増強／ストレスの緩和
コリアンダー＋大豆 ・ ごま ・ モロヘイヤ ・ ブロッコリー	若返り効果、認知症予防／美肌づくり

coriander—コリアンダー　jews marrow—モロヘイヤ

緑黄色野菜 葉

jews marrow

モロヘイヤ

なんにでも合う栄養成分の宝庫

緑黄色野菜のなかでもトップのカロテン、カルシウム含有量を誇ります。ビタミンB群、C、Eも豊富で免疫力を高める作用があり、風邪の予防にも効果があります。繊維質もほかの葉菜の倍。青菜の少ない夏に、もっと積極的に食べたい健康野菜です。
生だとアクが強いので、ゆでたり炒めたりスープにしたりして、いろいろ楽しんでみましょう。

食品成分表(可食部100gあたり)

エネルギー		36kcal
水分		86.1g
無機質	カリウム	530mg
	カルシウム	260mg
	マグネシウム	46mg
	リン	110mg
	鉄	1.0mg
	マンガン	1.32mg
ビタミン	A　β-カロテン当量	10000μg
	K	640μg
	B$_1$	0.18mg
	B$_2$	0.42mg
	C	65mg
食物繊維総量		5.9g

おいしいカレンダー ●おいしい時期
5　6　**7　8　9**　10
群馬、三重、沖縄

Data
学名：Corchorus olitorius
分類：シナノキ科ツナソ属
原産地：中近東
別名：タイワンツナソ、ジュート

若葉を食すので、葉にハリがあってみずみずしく、茎にやわらかな弾力のあるものを

●保存法
鮮度が落ちると葉がかたくなる。サッとゆでて、しっかり水をきれば冷凍も可。

王様の野菜
古代エジプトの王が不治の病に苦しんだが、モロヘイヤのスープで治ったとの伝説がある。「野菜の王様＝ムルキーヤ」からモロヘーヤの名前になったとも。その滋養力は古代から証明されていたのかもしれない。

食べるのは葉だけ。かたい茎はいっしょに調理しないほうがよい

▶老化やガンの予防に。ストレスの解消にも
モロヘイヤ納豆
材料
モロヘイヤ…1束
納豆…2パック
卵（黄身のみ）…1個
ごま…適量
作り方
1. モロヘイヤの葉をサッとゆでで、きざんでおく。
2. 納豆をかき、1とごまを入れてから味つけし、卵の黄身を飾る。

豊富なカルシウム
カルシウムが多いので、骨粗しょう症やストレス解消に役立つ。ビタミンDを含むきのこ類やじゃこを合わせるとカルシウムの吸収がアップ。抗酸化力の高いカロテン、ビタミンC、Eをそれぞれたっぷり含むので、相乗効果により、ガンや動脈硬化、脳卒中の予防、老化防止が期待できる。

食べ合わせ

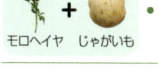

代表的組み合わせ		ほかにも			
モロヘイヤ + ピーマン	・	きくらげ	チンゲン菜	しいたけ	▶ ガン予防 血行促進
モロヘイヤ + じゃがいも	・	たまねぎ	ブロッコリー	白菜	▶ 高血圧・動脈硬化予防 心臓病予防
モロヘイヤ + アサリ	・	カキ	シジミ	卵	▶ 肝機能強力 健脳効果
モロヘイヤ + バナナ	・	とうがん	きゅうり	セロリー	▶ 利尿作用 高血圧予防

緑黄色野菜 葉

つるむらさき
蔓紫 / red Malabar nightshade

夏が旬の青菜。汗で失った栄養の補給に

青菜が少ない真夏が旬で、カロテン、ビタミンC、B₂、カリウム、カルシウムなどが豊富に含まれる、栄養満点の夏野菜です。

骨粗しょう症を予防するカルシウムがほうれん草の約3倍、活性酸素の生育を防ぐカロテンと風邪の予防や美容にも効果のあるビタミンCは約1.2倍も含まれます。ビタミンB群は疲労回復効果があるので、暑さで食欲が落ちる夏場の栄養補給におすすめです。

食品成分表（可食部100gあたり）

エネルギー		11kcal
水分		95.1g
無機質	カリウム	210mg
	カルシウム	150mg
	マグネシウム	67mg
	リン	28mg
	鉄	0.5mg
	マンガン	0.29mg
ビタミン	A β-カロテン当量	3000μg
	K	350μg
	B₂	0.07mg
	葉酸	78μg
	C	41mg
食物繊維総量		2.2g

おすすめレシピ
まずは「つるむらさきのナムル」。ゆでたつるむらさきをごま油、塩、砂糖、おろしにんにく、すりごまで和えるだけ。「つるむらさきのきんぴら」は鷹の爪を加えて甘辛く炒りつける。どちらも食欲増進効果が。

品種群

花芽
夏から秋になると花芽をつける。つると同様にゆでてから調理を。

保存法
かためにゆでて水けをきれば冷凍できる。数日で使いきれそうなら茎にしめらせたキッチンペーパーを巻き、ビニール袋に入れ冷蔵庫で2〜3日。

Data
学名：Basella alba
分類：ツルムラサキ科ツルムラサキ属
原産地：熱帯アジア
中名：落葵、藤菜
別名：セイロンホウレンソウ
おいしい時期：7月〜10月

みつば
三つ葉 / Japanese honeywort

香りが命なので使いきりが前提

豊かな香り成分には、食欲を高め胃もたれを防ぐ作用や、神経の興奮を鎮めストレスを解消する働きがあります。カリウムなどのミネラル類や、カロテン、ビタミンB群やCなどのビタミン類が含まれ、特に糸三つ葉はカロテンが豊富。活性酸素を取り除き、動脈硬化の予防など、病気の誘因を軽減します。

彩り以外にもサラダやかきあげなどで、香りをたっぷり楽しみましょう。

食品成分表
（糸みつば 可食部100gあたり）

エネルギー		12kcal
水分		94.6g
灰分		1.2g
無機質	カリウム	500mg
	カルシウム	47mg
	リン	47mg
	鉄	0.9mg
	マンガン	0.42mg
ビタミン	A β-カロテン当量	3200μg
	K	220μg
	B₂	0.14mg
	葉酸	64μg
	C	13mg
食物繊維総量		2.3g

糸三つ葉
軟白せず根元まで日光にあてて栽培。栄養価が高い。関西から広まり、青みつばとも呼ばれる。

品種群

サラダ三つ葉
生食用の切り三つ葉。ただし軟白していないので、根元まで緑色。そのため栄養価は高い。

切り三つ葉
遮光軟白した三つ葉の根元を切ったもの。関東地方の雑煮には欠かせない。

根三つ葉
土寄せし軟白しており、茎の下部は白い。糸三つ葉に比べ風味が強い。根も食用に。

Data
学名：Cryptotaenica japonica Hassk
分類：セリ科ミツバ属
原産地：日本、東アジア
別名：ミツバゼリ
おいしい時期：糸三つ葉 周年
根三つ葉 3月〜4月
切り三つ葉 12月〜2月

保存法
乾燥すると香りがなくなるので、キッチンペーパーで包みビニール袋に入れて、冷蔵庫で1〜2日。

red Malabar nightshade—つるむらさき　Japanese honeywort—みつば
ashitaba—あしたば　tacai—タアサイ

緑黄色野菜 葉

あしたば
明日葉
ashitaba

豊富なビタミンB₂が肌や毛髪を健康に

さわやかな香りがあり、カロテン、ビタミンB群、C、Eなどのビタミン類と、カルシウム、鉄、カリウムなどのミネラル類を豊富に含み、滋養強壮にも効果が。ビタミンB₂を特に多く含んでいて、皮膚や毛髪、爪などの健康維持に効果的です。
アクやクセがありますが、水にはさらしすぎないように。ゴマやじゃこと和えたり、天ぷらにしたりしても美味です。

食品成分表(可食部100gあたり)
- エネルギー……30kcal
- 水分……88.6g
- 無機質
  - ナトリウム……60mg
  - カリウム……540mg
  - カルシウム……65mg
  - 鉄……1.0mg
  - マンガン……1.05mg
- ビタミン
  - A β-カロテン当量……5300μg
  - K……500μg
  - B₁……0.10mg
  - **B₂……0.24mg**
  - 葉酸……100μg
  - C……41mg
- 食物繊維総量……5.6g

有効な食べ合わせ
すっきりした香りには、高揚した気分を鎮める効果がある。カルシウムの多い牛乳やチーズと食べ合わせると、イライラの解消に。

葉色があざやかで茎が細めのものは、やわらかくておいしい

保存法
しめらせたキッチンペーパーで茎を包み、ビニール袋に入れて冷蔵庫で保存。

下準備
サッと塩ゆでして冷水にさらす。独特の香りとアクが抜けて、色の劣化も防げる。

Data
- 学名：Angelica keiskei
- 分類：セリ科シシウド属
- 原産地：日本、中国
- 別名：八丈草、明日草
- おいしい時期：2月〜5月

タアサイ
塌菜
tacai

甘み重視なら寒にあたったものを

晩秋から冬が旬で、濃い緑が象徴するようにカロテンやビタミンB群が豊富です。カルシウムなどミネラルもたっぷり。皮膚粘膜を強くし風邪予防に効果的な、冬場にうれしい葉菜です。さらに塩分の摂りすぎによる血圧の上昇を抑え、不眠、ストレス、自律神経失調症予防にも。
真冬はかなり甘くなります。火のとおりが早く味にクセもアクもないため、野菜の万能選手といえるでしょう。

食品成分表(可食部100gあたり)
- エネルギー……12kcal
- 水分……94.3g
- 炭水化物……2.2g
- 無機質
  - ナトリウム……29mg
  - カリウム……430mg
  - **カルシウム……120mg**
  - マグネシウム……23mg
  - 鉄……0.7mg
- ビタミン
  - A β-カロテン当量……2200μg
  - B₁……0.05mg
  - B₂……0.09mg
  - B₆……0.12mg
  - C……31mg
- 食物繊維総量……1.9g

下準備
地をはうように葉を広げて育つので、土が入り込んでいる場合が多い。よく洗おう。

ちぢみの話
小松菜やほうれん草にタアサイを掛け合わせると、葉にちりめん状のしわができる。それらの改良種が「ちぢみ○○」の名で流通されていることも多い。寒にあてて作った「寒締め栽培」品種とは異なるが、外見から区別するのは難しい。

葉にしわが多く、濃緑色でハリとツヤがある。茎がみずみずしいものが新鮮

Data
- 学名：Brassica campestris var. narinosa
- 分類：アブラナ科アブラナ属
- 原産地：中国・華中地方
- 別名：如月菜、ちぢみ雪菜、ひさご菜
- おいしい時期：11月〜2月

保存法
乾燥に弱いので、新聞紙で包んでビニール袋に入れ、立てて冷蔵庫に。

緑黄色野菜 葉

ロケットサラダ
rocket salad

抗酸化パワーで美肌づくり

ルッコラの名称でもなじみのある、サラダでおなじみの葉菜です。ピリッとした辛みとごまの香りが特徴。ビタミンC、Eが豊富で、カルシウムや鉄分もたっぷりです。抗酸化作用も高く、ガン抑制、免疫力の強化、美肌づくりに効果的といえます。また抗菌や抗ガン作用があるといわれるアリルイソシアネートも含まれています。

食品成分表（可食部100gあたり）

エネルギー		17kcal
水分		92.7g
炭水化物		3.1g
無機質	カリウム	480mg
	カルシウム	**170mg**
	マグネシウム	46mg
	リン	40mg
	鉄	**1.6mg**
ビタミン	A β-カロテン当量	3600μg
	B₁	0.06mg
	B₂	0.17mg
	葉酸	170μg
	C	66mg
食物繊維総量		2.6g

品種群

「セルバチコ」
ワイルドロケットともいう。野生種に近い品種で多年生。辛みがより強いのが特徴。

若い葉にはギザギザが少ない。葉先までピンとしてみずみずしいもの

葉が下から密生し、茎がしっかりしているものは生育がよく、香りも強い

保存法
鮮度が落ちると独特の香りも落ちる。ビニール袋に入れ冷蔵庫の野菜室で1～2日。

Data
学名：Eruca vesicaria
分類：アブラナ科キバナスズシロ属
原産地：地中海沿岸
別名：ルッコラ、キバナスズシロ
おいしい時期：4月～7月、10月～12月

クレソン
水芥 watercress

風味豊かで体をサビさせない

肉料理のつけ合わせとして活躍する、独特の香りとさわやかな辛みが活きる葉菜です。ビタミンやミネラル類が豊富で、血液の酸化防止や貧血予防効果が。また生活習慣病の予防や強壮、消化促進などにも有効といわれています。ちなみに80年代のものと成分を比較すると、ビタミンCはかなり減ったものの、鉄分やカリウムは遜色ありません。積極的に食べて、血液をきれいにしていきましょう。

食品成分表（可食部100gあたり）

エネルギー		13kcal
水分		94.1g
炭水化物		2.5g
無機質	ナトリウム	23mg
	カリウム	330mg
	カルシウム	110mg
	リン	57mg
	鉄	1.1mg
ビタミン	A β-カロテン当量	2700μg
	B₁	0.10mg
	B₂	0.20mg
	B₆	0.13mg
	C	**26mg**
食物繊維総量		2.5g

品種群

サラダクレソン
水耕栽培されたサラダ用クレソン。茎までやわらかいのが特徴。

葉が濃緑色で密生し、葉先までハリがあってみずみずしいもの

余分なヒゲ根がなく、茎がしまっているもの。香りの強いものが新鮮

保存法
コップなどに水を入れてさし、葉に袋をかけて冷蔵庫で2日程度。

Data
学名：Roripa nasturtium-aquaticum
分類：アブラナ科アブラナ属
原産地：ヨーロッパ中部、中央アジア
仏名：cresson
別名：オランダガラシ
おいしい時期：4月～5月

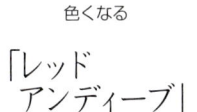

rocket salad—ロケットサラダ　watercress—クレソン　chicory—チコリー　trevise—トレビス

淡色野菜 葉

チコリー
菊苦菜　chicory

食欲を刺激するほのかな味わい

豊富な食物繊維と、葉のきれいな舟形が特徴的です。葉を一枚ずつはがしてディップやハムなどをのせて盛りつけると、すてきなオードブルができます。またきざんでサラダに加えれば、ほのかな苦みの隠し味にも。上の緑の部分より下のほうが苦いので、苦手な人は切り取って使いましょう。天ぷらにすると、やや甘みが出て味も香りも凝縮されます。

食品成分表(可食部100gあたり)

エネルギー		17kcal
水分		94.7g
たんぱく質		1.0g
炭水化物		3.9g
無機質	ナトリウム	3mg
	カリウム	170mg
	カルシウム	24mg
	リン	25mg
	鉄	0.2mg
	亜鉛	0.2mg
ビタミン	B₁	0.06mg
	B₂	0.02mg
	B₆	0.03mg
	葉酸	41μg
食物繊維総量		1.1g

巻きがしっかりしているもの。古いと葉先が茶色くなる

品種群
「レッドアンディーブ」
赤葉の品種。この品種はなぜかチコリーではなく仏名のアンディーブで流通している。

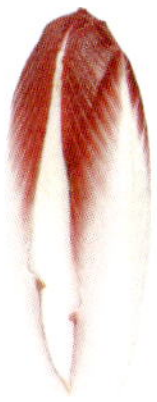

保存法
ラップで包み冷蔵庫の野菜室に。できるだけ早く使いきる。

Data
学名：Cicorium intybus
分類：キク科キクニガナ属
原産地：地中海沿岸、中央アジア
仏名：chicorée sauvage
おいしい時期：1月～3月

トレビス
trevise

ガン抑制に効くあざやかな色素

ワインレッド色の葉に白い葉脈が入り、サラダの彩りに大活躍します。色合いの美しさに比して、栄養価はそれほど高くありません。このあざやかな色はポリフェノールの一種、アントシアニンという色素によるもので、強い抗酸化作用に加え、ガン抑制や糖尿病予防、視力向上の軽減に効果があります。ゆでるとアントシアニンが溶け出し色も抜けるので、生食がおすすめです。

食品成分表(可食部100gあたり)

エネルギー		17kcal
水分		94.1g
たんぱく質		1.1g
炭水化物		3.9g
無機質	カリウム	290mg
	カルシウム	21mg
	リン	34mg
	鉄	0.3mg
	亜鉛	0.2mg
ビタミン	B₁	0.04mg
	B₂	0.04mg
	B₆	0.03mg
	葉酸	41μg
	C	6mg
食物繊維総量		2.0g

品種群
ヴェローナ
不結球タイプの長頭形のものをこう呼ぶ。チコリーに分類されることもある。

保存法
1枚ずつ、かためにゆでれば冷凍できる。新鮮さが命なので、ラップで包んで冷蔵庫で数日。

Data
学名：Cicorium intibus
分類：キク科キクニガナ属
原産地：ヨーロッパ、北アフリカ、中央アジア
仏名：trévise
おいしい時期：11月～3月

緑黄色野菜 葉

せり 芹 water dropwort

香りの精油成分に健胃の効果

春の七草のひとつで、独特の香りが春の訪れを感じさせます。香り成分には、健胃、解熱、解毒などの作用があるとされ、お正月に疲れた胃をととのえる七草がゆに入れる野菜として、昔から親しまれてきました。

カロテンやビタミンC、鉄などが豊富に含まれ、風邪に対する抵抗力を養い、貧血予防の効果もあります。香りと彩りを楽しみ、栄養分を損なわないためにも、煮すぎないようにしましょう。

香りが強く、葉の先までみずみずしい、緑色の濃いものを選ぼう

食品成分表（可食部100gあたり）

エネルギー		17kcal
水分		93.4g
無機質	カリウム	410mg
	カルシウム	34mg
	マグネシウム	24mg
	リン	51mg
	鉄	**1.6mg**
	マンガン	1.24mg
ビタミン	A β-カロテン当量	1900µg
	K	160µg
	B₂	0.13mg
	葉酸	110µg
	C	**20mg**
食物繊維総量		2.5g

セリの薬効
精油成分には健胃効果のほかに発汗作用があり、風邪に有効。しぼり汁は動脈硬化や糖尿病の治療薬にも用いられている。また、多く含まれるカロテンとの相乗効果で、ガン予防も期待できる。

保存法
しめらせたキッチンペーパーで根元を包み、ビニール袋に入れて冷蔵庫の野菜室に立てておく。

Data
学名：Oenanthe javanica
分類：セリ科セリ属
原産地：アジア、熱帯アフリカ
別名：シロネグサ、カワナ、カワナグサ、ネジログサ
おいしい時期：1月～4月

エンダイブ 菊乳草 endive

外側の緑の葉にカロテンたっぷり

独特のほろ苦さが、サラダの味わいに変化をつけてくれます。抗酸化作用があり生活習慣病を予防するカロテンや、ビタミン類を多く含みます。過剰な塩分を排出する働きのあるカリウム、骨の生成に欠かせない、イライラ解消にも効果的なカルシウムも豊富な、人気の西洋野菜です。

外側の葉にカロテンが多く含まれるので、葉は煮込みや炒め物など油を使った調理に、白い内側はサラダに。

軟白処理した芯に近い部分は、やわらかくほろ苦さと甘みが

重量感があって切り口の新しいもの

食品成分表（可食部100gあたり）

エネルギー		14kcal
水分		94.6g
炭水化物		2.9g
無機質	ナトリウム	35mg
	カリウム	270mg
	カルシウム	**51mg**
	マグネシウム	19mg
	鉄	0.6mg
	マンガン	1.10mg
ビタミン	A β-カロテン当量	1700µg
	B₁	0.06mg
	B₂	0.08mg
	C	7mg
食物繊維総量		2.2g

保存法
ぬらした新聞紙で軽く包み、ビニール袋に入れて冷蔵庫に立てて入れる。2～3日が目安。

Data
学名：Cichorium endivia
分類：キク科キクニガナ属
原産地：地中海沿岸
仏名：chicor
伊名：cicoria
別名：シコレ
おいしい時期：10月～3月

water dropwort—せり　endive—エンダイブ
New Zealand spinach—つるな　corn-salad—コーンサラダ

緑黄色野菜 葉

つるな
蔓菜
New Zealand spinach

豊富な鉄分が貧血や冷え性の改善に効果的

初夏から晩秋までと収穫期間が長く、江戸時代から重宝されてきた伝統野菜です。風味はほうれん草に似ていて、特に若芽のうちはやわらかく、クセもないため食べやすさが魅力です。

栄養価が高く、カロテンと鉄分が特に豊富で、ビタミンB₁、B₂、Cなども含みます。葉菜が少ない夏場にもっと食べたい健康野菜です。

食品成分表（可食部100gあたり）
エネルギー		15kcal
水分		93.8g
炭水化物		2.8g
無機質	カリウム	300mg
	カルシウム	48mg
	リン	75mg
	鉄	3.0mg
ビタミン	A β-カロテン当量	2700μg
	K	310μg
	B₂	0.30mg
	B₆	0.13mg
	葉酸	90μg
	C	22mg
食物繊維総量		2.3g

食べ合わせ
カロテンが多いので、油といっしょに摂ると効果的。炒め物や油揚げとの煮びたしが手軽。鉄分をたっぷり含んでいるのでビタミンCやたんぱく質を含む食材と食べ合わせると、貧血予防に高い効果を発揮する。

Data
学名：Tetragonia tetragonoides
分類：ツルナ科ツルナ属
原産地：日本、中国、オーストラリア、南アメリカ
別名：蕃杏、浜萵苣、浜菜
おいしい時期：7月～10月

保存法
キッチンペーパーで包んでビニール袋に入れ、冷蔵庫の野菜室で2～3日。

コーンサラダ
corn-salad, lamb's lettuce

クセがなく淡泊な味わいはサラダにぴったり

ヨーロッパ原産の植物で、フランスではサラダ用の葉としてよく食べられています。別名をマーシュといいます。クセがないので食べやすく、アクも苦みもないため、生で食べるサラダにぴったりの野菜です。サンドイッチやスープの具、バター炒め、おひたし、和え物にも。

カロテン、ビタミンC、鉄分、カルシウムなどが多く含まれています。

緑が濃く、株元から葉先までピンと張ったものが新鮮

あまり大きすぎるもの、小さすぎるものは避けよう

名前の由来
とうもろこしの畑に自生していたことから。「ラムズレタス」という別名もあるが、レタスの仲間ではない。

Data
学名：Varenianella locusta
分類：オミナエシ科ノヂシャ属
原産地：ヨーロッパ
別名：マーシュ、ラムズレタス
おいしい時期：周年

保存法
キッチンペーパーで包んでビニール袋に入れ、冷蔵庫の野菜室で1～2日。

緑黄色野菜
淡色野菜　葉

おかひじき
陸鹿尾菜　saltwort

ミネラル、カロテン豊富な陸の海藻

日本では、海辺の砂地に自生する食べられる野草として知られ、17世紀ごろから栽培が始まりました。シャキッとした歯ざわりや、クセのない味わいが楽しめます。

カロテンやビタミンCが豊富に含まれ、天ぷらやマヨネーズ和えなど、ビタミンEが豊富な食材と調理すると、相乗効果で抗酸化力がアップします。カルシウム、カリウム、鉄、亜鉛、銅などのミネラルも豊富に含まれています。

食品成分表（可食部100gあたり）

- エネルギー……16kcal
- 水分……92.5g
- 無機質
  - ナトリウム……56mg
  - **カリウム……680mg**
  - **カルシウム……150mg**
  - マグネシウム……51mg
  - リン……40mg
  - 鉄……1.3mg
- ビタミン
  - A　β-カロテン当量……3300μg
  - K……310μg
  - B₂……0.13mg
  - 葉酸……93μg
  - C……21mg
- 食物繊維総量……2.5g

おすすめレシピ
おかひじきの卵とじ
おかひじきを甘辛く炒め、卵でとじる。たんぱく質の多い卵との食べ合わせで、ガン予防の効果がアップする。

葉先にツヤがあり、やわらかく緑色の濃いものが新鮮

収穫時期をすぎたものはかたいので避けよう

下準備
アクが強いのでゆでてから調理を。ただしシャキシャキした食感がもち味なので、ゆですぎは禁物。

Data
- 学名：Salsola komarovi
- 分類：アカザ科オカヒジキ属
- 原産地：日本、中国、ヨーロッパ南西部
- 仏名：salsola
- 別名：みるな、水まつな
- おいしい時期：4月〜7月

じゅんさい
蓴菜　water shield, target

季節感あふれるなめらかな食感

夏の風物詩ともいわれ、水のきれいな池沼に生える水草の若い茎葉を摘んだものです。全体が透明な粘液質におおわれ、ツルンとした舌ざわりが特徴。

栄養価はさほど高くなく、食物繊維が豊富でカロリーが低いため、便秘解消などの腸内浄化やダイエット効果があります。最近の研究でポリフェノールが比較的多く含まれていることがわかり、抗酸化作用も期待されています。

食品成分表（水煮びん詰 可食部100gあたり）

- エネルギー……4kcal
- 水分……98.6g
- たんぱく質……0.4g
- 炭水化物……1.0g
- 無機質
  - ナトリウム……2mg
  - カリウム……2mg
  - カルシウム……4mg
  - マグネシウム……2mg
  - リン……5mg
  - 亜鉛……0.2mg
  - 銅……0.02mg
  - マンガン……0.02mg
- ビタミン
  - K……16μg
  - B₂……0.02mg
- **食物繊維総量……1.0g**

淡緑褐色の小さな若芽や若葉で、透明な粘液質が充分にあるもの

下準備
市販のものの多くは水煮したあと酢漬けにした加工品。吸い物の具など、酢の物以外の料理で食べる場合は、水に浸けて酢抜きする必要がある。

こんなレシピも
吸い物やみそ汁に入れるほか、三杯酢和えやわさびじょう油和え、またとろろに加えたり天ぷらにしたりしても美味。生産量日本一の秋田では鍋物に入れることも。

Data
- 学名：Brasenia schreberi
- 分類：ハゴロモモ科ジュンサイ属
- 原産地：アジア、アフリカ、オーストラリア
- おいしい時期：6月〜8月

saltwort—おかひじき　water shield—じゅんさい　chard—ふだんそう　purslane—プルピエ

緑黄色野菜 葉

ふだんそう 不断草 chard

カロテンが抗酸化力を発揮

葉を取っても次々と若葉が出て一年じゅう収穫できることからこの呼び名に。沖縄ではンスナバーとも呼ばれ、白和えや、炒めたあとにみそで煮込む料理などに使われます。カロテンが特に豊富でビタミンEも多いため、その強い抗酸化力によりガン抑制効果が期待でき、皮膚や粘膜の健康維持にも効果的。ビタミンB2、カリウム、鉄は栄養豊富な小松菜より多い、すぐれた緑黄色野菜です。

食品成分表（可食部100gあたり）
- エネルギー…………17kcal
- 水分…………………92.2g
- 無機質
  - ナトリウム………71mg
  - **カリウム………1200mg**
  - カルシウム………75mg
  - マグネシウム……74mg
  - 鉄……………………3.6mg
  - **マンガン………3.60mg**
- ビタミン
  - A　β-カロテン当量
  　……………3700μg
  - K………………180μg
  - B2………………0.23mg
  - B6………………0.25mg
  - 葉酸……………120μg
- 食物繊維総量…………3.3g

品種群

カラフル種
葉柄がカラフルな品種。「ブライトライト」の商品名もある。ゆでたり酢漬けにしたりすると、どんどん色が抜けていくので、ほどほどに。

白茎種
フランスやイタリアではポピュラーな白茎種。やや大株。くたくたになるまで煮込んで食べる。

葉の緑色が濃く、ツヤツヤしてハリのあるもの

茎がしっかりしているもの

Data
- 学名：Beta vulgaris
- 分類：アカザ科フダンソウ属
- 原産地：地中海沿岸
- 仏名：bette
- 別名：常菜、チャード、スイスチャード
- おいしい時期：7月〜10月

下準備
大株のものは特に葉柄部分がしっかりしているので、下ゆでするなら葉柄と葉を別々に。

プルピエ purslane

中性脂肪減をサポート

園芸植物のポーチュラカ（ハナスベリヒユ）の仲間で、日本には明治時代末期に伝えられました。特にヨーロッパ各国で栽培されています。小さなだ円形の葉と茎を食用にし、クレソンに似た辛みとかすかな酸味が。生のままサラダにまぜて味や彩りのアクセントにするほか、スープの具、おひたしや和え物にして食べます。注目すべき成分として、中性脂肪を減らし血管を丈夫にする効果がある、オメガ3脂肪酸が含まれています。

オメガ3脂肪酸とは
イワシ、ニシン、サバ、サケなどの魚油に多く含まれるオメガ3脂肪酸は、特に視神経や脳神経に作用し、視力や記憶力を高める効果があるといわれている。さらに動脈硬化や花粉症にも有効との結果が。プルピエは食用植物のなかで、オメガ3脂肪酸をもっとも多く含んでいる。

葉の緑がみずみずしく、全体にハリのあるもの

Data
- 学名：Portulaca oleracea
- 分類：スベリヒユ科スベリヒユ属
- 原産地：北アメリカ
- 和名：スベリヒユ
- 仏名：pourpier
- 中名：独耳草
- おいしい時期：6月〜9月

保存法
ビニール袋に入れ、冷蔵庫の野菜室で2〜3日。

緑黄色野菜 葉

おかのり
陸海苔
curled mallow

食べやすく栄養価の高い健康野菜

アオイ科の一年草で、栄養価の高い健康野菜です。乾燥させてあぶるとのりに似た食品になることから、陸のりと名づけられました。アクがないので食べやすく、湯どおしすると少しぬめりが出ます。カルシウム、鉄分、ビタミンCが豊富で、特にカルシウムはほうれん草の3〜4倍も含まれています。風邪予防や消化促進、整腸、動脈硬化予防などの効能が期待できます。

みずみずしくやわらかい緑色の葉で、ハリのあるもの

ゆでてもあぶっても
サッとゆでてきざんだら、しょう油と削り節を加えるだけでご飯のおともに。粘りがあるので納豆との相性もよい。サッとあぶるとのりの香りがする。天ぷらにしても美味。

Data
学名：Malva verticillata
分類：アオイ科ゼニアオイ属
原産地：亜熱帯アジア
別名：はたけな、海苔菜
おいしい時期：4月〜7月

保存法
しめらせたキッチンペーパーで包み、ビニール袋に入れて冷蔵庫の野菜室で1〜2日。

食用たんぽぽ
蒲公英
common dandelion

利尿作用や抗菌作用など薬効いろいろ

若い葉や花を食用にし、ほのかな苦みが特徴ですが、栽培ものはアクや苦みが少なく、サラダなど生でも食べられます。特有の風味が気になるなら、天ぷらや油を使った炒め物にすると、食べやすくなります。
カリウムが特に豊富で、利尿作用が期待できます。苦み成分には抗菌作用や肝機能の改善、整腸作用、貧血の改善などの効果があるといわれています。

みずみずしく、葉の緑色がきれいなもの

保存法
しめらせたキッチンペーパーで包み、ビニール袋に入れて冷蔵庫の野菜室で1〜2日。

たんぽぽコーヒー
根をきざんで焙煎し粗挽きにしたものから、コーヒー同様に抽出する。欧州では古くから愛飲されてきた健康飲料。ノンカフェインなので、妊娠中や授乳中、自然派志向の方にも。

Data
学名：Taraxacum officinale
分類：キク科タンポポ属
原産地：ヨーロッパ、日本
仏名：pissenlit
別名：タンポポ、ダンデリオン
おいしい時期：3月〜4月

curled mallow—おかのり common dandelion—食用たんぽぽ
ice plant—アイスプラント ghost plant—グラパラリーフ

緑黄色野菜 葉

アイスプラント
ice plant

メタボに有効な プチプチ野菜

今注目の、葉や茎にびっしりと水泡がついた風変わりな外見の新しい野菜です。栄養成分にも特徴があり、中性脂肪の増加を抑えるミオイノシトールや、血糖値を下げるピニトールという成分が含まれ、メタボ対策に有効な野菜として注目されています。

食べ方としては、プチプチの不思議な食感を活かして、サラダに入れたり納豆に入れたりするのもおすすめ。大豆のイソフラボンと合わせれば、健康促進パワーもアップします。

保存法
ビニール袋に入れ、冷蔵庫の野菜室で4〜5日。

話題の新顔野菜
近年、佐賀県が力を入れて栽培しており、「バラフ」「クリスタルリーフ」といった商標登録名をつけている。佐賀産では「プッチーナ」という商品名もある。静岡産のものは「ソルティーナ」の名称で流通しており、新顔野菜ゆえ、まだ呼称が統一されていない。

葉の緑色がきれいで、みずみずしいもの

葉の表面で輝くのはブラッダーセルと呼ばれる細胞。ミネラル分を蓄えてある。

Data
学名：Mesembryanthemum crystallinum
分類：ハマミズナ科 メセンブリアンテマ属
原産地：南アフリカ
おいしい時期：周年

グラパラリーフ
ghost plant

カルシウムたっぷりの新顔健康野菜

サクッとした食感と青りんごのようなほのかな酸味が特徴の新顔野菜で、カルシウム、マグネシウムを始め、ビタミン、ミネラル、アミノ酸などの栄養素がたっぷり。特にカルシウムは、4枚の葉で牛乳1杯分という多さ。

マグネシウムを含むごまやピーナッツなどナッツ類を使ったドレッシングと合わせると、カルシウムの吸収がアップするのでおすすめです。

保存法
密閉容器に入れて冷蔵庫の野菜室で10日間保存が可能。

多肉植物の仲間
世界に数千種もあるといわれている多肉植物。肉厚なのは乾燥に耐えるため水分やミネラルを蓄えているから。なかには胃腸障害の改善や滋養強壮のための薬として利用している地域も少なくない。アロエもこのグラパラリーフ同様、多肉植物のひとつ。

つややかな緑色で、ふっくらとハリのあるもの

Data
学名：Graptopetalum paraguayense
分類：ベンケイソウ科 グラプトペタルム属
原産地：中南米
中名：石蓮花
おいしい時期：周年

ブロッコリー
broccoli

緑黄色野菜 葉

ガン予防や生活習慣病改善の強い味方

抗ガン作用が高いと注目されるアブラナ科野菜のひとつで、カロテンとビタミンCが豊富です。さらに抗酸化作用と解毒作用によりガンを抑制するという、スルフォラファンが強力にサポート。毎日少しずつでも食卓にのせたい野菜のひとつです。

新鮮なものは洗いにくいので、たっぷりの水につけて振り洗いを。また、ゆであがりを水にとると味がボケてしまうので、ゆで湯をきったら自然に冷ましましょう。

食品成分表（可食部100gあたり）

エネルギー		37kcal
水分		86.2g
たんぱく質		5.4g
炭水化物		6.6g
無機質	カリウム	460mg
	カルシウム	50mg
	鉄	1.3mg
ビタミン	A β-カロテン当量	900μg
	B₁	0.17mg
	B₂	0.23mg
	葉酸	220μg
	パントテン酸	1.42mg
	C	140mg
食物繊維総量		5.1g

おいしいカレンダー ●おいしい時期
10 **11 12 1 2** 3
北海道、愛知、埼玉

Data
- 学名：Brassica oleracea var. italica
- 分類：アブラナ科アブラナ属
- 原産地：地中海東部
- 和名：緑花野菜

花蕾（からい）が密で、濃い緑のもの。冬場の紫がかったものは甘い

外葉がしおれていないものが新鮮

茎が変色せず「す」が入っていないものがよい

下準備
塩水を張ったボールに浸し、虫や残留農薬などを除去する。流水ですすぐ。

保存法
つぼみ部分が開こうとして、時間とともに栄養素がどんどん減る。使いきれないなら小房に分けて軽くゆで、冷凍を。

ガン防止、動脈硬化や心筋梗塞の予防に
ペペロンチーノ

材料
- ブロッコリー…1株
- にんにく…2片
- 唐辛子（輪切り）…小さじ1
- アンチョビフィレ…3枚
- オリーブ油…適量
- 塩 こしょう…少々

作り方
1. ブロッコリーは小房に分け、ゆでておく。
2. フライパンにオリーブ油を入れ、みじん切りにしたにんにくと唐辛子を入れて香りを移す。
3. 2に包丁でたたいたアンチョビを入れ、さらに1を入れて全体をからめる。塩、こしょうで味を調える。

品種群

茎ブロッコリー
茎の部分が長く、その食味がアスパラガスに似ている。小分けする手間が不要なので便利。「スティックセニョール」はその代表種。

紫ブロッコリー
花蕾のあざやかな紫色はアントシアニンの色。残念ながら、ゆでると緑に変色する。

ガン予防の特効薬
ガン抑制効果の高いスルフォラファン、βカロテン、イソチオシアネートを含むのでガンや生活習慣病に有効。αリノレン酸にはアレルギー症状を抑える効果があり、冬のうちからたくさん食すと花粉症予防効果が期待できる。ゆでるよりレンジで加熱したほうがビタミン類の損失が少ない。

食べ合わせ

代表的組み合わせ	ほかにも	効果
ブロッコリー + にんにく	たまねぎ・ピーマン・酢	血行促進、高血圧予防 動脈硬化・心筋梗塞予防
ブロッコリー + 赤ワイン	トマト・なす・にんじん	ガン予防 若返り効果
ブロッコリー + マグロ	イワシ・大豆・オリーブ油	老化防止、認知症予防 動脈硬化防止
ブロッコリー + レバー	アサリ・ハマグリ・カリフラワー	貧血防止、冷え性緩和 健脳効果、スタミナ強化

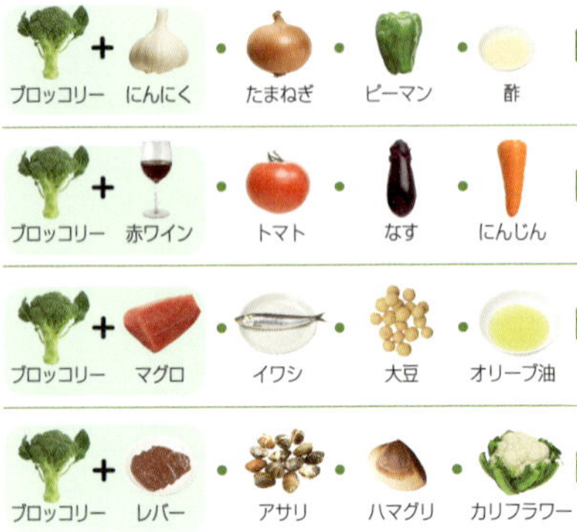

broccoli―ブロッコリー　cauliflower―カリフラワー

淡色野菜 葉

カリフラワー
cauliflower

体のなかから美しくする

加熱による損失の少ないビタミンCが豊富なのが特長で、調理後のブロッコリーに遜色ないほど残ります。糖の代謝をうながし疲労物質を排出するビタミンB₁や、脂質を効率よく代謝し、目や皮膚、粘膜の健康を保つB₂も多く含まれます。体のなかからきれいにしてくれる野菜です。

鮮度が落ちるとすぐ色が悪くなるため流通量が減りましたが、品種改良により美しい色のついたものが出ました。これにより目にする機会は増えるかもしれません。

食品成分表（可食部100gあたり）

エネルギー		28kcal
水分		90.8g
たんぱく質		3.0g
炭水化物		5.2g
無機質	カリウム	410mg
	リン	68mg
	鉄	0.6mg
	亜鉛	0.6mg
ビタミン	B₁	0.06mg
	B₂	0.11mg
	B₆	0.23mg
	葉酸	94μg
	パントテン酸	1.30mg
	C	81mg
食物繊維総量		2.9g

おいしいカレンダー ●おいしい時期
10　**11**　**12**　**1**　**2**　3
徳島、愛知、茨城

保存法
ラップで包み、冷蔵庫の野菜室で保存。時間が経つと白い部分が汚くなるので、ゆでてから冷凍しておくのも。ただし水分が残っていると、解凍時に味も食感も悪くなるので、水けをきって冷凍しよう。

花蕾にうぶ毛が出ているものは、生長しすぎているので避ける

Data
学名：Brassica oleracea var.botrytis
分類：アブラナ科アブラナ属
原産地：地中海沿岸
和名：花野菜、花キャベツ
仏名：chou-fleur
独名：Blumenkohl
中名：花椰菜

はん点があるものは古い

品種群

「ロマネスコ」 イタリア伝統品種。「うずまき」「さんごしょう」の別名も。黄緑色のゴツゴツとした見た目が特徴。

「バイオレットクイーン」 花蕾部分が紫色の品種。紫なのはアントシアニンという色素が含まれているから。

「オレンジブーケ」 オレンジの有色品種。ゆでると色がもっと濃くなる。カロテンを多く含む。

血管を修復し、血行を促進。美肌をつくる
カレーサラダ

材料
カリフラワー…1株
きざみピクルス…大さじ1
イカのくんせい…20g
ドレッシング
　マヨネーズ…大さじ2
　牛乳…小さじ2
　カレー粉…適宜
　塩…少々

作り方
1. カリフラワーは小房に分け、塩ゆでしておく。
2. ドレッシングの材料を合わせ、カリフラワー、ピクルス、イカのくんせいを合わせ、器に盛る。

栄養豊富な美容野菜
免疫力を高めるビタミンC、抗ガン作用のあるβカロテンやイオウ化合物のイソチオシアネートを含み、これらの相乗効果で生活習慣病予防や老化防止に効果がある。またコラーゲン生成作用のあるビタミンCをみかんの倍以上含むため、肌のトラブルにも有効。心身の疲労を和らげる働きも。

食べ合わせ

代表的組み合わせ	ほかにも	効果
カリフラワー + ゆず	オレンジ・そば・イカ	血管の若返り、血行促進 高血圧予防、動脈硬化予防
 カリフラワー + ウナギ	レバー・抹茶・ホタルイカ	イライラの解消、ガン予防 老化防止
 カリフラワー + アーモンド	とうもろこし油・唐辛子・マヨネーズ	若返り効果、血行促進 認知症予防
 カリフラワー + 煮干し	ひじき・ごま・わかめ	集中力アップ、骨粗しょう症予防 歯や骨を丈夫にする

緑黄色野菜 葉

アスパラガス
asparagus

体を元気にする すぐれもの

雨よけハウス利用や水耕栽培などによって一年じゅう出回るようになり、簡単な調理でもおいしく食べられるグリーンアスパラガス。抗酸化作用が高く、老化防止、ガン抑制、美容に効果があります。名の由来ともなったアスパラギン酸がたっぷり含まれ、疲労回復、スタミナ増強にもパワーを発揮します。少なめの湯に塩をして数十秒ほど蒸しゆで状態にすると、生のときのさわやかな香りと、加熱して得られるホクホク感や自然な甘みが楽しめます。

食品成分表(可食部100g あたり)

エネルギー		21kcal
水分		92.6g
炭水化物		3.9g
無機質	カリウム	270mg
	リン	60mg
	鉄	0.7mg
	亜鉛	0.5mg
ビタミン	A β-カロテン当量	380μg
	B₁	0.14mg
	B₂	0.15mg
	B₆	0.12mg
	葉酸	190μg
	C	15mg
食物繊維総量		1.8g

Data
- 学名：Asparagus
- 分類：ユリ科クサスギカズラ属
- 原産地：南ヨーロッパからロシア南部
- 仏名：asperge
- 独名：Spargel

穂先がしまっているもの

茎が細く曲がっているものは味が落ちる

品種群

アスパラソバージュ
アスパラガスとは属が異なる植物。欧州で、春先のある時期だけ出回る季節もので、日本の山菜のようなもの。空輸品。

ホワイト
5月下旬～6月にのみ出荷されるのは北海道産の露地もので、うまみが濃い。土をかぶせ、遮光して軟白栽培する。

紫
流通量が少ない紫色の品種。アントシアニンを含む。ゆでると濃い緑色に変化する。甘みと歯ごたえを併せもつ。

ミニ
グリーンアスパラガスを10cmほどの長さで若採りしたもの。下処理の手間がかからないので人気。タイなどからの輸入物が多い。

ホワイトミニ
軟白した、ホワイトアスパラのミニ品種。

保存法
穂先を傷めないよう注意し、ぬらした新聞紙で包んでからビニール袋に入れ、冷蔵庫に立てておく。

おいしいカレンダー ●おいしい時期
3　4　●5　●6　7　8
長野、北海道、佐賀

血管を丈夫にし高血圧や動脈硬化を予防
アスパラガスとベーコンの炒め物

材料
- アスパラガス…5本
- たまねぎ…1/2個
- ベーコン…50g
- サラダ油…適量
- 塩　こしょう…少々

作り方
1. アスパラガスは根元のかたい部分を折り取ってから、斜めに薄切りにする。たまねぎは薄切り、ベーコンは食べやすい大きさに切っておく。
2. フライパンを熱してサラダ油を入れ、ベーコン、たまねぎ、アスパラガスの順に加えて炒め、塩、こしょうで味つけする。

血行促進で疲労も回復
新陳代謝を活発にし、疲労を和らげるアスパラギン酸を多く含む。穂先に含まれるルチンには毛細血管を丈夫にし血圧を下げる働きが。ルチンはビタミンCを多く含む食材と合わせると、その吸収を高める作用もあるのでサラダは効果的。水溶性ビタミンが多いため、蒸したり煮たりがよい。

食べ合わせ

代表的組み合わせ	ほかにも	効能
アスパラガス + 昆布	にんじん・ブロッコリー・ほうれん草	視力維持、ガン予防、風邪予防
アスパラガス + しじみ	鶏肉・かぶ・太刀魚	消化力アップ、肝臓病予防、スタミナ強化
アスパラガス + オクラ	アボカド・セロリー・にんにく	ガン予防、高血圧予防、心筋梗塞予防
アスパラガス + たまねぎ	タラ・ゆば・こんにゃく	血液サラサラ効果、肥満防止、動脈硬化予防

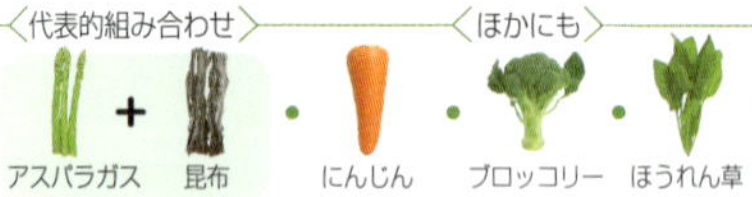

asparagus — アスパラガス　　bamboo shoot — たけのこ

淡色野菜【葉】

筍 たけのこ
bamboo shoot

アミノ酸のもつ うまみが美味

竹の地下茎から出てくる若芽がたけのこですが、「朝掘ったら、その日のうちに食べろ」といわれるぐらい、鮮度が大切です。掘りたてのものは生でも食べられますが、そうでないものは、ゆでてアク抜きしてから調理します。

食物繊維が豊富で、腸のなかからきれいにして便秘の症状を改善してくれます。しかもコレステロールの吸収を防ぐため、動脈硬化の予防にも役立ちます。カリウムも多く含むので、塩分の排出をうながし、高血圧を予防する効果が期待できます。

食品成分表（可食部100gあたり）

エネルギー		27kcal
水分		90.8g
たんぱく質		3.6g
炭水化物		4.3g
無機質	カリウム	520mg
	マグネシウム	13mg
	リン	62mg
	亜鉛	1.3mg
	マンガン	0.68mg
ビタミン	B_1	0.05mg
	B_2	0.11mg
	B_6	0.13mg
	葉酸	63μg
	C	10mg
食物繊維総量		2.8g

品種群

淡竹（はちく）
やや細身だがアクが少なく、あっさりした味。赤茶の皮に緑の芽が美しい。旬は5月。

大名たけのこ
別名寒山竹。九州南部に自生するたけのこで、クセがなく上品。皮つきのままホイル焼きで。

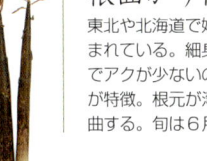

まだけ
古くから全国で栽培されている。アクが強く苦みがある。出回るのは7月～と遅め。

根曲がり竹
東北や北海道で好まれている。細身でアクが少ないのが特徴。根元が湾曲する。旬は6月。

孟宗竹
関東地方で出回るたけのこの大半はこの品種。太くてやわらかく、香り高いのが特徴。

- 穂先が黄色で外皮のツヤがいいもの。穂先が緑色のものは日にあたったためで、筋がかたくえぐみが強い
- 小ぶりで、ずっしりしており、皮が淡黄色でツヤのよいもの 
- 切り口がみずみずしく、根元のいぼいぼは少なく、赤いはん点のないものを選ぼう 

Data

- 学名：Phyllostachys pubescens
- 分類：イネ科マダケ属
- 原産地：ヨーロッパ、西南アジア、インド
- 仏名：pousse de bambou

おいしいカレンダー　●おいしい時期

2　3　●4　●5　6　7

鹿児島、福岡

保存法
えぐみのもととなるシュウ酸などは、ひと晩で倍増するので、すぐゆでる。適当なサイズに切って保存びんに入れ、水をそそいでびんのまま沸騰した湯で30分煮ると、1年ほど常温保存できる水煮に。

腸内環境をととのえ 肥満や動脈硬化を 予防する
若竹煮

材料
- ゆでたけのこ…1本
- わかめ…30g
- 木の芽…適宜
- だし汁…1カップ
- しょう油…大さじ1
- みりん…大さじ2
- 塩…少々

作り方
1. たけのこは薄切りにする。わかめは水で戻し、食べやすい大きさに切っておく。
2. 鍋にだし汁、しょう油と塩、みりんを入れて熱し、たけのこを入れて中火で5分弱煮る。
3. 2にわかめを入れ、火を止めて味を含ませる。
4. 器に盛り、木の芽を飾る。

食物繊維の宝庫
豊富に含まれる食物繊維は不溶性のセルロース。腸内で水分を吸収してふくらみ、有害物質を吸収して排泄するので大腸ガン予防に有効。わかめやこんにゃくなど食物繊維の多い食材と合わせると効果が高まる。切り口に出る白い粉チロシンには健脳効果が。うまみ成分はアスパラギン酸。

食べ合わせ

代表的組み合わせ	ほかにも	効果
たけのこ ＋ セロリー	大根・こんにゃく・わかめ	便秘予防、肥満防止 動脈硬化予防
たけのこ ＋ ひじき	ごぼう・ぜんまい・ふき	大腸ガン予防 高血圧予防
たけのこ ＋ オクラ	小松菜・しいたけ・やまのいも	スタミナ増強 高血圧予防
たけのこ ＋ さつまいも	かぼちゃ・落花生・くるみ	老化防止、健脳効果 イライラの解消

淡色野菜 **葉**

セロリー
celery

イライラを抑える香り成分

独特の香りとシャキシャキした歯ごたえが魅力的な野菜です。ヨーロッパでは強精剤としても使われていました。ビタミンC、B群、ミネラル類、食物繊維などが含まれ、特に葉の部分はカロテンがたっぷり。血液をサラサラにする効果のあるピラジンも含まれるので、葉も捨てずに食べましょう。

茎の筋は食感を損ねるので、包丁を使って上手にはがしましょう。ちなみに薄切りにして塩をし、浅漬けにすると、魅惑の食感と香りを楽しめます。

食品成分表（可食部100gあたり）

エネルギー		12kcal
水分		94.7g
炭水化物		3.6g
無機質	ナトリウム	28mg
	カリウム	**410mg**
	カルシウム	39mg
	リン	39mg
	鉄	0.2mg
	亜鉛	0.2mg
ビタミン	B₁	0.03mg
	B₂	0.03mg
	B₆	0.08mg
	葉酸	29μg
	C	7mg
食物繊維総量		1.5g

おいしいカレンダー ●おいしい時期

11 **12 1 2 3 4 5**

長野、静岡

Data
- 学名：Apium graveolens
- 分類：セリ科オランダミツバ属
- 原産地：ヨーロッパ、西南アジア、インド
- 和名：オランダ三つ葉
- 仏名：céleri
- 別名：セルリー

葉にツヤとハリがあり、あざやかな緑色のもの

内側のくぼみが狭いものがよい

品種群

ホワイトセロリー
水耕栽培で作られた白い小型のセロリ。通常のものに比べ香りが弱く、筋もないので食べやすい。

保存法

葉と茎を分け、それぞれをラップして冷蔵庫に。野菜室で立てて保存すると日もちがいい。茎がしんなりしてきたら根元を冷水につけると、しゃんとする。食べきれないものは、きざんでピクルス（甘酢漬け）にしても。

ストレスを緩和しスタミナを回復。強壮効果も

セロリーと鶏肉の中華炒め

材料
- セロリー…2本
- 鶏もも肉…1枚
- オイスターソース…大さじ1
- 酒…小さじ2
- にんにく…1片
- 塩、こしょう…少々
- ごま油…少々

作り方
1. 鶏もも肉はひと口大に切り、塩、こしょうで下味をつけておく。セロリーは斜め切りにする。
2. フライパンを熱し、油を入れたらにんにくのみじん切りを加え、香りが出てきたら鶏肉を焼く。
3. 肉の両面がこんがりときつね色になったらセロリーを加え、火が通ったら、酒とオイスターソースを加えて味つけする。火を止めてから仕上げにごま油を少々かける。

イライラに有効な野菜

血圧降下作用のあるカリウムや、ストレス解消効果のあるカルシウムを含んでおり、牛乳やチーズといったカルシウムを含む食材と合わせると、神経の高ぶりを抑える効果がアップする。独特の香りにも精神安定作用が。いろいろな栄養素をバランスよく含み、生活習慣病対策に有効な野菜。

食べ合わせ

〈代表的組み合わせ〉 ／ ほかにも

組み合わせ		効能
セロリー ＋ きゅうり	柿・すいか・うど	利尿作用、腎臓病予防 血行促進
セロリー ＋ オクラ	たけのこ・昆布・そば	高血圧予防 血中コレステロール値低下
セロリー ＋ しいたけ	アサリ・キャベツ・じゃがいも	ガン予防 健脳効果
セロリー ＋ 鶏肉	チーズ・卵・カキ	スタミナ強化 強精・強壮効果

celery—セロリー　artichoke—アーティチョーク　kohlrabi—コールラビ

淡色野菜 葉

アーティチョーク
朝鮮あざみ　artichoke

また食べたくなる独特の味わい

新鮮なもののゆでたては、ゆり根やたらのめのような、ほのかな甘みと味わいが。ヨーロッパでは春を告げる野菜として人気です。

カルシウムやカリウムが豊富に含まれ、野菜のなかでは糖質が多いのが特徴。有効成分のひとつ、シナリンには、血中コレステロール値を正常にし、血液を浄化したり胃もたれを解消したり、肝機能を高めたりする効果があるといわれています。

食品成分表（可食部100gあたり）
エネルギー		39kcal
水分		85.1g
炭水化物		11.3g
無機質	ナトリウム	21mg
	カリウム	**430mg**
	カルシウム	52mg
	マグネシウム	50mg
	リン	61mg
	鉄	0.8mg
ビタミン	B₁	0.08mg
	B₂	0.10mg
	ナイアシン	1.2mg
	葉酸	81μg
	C	15mg
食物繊維総量		8.7g

ゆで方
逆さにして塩水に1時間ほどひたし、汚れを取る。深い鍋にたっぷりの湯をわかして塩と酢を加え、アーティチョークを入れて約30分ゆでる。

花托（かたく）と呼ばれる食用部分。葉先はかたいので食べない

ガクがふっくら肉厚で緑の色があざやか

切り口がみずみずしいもの

Data
学名：Cynara scolymus
分類：キク科チョウセンアザミ属
原産地：地中海沿岸
仏名：artichaut
おいしい時期：5月〜6月

コールラビ
蕪甘藍　kohlrabi

豊富なビタミンCが免疫力を高める

形や風味はかぶに似ていますが、地中海沿岸地方が原産のアブラナ科の野菜で、キャベツの一種。緑色種と紅色種があります。根茎のような部分は茎の一部が肥大したもので、ビタミンCはかぶの3〜4倍も含み、美肌づくりや免疫力を高める効果が期待できます。高血圧予防に効果があるカリウムも豊富です。生のままでも食べられ、シチューなど煮込み料理にも合います。

食品成分表（可食部100gあたり）
エネルギー		21kcal
水分		93.2g
たんぱく質		1.0g
炭水化物		5.1g
無機質	ナトリウム	7mg
	カリウム	**240mg**
	カルシウム	29mg
	マグネシウム	15mg
	リン	29mg
	鉄	0.2mg
ビタミン	B₂	0.05mg
	B₆	0.09mg
	葉酸	73μg
	C	**45mg**
食物繊維総量		1.9g

保存法
新聞紙で包んで冷暗所で保存。5日程度。

生でも煮ても炒めても
ポイントは厚い皮をむくだけ。薄くスライスしてサラダに、乱切りにしてポトフに、ベーコンとサッと炒めてもよし。調理方法によって食感は変わるが、ほのかな甘みがじんわり広がる。

Data
学名：Brassica oleracea var. gongylodes
分類：アブラナ科アブラナ属
原産地：ヨーロッパ
和名：カブキャベツ、球茎キャベツ
おいしい時期：12月〜3月

淡色野菜 葉

ルバーブ
rhubarb

消化酵素を含み食後のデザートに最適

フキに似た草姿で、太い葉柄の部分を食べます。漢方薬として知られる大黄の一種。ヨーロッパでは昔から栽培されていて、肉の消化を助ける酵素が含まれているため、食後のデザートとして利用されています。

神経を鎮める働きのあるカルシウム、血流をよくするカリウムがたっぷり。豊富な繊維質は大腸の毒素と余分な脂肪分を取り除き、便秘解消や動脈硬化予防にも役立ってくれます。

食品成分表(可食部100gあたり)

エネルギー		23kcal
水分		92.1g
たんぱく質		0.7g
炭水化物		6.0g
灰分		0.9g
無機質	カリウム	400mg
	カルシウム	74mg
	マグネシウム	19mg
	リン	37mg
ビタミン	A β-カロテン当量	40μg
	B₂	0.05mg
	葉酸	31μg
	C	5mg
食物繊維総量		2.5g

ルバーブジャム
ざく切りにしたルバーブに砂糖をまぶし、しばらく置いて水分が出てきたら火にかける。煮詰まったらレモン汁を加える。砂糖は全体量の6割くらいを目安に。

色あざやかでハリのあるもの

保存法
ラップで密封して冷蔵庫で1日。早めに使いきる。

Data
学名：Rheum rhaponticum
分類：タデ科カラダイオウ属
原産地：シベリア南部
和名：食用大黄、丸葉大黄
仏名：rhubarbe
おいしい時期：5月〜9月

カクタスリーフ
cactus leaf

豊富な食物繊維、血液サラサラ効果あり

ウチワサボテンのなかでトゲがないもの、またはあっても少ない品種を食用にします。食べるのは葉のように見える茎節部で、粘りがあるのが特徴です。

アミノ酸やリン、カルシウムなどの各種ミネラルが豊富に含まれ、不規則な食生活から起こる体調不良を解消する効果が。食物繊維も豊富で、胃腸の働きをととのえる効果も期待できます。

下準備
1. たわしを使って表面を軽く洗う。
2. 切り口を奥にし、手前からトゲをそぎ落としていく。

濃い緑色でハリのあるもの

ぬめりと青臭さが特徴

保存法
ビニール袋に入れて、冷蔵庫の野菜室で。

Data
学名：Opuntia sp.
分類：サボテン科ウチワサボテン属
原産地：北アメリカ南部、中央アフリカ東部、カリブ諸島
和名：うちわサボテン
おいしい時期：周年

rhubarb—ルバーブ　cactus leaf—カクタスリーフ　bean sprout—もやし

発芽野菜 芽

萠 もやし
bean sprout

低カロリーで栄養価の高いヘルシーフード

豆のもつカロリーは消費されていきます。その一方で消化のよい栄養素がたくさん作られるのがもやしです。大幅に増加するのがビタミンCとアスパラギン酸で、血中コレステロール値の低下や、ガンおよび動脈硬化予防、疲労回復を手助けします。血圧を下げる働きのあるカリウムに加え、便秘や糖尿病、大腸ガンなどを予防する食物繊維も豊富です。

豆が発芽し伸張していく過程で、

食品成分表
（緑豆もやし 可食部100gあたり）

エネルギー		15kcal
水分		95.4g
たんぱく質		1.7g
脂質		0.1g
炭水化物		2.6g
無機質	カリウム	69mg
	カルシウム	10mg
	マグネシウム	8mg
	リン	25mg
	鉄	0.2mg
	亜鉛	0.3mg
ビタミン	B₁	0.04mg
	B₂	0.05mg
	葉酸	41μg
	C	8mg

Data
学名：Leguminosae
原産地：中国、インドネシア
おいしい時期：周年

カロリーの差
ゆでたもやしのカロリーを比較すると：緑豆もやし12kcal、ブラックマッペ13kcal、大豆もやし34kcal。大豆もやしは意外と高カロリーである。

緑豆もやし
熱帯地方の植物、緑豆から作ったもやし。現在もっとも多く流通している。

ヒゲ根の白いもの。茶色く変色しているものは古い

保存法
袋のまま冷蔵庫で保存しても1日でビタミンCが30%も減少する。水に浸けて冷蔵庫だと3〜4日で8割も失う。使いきるのがいちばん。

根切りもやし
ヒゲ根を取ると口あたりも見た目もよくなる。近年「根切りもやし」という商品が登場。薬品で処理しているのではと話題になったが、精密機器でカットされた安心な食材になっている。

品種群

ブラックマッペ
流通しているものの主流で、けつるあずきのもやし。

豆もやし
大豆のもやし。たんぱく質が豊富で歯ごたえがある。ナムルに最適。

動脈硬化や心臓病予防のほかに、若返り促進も
ナムル

材料
もやし…1袋
にら…1/2束
にんじん…1/3本
ごま油…大さじ1
しょう油…小さじ1
塩…少々

作り方
1. 鍋に少なめの水と、ヒゲ根を取ったもやしを入れ、ふたをしてゆでる。歯ごたえが残るくらいがよい。
2. にらはサッとゆでて4cmの長さに、にんじんも細切りにしてからゆでておく。
3. ボウルに1と2を入れ、ごま油、しょう油、塩で味をつけ、なじませる。

栄養豊富で高い薬効
美肌効果のビタミンC、エネルギー代謝を高めるビタミンB₁、B₂、カルシウム、造血作用のある鉄を含む。良質なたんぱく質は、筋肉や臓器などを構成する成分となる。大豆もやしには精神を安定させるトリプトファンや、体内組織の修復にかかわるリジンなどの必須アミノ酸が含まれている。

食べ合わせ

代表的組み合わせ	ほかにも	効能
もやし + 大根	やまのいも・かぶ・白菜	胃腸の働きをととのえる　ガン予防
もやし + きくらげ	たまねぎ・ねぎ・セロリー	肥満防止、高血圧予防　動脈硬化・心臓病予防
もやし + アサリ	シジミ・鶏肉・チコリー	肝臓病予防、肥満防止　健脳効果
もやし + レバー	ほうれん草・きくらげ・しいたけ	ガン予防、血行促進　貧血予防

発芽野菜　芽

とうみょう
豆苗
snow peas leaf

ほうれん草をも超える
カロテンを含む

エンドウの若い芽を摘んで食べるのが本来の豆苗ですが、日本ではキヌサヤエンドウなどのタネを発芽させ、もやしのように育てたものが豆苗として流通しています。

とても栄養価の高い野菜で、シャキシャキした食感と豆の豊かな香りを活かす生食か、サッと熱を加えたレア状態がおすすめです。

根元にある豆の色がきれいなら、いちばん下の葉を残すように切って使いましょう。水をやって日あたりのよいところに置いておけば、再収穫できます。

食品成分表(可食部100gあたり)

エネルギー		28kcal
水分		90.9g
たんぱく質		3.8g
炭水化物		4.0g
無機質	カリウム	350mg
	鉄	1.0mg
ビタミン	A　β-カロテン当量	4100μg
	K	280μg
	B₁	0.24mg
	B₂	0.27mg
	B₆	0.19mg
	葉酸	91μg
	C	79mg
食物繊維総量		3.3g

おいしいカレンダー　●おいしい時期
1　2　**3**　**4**　**5**　6

鹿児島、福岡
水耕なら周年おいしい

芽があざやかな緑色で、みずみずしいもの

中華食材の豆苗
土壌栽培したエンドウの若芽を摘んだもの。手間がかかるので中華食材としては高級品。

Data
学名：Pisum sativum
分類：マメ科エンドウ属
原産地：中央アジア〜中近東

📋 保存法
水耕栽培のものは傷みやすいので、乾燥させないようビニール袋に入れ、立てて冷蔵庫へ。1〜2日で使いきる。

🌱 下準備
タネがついている場合があるので、よく水洗いする。

育ちすぎているものはかたくなるので、注意

血液サラサラ効果で動脈硬化予防、骨粗しょう症対策にも
豆苗とホタテのサラダ風

材料
豆苗…1パック
生ホタテ（さしみ用）…3個
オリーブ油…適量
塩…少々
アーモンドスライス…少々

作り方
1. 豆苗は根元を切り、サッと洗ってから耐熱容器に入れ、ラップをゆるめにかけてからレンジで1分ほど加熱。水けをしぼり、冷ましておく。
2. ホタテを薄切りにして皿に並べ、塩をふる。
3. 2の上に1をのせ、オリーブ油をかけ、アーモンドスライスを飾る。

手軽でも栄養たっぷり
さやえんどうやグリーンピースと比べるとカロテンの含有量が格段に多い。またビタミンB₂、C、E、葉酸も多く含む。油といっしょに摂ってカロテンの吸収を高めるか、ごまやナッツ類、ちりめんじゃこなどと合わせると、相乗効果によりガンや動脈硬化の予防、血行促進効果が期待される。

🍴 食べ合わせ

豆苗 + ごま・ナッツ
▶ **健脳効果　若返り効果**

豆苗 + 油揚げ
▶ **ガン予防　便秘解消**

snow peas leaf—とうみょう　sprout—スプラウト

発芽野菜 芽
sprout

スプラウト

ガン予防効果で注目の発芽野菜

スプラウトとは、植物の新芽のこと。タネにはなかったり微量だったりした成分が発芽するときに新たに作られ、成熟した野菜よりはるかに高まる栄養価が注目されています。

特にブロッコリーのスプラウトには、ガン予防効果の高いスルフォラファンが、生長したものの数十倍も含まれていることがわかり、一気に人気者となりました。ガン予防のために食べるなら、1日50gでOKといわれています。

ほかにもいろいろなスプラウトがあるので、食べ比べてみては。

食品成分表
（貝割れ大根 可食部100gあたり）

エネルギー		21kcal
水分		93.4g
たんぱく質		2.1g
炭水化物		3.3g
無機質	カリウム	99mg
	カルシウム	**54mg**
	リン	61mg
	マンガン	0.35mg
ビタミン	A β-カロテン当量	1900μg
	K	200μg
	B₂	0.13mg
	B₆	0.23mg
	C	47mg
食物繊維総量		1.9g

品種群

貝割れ大根
代表的なスプラウト。ピリッとした清涼感があり、安眠をうながす効果もある。

ブロッコリースプラウト
ガン抑制効果が高いスルフォラファンが、ブロッコリーの10倍含まれている。辛みがマイルドで食べやすい。

「スーパースプラウト」
発芽後わずか3日のブロッコリースプラウト。スルフォラファンが、ブロッコリーの20倍と、驚異的。

赤ラディッシュ
赤い色を活かして、サラダなどの彩りにぴったり。ピリリとした辛みもアクセントに。

ひまわり
太めの茎と肉厚な葉が特徴。ビタミンCとEが豊富に含まれている。少しかたいのでサッと湯がいてから。

そば
血管をしなやかにし脳梗塞の予防効果もあるルチンが、そば粉よりも豊富に含まれている。

レッドキャベツ
見た目があざやかなので料理の彩りにはもってこい。胃にやさしいビタミンUを豊富に含む。

にんにく
発芽したにんにくはやわらかくなり、食べやすくなる。このままソテーするだけで前菜に。

発芽ひよこ豆
ゆでるといもや栗のようにホクホクとした食感になる。必ず下ゆでしてから使うこと。

アルファルファ
中央アジア原産の「ムラサキウマゴヤシ」という名の牧草のもやし。栄養価が高く、ダイエット食としても注目されている。

つまみな
昔ながらのスプラウトで雪白体菜や大阪四十日大根の発芽したもの。サッと湯がいておひたしに。

⇒ガン予防、老化防止、整腸作用と美肌効果が
イタリアンカラーサラダ

材料
スプラウト…1パック
モツァレラチーズ…1パック
トマト（中玉）…1個
ドレッシング
　ビネガー…小さじ2
　エキストラバージン
　オリーブ油…大さじ1
　塩　こしょう…少々

作り方
1. スプラウトは根元を切り、よく洗っておく。モツァレラチーズは食べやすい大きさにスライスしておく。
2. ドレッシングの材料をまぜ、さいの目状に切ったトマトを加える。
3. 器に1を盛りつけ、2のドレッシングをかける。

食べ合わせ

スプラウトは生食で
ビタミンの損失を防ぐため、ブロッコリースプラウトや貝割れなど、生食できるものはできるだけ加熱しないまま食べよう。ドレッシングを使うと、脂質でカロテンの、酢でミネラルの吸収が高まる。大豆製品や発酵食品と食べ合わせると、ガン予防の効果がより高まる。

スプラウト  ＋ キムチ
▶ ガン予防、血行促進

スプラウト  ＋ 納豆
▶ 美肌・若返り作用

食用菊

edible chrysanthemum

花類 花

食卓に香りと季節感を届ける

食用を目的に改良され、栽培されたキクを食用菊といいます。一年じゅう出回っていますが、旬はやはり秋で香りのよさが違います。美しい色と香り、シャキシャキした歯ごたえを楽しむもので、食卓に季節感やうるおいを届けてくれます。

ビタミンB₁、B₂などのビタミン類、マンガン、カリウムなどミネラル類が含まれています。民間療法では目の痛みや視力回復に有効とされ、お湯にひたした花をまぶたにのせて疲れ目の回復に使われています。

食品成分表(可食部100gあたり)

エネルギー	25kcal
水分	91.5g
たんぱく質	1.4g
炭水化物	6.5g
灰分	0.6g
無機質	
カリウム	280mg
カルシウム	22mg
リン	28mg
鉄	0.7mg
マンガン	0.36mg
ビタミン	
B₁	0.10mg
B₂	0.11mg
ナイアシン	0.5mg
C	11mg
食物繊維総量	3.4g

おいしいカレンダー ●おいしい時期

8 ●9 ●10 ●11 ●12 1

山形、青森、新潟、秋田

Data
- 学名：Chrysanthemum morifolium
- 分類：キク科イエギク属
- 原産地：中国
- 和名：料理菊、甘菊

品種群

干し菊
花びらを蒸して板状に加工したもの。青森産。豪雪地帯の冬の食文化といえる。

菊の葉
あしらいに使われることがほとんどだが、天ぷらなどにしても食べられる。かなり苦みがある。

「もってのほか」
紅紫色の中輪八重種。山形産のものが多く、こう呼ばれる。地域によって「延命楽」「かきのもと」「おもいのほか」の呼び名も。

「阿房宮(あぼうきゅう)」
黄色の大輪八重種。「阿房ぎく」とも呼ばれる。おもな産地は青森県。

枯れたり、しおれたりしていない、色があざやかで形が美しいものを選ぼう

保存法

しめらせたキッチンペーパーで包み、冷蔵庫の野菜室で。風味が落ちるので早めに使いきるか、ほぐしてゆでたものを板状にして冷凍保存。

ゆで方

花弁は少々の酢を加えた湯でサッと湯がき、すぐに水にとってからざるにあける。

食べ合わせ

高血圧や動脈硬化の予防、頭痛やイライラの解消にも

焼きねぎと菊の花のお吸い物

材料
- 菊の花(花びらをほぐしたもの)…大さじ2
- ねぎ…1本
- だし汁…1カップ
- しょう油…少々

作り方
1. ねぎは3cmの長さに切り、焼き色がつくまでオーブントースターで焼く。
2. 鍋でだし汁を温め1を入れて、しょう油で味をつける。
3. 2に菊の花を加える。

芳香でいやし効果も

鉄分やビタミンEを含むのでビタミンCといっしょに摂ると貧血予防や老化防止になる。酢の物や酢漬けなど、酢といっしょに摂ることが多いが、これはミネラルの吸収が高まるよい食べ合わせ。注目すべきは芳香成分で、神経を鎮めたり、めまいやのぼせを抑えたりする。

食用菊 + カキ・サバ
▶ 貧血予防 老化防止 イライラ解消

食用菊 + わかめ・しょうが
▶ むくみ解消 血圧降下

edible chrysanthemum — 食用菊　　edible flower — エディブルフラワー

花類 花

エディブルフラワー
食用花
edible flower

ビタミン豊富で色による癒し効果もある食用花

エディブルフラワーとは、食べられる花のこと。サラダなどに加えたり紅茶に浮かべたりして、花の色や香り、風味を楽しめます。ビタミンが特に豊富に含まれ、コスモスやナスタチウムにはビタミンA、バラやカーネーションにはビタミンCがたっぷり。食物繊維が豊富で便秘の解消にも役立ちます。花の色によるカラーセラピー効果も認められ、心身ともに元気をくれるナチュラルなサプリメントといえます。

品種群

トレニア
利用するときにはガクを取る。サラダやつまもの、つけ合わせとしても。

せんにちこう
ポンポンのようなユニークな形。ややかたいので、おもに飾りつけに。

コスモス
生食する場合は苦みのあるガクと花芯を取り除いてから。花色が豊富。

ダイアンサス（ナデシコ）
カロテンを多く含む。少々苦みのあるガクをはずして利用。別名ピンク。

ローズ
形を活かしたケーキの飾りつけ、ジャムや飲み物にも。ビタミンCが豊富。

スナップドラゴン（キンギョソウ）
ひらひらとした形が特徴。ビタミンCを多く含む。酸によって発色する色を活かしたメニューも。

ナスタチウム
カロテン、ビタミンC、鉄、カルシウムを多く含む。イライラを鎮めたり、集中力を高めたりする効果がある。花弁だけでなく葉やタネにもピリリとした辛みがあり、タネをすりおろしたものはわさびのように薬味としても食べられる。

🗃 保存法
密閉容器に入れ、冷蔵庫で保存。製氷皿でフラワー入りの氷にしておくのも便利。

✂ 下準備
水か薄い塩水でサッと洗い、水けをよくふき取ってから使うこと。

🍴 食べ合わせ

▼ 美肌効果、老化防止に
フラワーカナッペ

材料
エディブルフラワー（好みのもの）…6個
クラッカー…6枚
クリームチーズ…30g
レモン汁…少々

作り方
クラッカーにクリームチーズを塗り、レモン汁少々をたらした上にエディブルフラワーを飾る。

目からも効果を
ビタミンCが多いのでサラダやマリネに加えて、生のまま利用しよう。カロテンを含むものは油を使ったドレッシングとともに、ミネラル分を含むものは酢を合わせると吸収が高まる。ゼリーに入れると食物繊維が摂れるだけでなく、色も楽しめてヒーリング効果もある。

エディブルフラワー ＋ 油
▶ **粘膜の強化 免疫力アップ**

エディブルフラワー ＋ グレープフルーツ・いちご
▶ **美肌づくり 老化予防**

イタリア野菜

まだまだ見慣れない野菜もいっぱい

南北に細長いイタリアは、地域によって気候風土も違えば、文化も異なっています。とうぜん料理にも、地域の特徴が色濃く反映され「イタリア料理はない。あるのは郷土料理」といわれているほど。それだけに、地元の素材が大切にされています。野菜も例外ではなく、北部の冬の寒さが厳しい地域から、温暖で乾燥した地中海性気候の地域まで、それぞれの気候に合った野菜が作られ、地域の料理に利用されています。

イタリア料理が一般的になるにつれ、日本でもさまざまなイタリア野菜が栽培されるようになり、一般にも手に入りやすくなってきています。

カーボロネロ
結球しないキャベツの一種。トスカーナ地方の特産野菜で、日本では黒キャベツと呼ばれることも。オリーブオイルとの相性がよく、トスカーナ料理では、パスタやスープなどに欠かせない。

プンタレッラ
ローマ地方の代表的な冬野菜のひとつ。チコリーの一種で、食べるのはおもに花茎の部分。縦に細く割って水につけ、クルッと丸まったところに、アンチョビドレッシングをかけていただくのが一般的。ほろ苦い風味が特徴。宮城県がこの野菜の生産普及を積極的におこなっている。

サルシフィ
ごぼうに似た野菜で、アーティチョークに似た味がするともいわれる。オリーブオイルによく合い、炒め物やフリットに。スープなどにも使われる。若葉も食用になり、ほろ苦い風味がサラダにぴったり。

ストリードーロ
おもにイタリアで利用されている伝統野菜。タラゴンやロケットに似た香りがわずかにあり、生のままサラダに使ったり、卵料理やリゾット、スープなどに用いたりする。

ミニパプリカ

小型のパプリカ。皮も実もやわらかく扱いやすい。甘みがあり、生のままでも、蒸したり、ローストしたりしてもよい。サラダやマリネ、詰め物料理などに。

ラディッキョ

北イタリア、トレヴィーソ周辺の特産野菜。ラディッキョとは葉チコリーのこと。食べるのは、外葉で株を包み、軟白化させた芯の部分で、細長い形が特徴。ほろ苦さと歯ざわりを活かしてサラダなどに使われる。

タルティーボ

ラディッキョの一種。トレヴィーソ周辺を代表する高級野菜で、食用にするのは内側の紫色に色づいた芯の部分。畑で育てたのち、水耕で軟白栽培をして芯の部分を生長させるのが一般的。写真は軟白栽培する前のもの。サラダやソテーなどに使われる。

ミラノかぶ

イタリアでもっとも人気が高いともいわれるかぶ。土から出る肩の部分が赤く色づくのが特徴。甘みが強く、肉質は緻密。色を活かして蒸し焼きなどに使われる。

エルバステラ

エルバステラは、イタリア語で「星の草」の意味。シャキシャキとした歯ざわりと、ほろ苦さがあり、おもにサラダに使われる。つぼみも食べられる。

ダンディライオン

ダンディライオン（たんぽぽ）というものの、イタリアン・ダンディライオンは、チコリーの一種。ほろ苦い風味があり、葉と花をサラダに用いる。にんにく風味のソテーも美味。

黒丸大根

黒いのは皮だけで、中身は白。緻密な肉質と強い辛みが特徴で、生でサラダなどに使うときは、水にさらすとよい。ゆでたり焼いたりして加熱すると、ホクホクした食感が味わえる。

黄ニンジン

皮だけでなく中身も黄色。甘くて歯ごたえがよく、あまりにんじん臭さもない。黄色い色は調理しても残る。甘みと色合いを活かして、ポタージュやバーニャカウダーなどに使われる。

ロロロッサ

細かくちぢれた、色あざやかな葉が特徴のイタリアのサニーレタス。ほろ苦さとシャキシャキした食感がもち味で、サラダや料理のつけ合わせに。ベビーリーフも利用される。

チーマデラパ

イタリアのなばなともいえる野菜。葉とつぼみの部分を食べる。独特の苦みと辛み、ナッツのような風味が特徴。オリーブオイルで炒め、パスタやメイン料理のつけ合わせに。

オパールバジル

クローブのような濃厚な香りと濃い紫色の葉が特徴のバジル。酢に漬けると、ルビー色のハーブビネガーができる。サラダに散らしてもよい。花穂も使える。

シナモンバジル

シナモンに似た強い香りをもつバジル。サラダなどの風味づけに。濃紫色のガクと淡紫色の花びらのコントラストが美しい花穂も食用になる。デザートの飾りにしても。

ミニフェンネル

魚料理との相性が抜群のハーブ。独特の甘い香りが魚の臭みを消す。サラダやマリネ、ローストなどに。

ミニビエトラミックス

ビエトラの和名は不断草。一年じゅうかき菜として使えることからついた名前。色の種類がいろいろあり、ベビーリーフのミックスは見た目も美しい。サラダや料理の彩りに。

ビーツ

ビーツはイタリア料理にも使われる。リゾットやパスタなどに用いるほか、丸ごと焼いたり蒸したりしてサラダにも。イタリアで古くから栽培されてきたのは、上下が詰まった形のエジプト種。

ビーツの色は赤が普通だが、外皮がオレンジ色のものも。ちなみに中身は黄色。

シュガーローフ

見た目はロメインレタスに似ているが、葉チコリーの一種。苦みが少なく、甘みが強いのが特徴で、サラダに欠かせない。シャキシャキとした歯ざわりも魅力のひとつ。

伊品種かぼちゃ

ホクホクと甘いものから、水っぽくて甘みのないものまであり、日本よりもはるかに種類が豊富。若いうちに収穫して、ズッキーニと同じように使うものもある。

フリゼグリン

日本ではエンダイブの名で知られている、チコリーの仲間の野菜。レタスよりも歯ざわりがかたく苦みが強い。生のままサラダに使うのが一般的。

Column

蒸す

手作りポン酢、オリーブオイルとバルサミコ酢、にんにくにアンチョビのバーニャカウダー、どれもが蒸し野菜にぴったり。蒸すだけの単純な料理だがそこには体においしい裏打ちがある。現代人は、食材の味や栄養をできるだけ損なわずに食べたいと願っている。この目には見えにくい栄養を無駄なく体に摂り込める調理法のひとつが「蒸す」といえるだろう。

たとえばほうれん草の旬は冬だが、冬場のものは夏に採れるものの3倍のビタミンCを含んでいるそうだ。

そして、そのビタミンCは、調理法によっても摂取できる量に差が出てくる。

ビタミンC、B_1、カリウムのように水に溶けやすい栄養素は、ゆでるより蒸したほうが損失が少なくてすむ。具体的には「炒める：マイナス15%、ゆでる：同25%、蒸す：同40%」の調査結果もある。

油を使わないためカロリーを抑えられ、栄養素も逃げにくい。この調理法には、目に見えない説得力があるようだ。

せいろのふたを上げると、湯気のなかで野菜たちがホクホクと笑っているように見えた。

せいろひとつさえあれば、どんな野菜でもおいしく調理できる。蒸気によってやさしく均一に加熱されることで、甘みや香りがいっそう引き立つ。味つけも自由。世界各地の塩を試すのもいい。かんきつ類をしぼってもいい。

香菜・ハーブを食べる

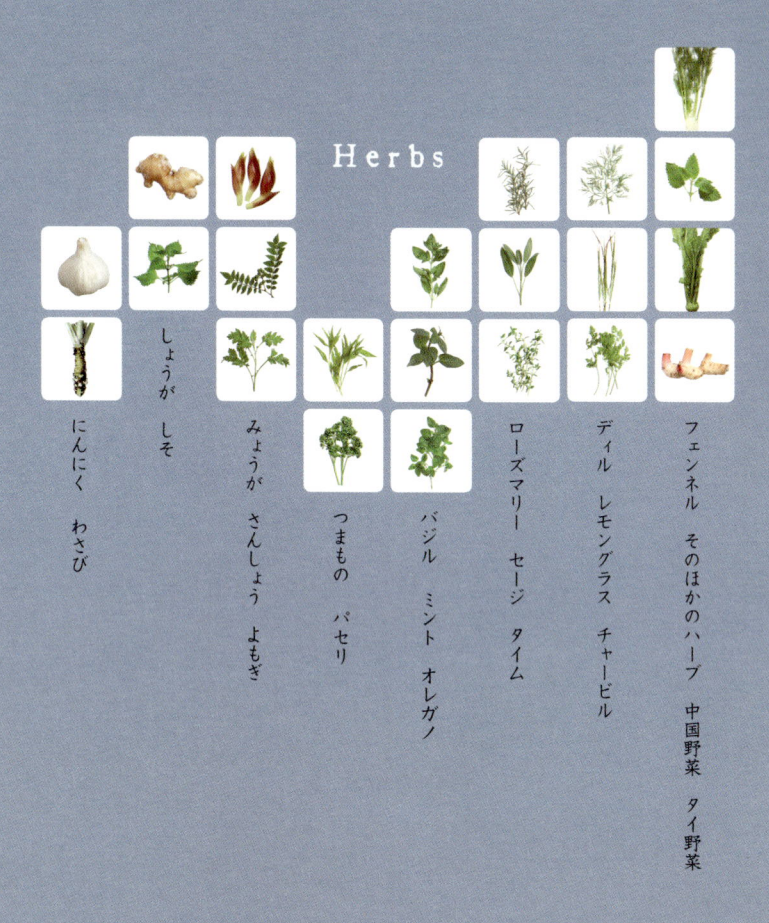

Herbs

にんにく　しょうが　しそ　みょうが　さんしょう　よもぎ　つまもの　パセリ　バジル　ミント　オレガノ　ローズマリー　セージ　タイム　ディル　レモングラス　チャービル　フェンネル　そのほかのハーブ　中国野菜　タイ野菜

香辛野菜 香

にんにく
大蒜 / garlic

疲労回復効果で風邪を吹き飛ばす

イタリア料理や中華料理の香りづけに欠かせないにんにくは、古くから強壮作用をもつ薬用植物として知られてきました。

注目すべき栄養成分は、香りのもとであるアリシン。強い殺菌作用のほか、ガンや血栓を予防する効果があり、さらに体内でビタミンB_1と結びつくとスタミナ回復に効果を発揮します。このアリシンは、切ったりつぶしたりすることで発生するので、上手に調理しましょう。また野菜にはめずらしく、グリンピースなみのたんぱく質を含んでいます。

食品成分表(可食部100gあたり)
エネルギー		129kcal
水分		63.9g
たんぱく質		**6.4g**
炭水化物		27.5g
灰分		1.4g
無機質	カリウム	510mg
	リン	160mg
	鉄	0.8mg
	亜鉛	0.8mg
	マンガン	0.28mg
ビタミン	B_1	**0.19mg**
	B_2	0.07mg
	B_6	1.53mg
	葉酸	93μg
食物繊維総量		6.2g

Data
- 学名：Allium sativum
- 分類：ユリ科ネギ属
- 原産地：中央アジア
- 仏名：ail
- 別名：オオニンニク、オオビル、ヒル

品種群

にんにくの芽 
葉のあとに出る、にんにくの花茎で、中華食材として扱われる緑黄色野菜。

プチにんにく 
中国産。鱗茎が分かれていない一片種のにんにく。味はややマイルド。

イタリア種 
やや小粒。香りが高く、うっすらとピンクがかった肉色が特徴。

フルーティーにんにく 
熟成発酵させたもの。においはなく甘みがある。その抗酸化力は数倍にアップ。

芽が出ていたり、皮が茶色に変色したりしているものは避ける

外皮がしっかりしていて、かたく重みのあるものがよい

保存法
風通しのよい場所につるす。

おいしいカレンダー ●おいしい時期
4 **5 6 7** 8 9
青森、香川、岩手

芽について
にんにく片のなかの芽は焦げやすく刺激も強いので、取り除いたほうが風味がよくなる。

強壮作用、老化防止とともに血液サラサラ効果も

カツオのたたき

材料
- カツオのたたき…1さく
- にんにく…1片
- しょうが…1/2片
- 万能ねぎ…適量
- ポン酢…適量

作り方
1. にんにくとしょうがはすりおろし、万能ねぎは小口切りにする。
2. スライスしたカツオのたたきに1をのせ、ポン酢をかける。

スタミナが持続する
アリシンにはガン予防、スタミナ補給の働きもあり、特にビタミンB_1と結合すると貯蔵性が高まり、疲労回復効果が。しょうがと合わせると香りが弱くなるが効能はアップするので、中華料理ではいっしょに使われることが多い。加熱すると香りが弱まり、アリシンの効果も薄れる。

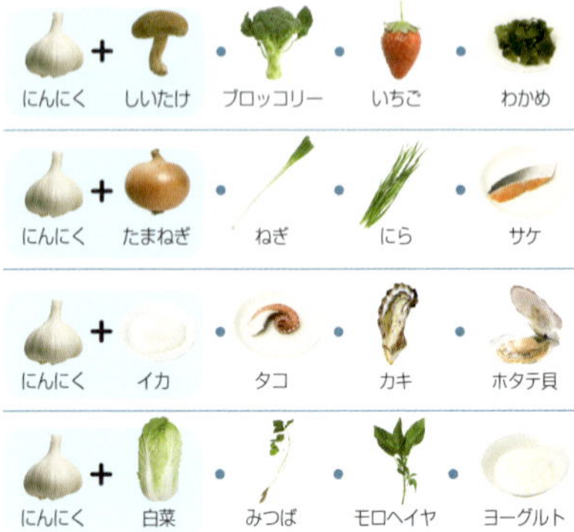

食べ合わせ

〈代表的組み合わせ〉 〈ほかにも〉

にんにく + しいたけ	ブロッコリー	いちご	わかめ	▶ ガン予防 白髪防止、脱毛予防
にんにく + たまねぎ	ねぎ	にら	サケ	▶ 血液サラサラ効果 スタミナ強化
にんにく + イカ	タコ	カキ	ホタテ貝	▶ 強精・強壮効果 肥満防止
にんにく + 白菜	みつば	モロヘイヤ	ヨーグルト	▶ 胃腸を丈夫にする ガン予防、下痢を解消する

garlic—にんにく　Japanese horse-radish—わさび

香辛野菜 | 香

わさび
山葵
Japanese horse-radish

香り高く細菌の増殖を抑える

鼻に抜けるような独特の辛み成分のもとは、強い抗菌・抗カビ作用のあるアリルイソチオシアネート。すりおろすことで、細胞内に含まれるシグニリンという物質が酵素によって分解されてできます。

わさびの力を最大限に引き出すには、おろす前に皮をそぎ、サメの皮など目の細かいおろしでていねいにすりましょう。驚くほどの香りと辛さが得られます。

ちなみにわさびは、60年代や80年代の調査時と比べても、ビタミン、ミネラル類の多くが増えています。

食品成分表（可食部100gあたり）
エネルギー	89kcal
水分	74.2g
たんぱく質	5.6g
炭水化物	18.4g
無機質　ナトリウム	24mg
カリウム	**500mg**
カルシウム	**100mg**
マグネシウム	46mg
リン	79mg
鉄	0.8mg
亜鉛	0.7mg
ビタミン　B₂	0.15mg
ナイアシン	0.6mg
C	**75mg**
食物繊維総量	4.4g

Data
学名：Eutrema japonica
分類：アブラナ科ワサビ属
原産地：日本
おいしい時期：周年
（ただし辛みが増すのは冬）

保存法
水7分目を入れたコップに立て、毎日水を取り換えれば冷蔵庫でも保存できる。

おろしたら少し時間を
さめ肌のおろしがなければ、おろし金で円を描くようにゆっくりおろしたあと、包丁でたたくと香りが引き立つ。すりおろすことで辛みを立ててくれる酵素が働き、少し時間をおくことでさらに辛みが増す。おろし金にアルミはくをかぶせると、少量でも上手におろせる。

部位について
辛みが強いのは根茎部分。おろす際は茎に近い部分から。茎部分を粕漬けにすると、わさび漬けに。

上から下まで同じような太さで、みずみずしい緑色のものがよい
葉茎

畑わさび
水辺ではなく畑で栽培されているわさび。陸わさびともいう。

品種群

沢わさび
山間部の沢などで自生、あるいはわさび田で栽培されたもの。水わさびとも呼ぶ。

花わさび
早春から春に咲くわさびの花にも辛みがあり、食用にされている。おひたしや天ぷらに。

健脳効果や美肌効果、さらに免疫力のアップも
お手軽わさび雑炊

材料
わさび（できればおろしたてのもの）…小さじ1
ご飯…2膳分
なめたけ（びん詰）…大さじ3
卵…1個
だし汁…2カップ
きざみのり…適量
塩…少々

作り方
1. ご飯は水でサッと洗い、ぬめりを落としてざるにあげる。しいたけは薄切りにしておく。
2. 鍋でだし汁を温めて、なめたけを入れ、サッと煮たら中火にしてご飯を加える。
3. 塩を入れて味を調えたら、溶き卵を流し入れ、火を止める。器に盛ってから、きざみのりとわさびを盛りつける。

辛み成分はおろしたてで
目の細かいもので手早くおろすと、多くの細胞膜が壊されて辛み成分が増え、殺菌効果が高まる。わさびはアブラナ科の植物なので、ブロッコリーやキャベツ同様高いガン予防効果がある。ビタミンCはレモンの1.5倍とたっぷりと含んでいるので、相乗効果が期待できる。

食べ合わせ

代表的組み合わせ	ほかにも			効果
わさび + 酢	からし	しょうが	梅干し	食中毒予防、肥満防止、血行促進
わさび + 白菜	キャベツ	モロヘイヤ	やまのいも	胃・十二指腸潰瘍予防、ガン予防効果
わさび + たまねぎ	せり	ねぎ	にら	動脈硬化予防、健脳効果、心臓病予防、美肌づくり
わさび + 唐辛子	梅干し	オレンジ	グレープフルーツ	食欲増進、疲労回復、美肌づくり、老化防止

香辛野菜 香

しょうが
生姜 ginger

代謝を活発にし抗菌、抗酸化力が

世界じゅうで広く利用されている薬効の高い植物です。さわやかな辛みの主成分はジンゲロールで、加熱するとショウガオールに変化します。どちらも血行をよくし体を芯から温めるので、風邪のひき始めや冷え性、生理痛にも有効です。

また、魚や肉などの臭みをとる消臭作用、細菌の増殖を抑える抗菌作用や抗酸化作用が高く、老化やガンを予防する効果も期待できます。

丸のままなら日もちもしますが、乾燥すると繊維が目立つので、おろして冷凍するなどの工夫を。

Data
- 学名：Zingiber offcinale
- 分類：ショウガ科ショウガ属
- 原産地：熱帯アジア
- 仏名：gingembre

食品成分表（可食部100gあたり）

エネルギー	28kcal
水分	91.4g
たんぱく質	0.9g
炭水化物	6.6g
灰分	0.7g
無機質 ナトリウム	6mg
カリウム	**270mg**
カルシウム	12mg
マグネシウム	**27mg**
リン	25mg
鉄	0.5mg
マンガン	5.01mg
ビタミン B₁	0.03mg
B₂	0.02mg
食物繊維総量	2.1g

おいしいカレンダー ●おいしい時期
5 **6 7 8** 9 10
- 葉しょうが：千葉、静岡、埼玉
- 根しょうが：高知、千葉

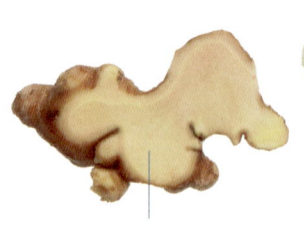

根しょうが
通年出回る根しょうがは、秋に収穫して貯蔵してあるもの。辛みが強い。

ふっくらと形よく、皮に傷のないもの。かたいものを選ぶ

切り口が濃い黄色のものは、さわやかな香りと辛みがさらに強い

品種群

葉しょうが
新しい根を葉つきのまま収穫する。茎をつけたままみそをつけて食べたり、甘酢に漬けたりしても。谷中しょうがともいう。

新しょうが
初夏に出回る、みずみずしい根しょうが。茎のつけ根があざやかな紅色をしている。

保存法
保存びんやタッパーなどに、しょうががかぶる量の水を入れ冷蔵庫で保存。すりおろしたものは冷凍保存も可。

はじかみとは
焼き魚などに添える、甘酢漬けの葉しょうがをはじかみというが、これは「端赤み」に由来している。ただし、さんしょうも「はじかみ」と呼ばれる場合がある。

食べ合わせ

冷えや吐き気、ガン予防にも
辛み成分ショウガオールには DNA（遺伝子）が傷つくのを防ぐ働きや、血中コレステロールを減らす働きがある。胃液の分泌を促進し、食欲を増進する。独特の香りジンギベレンには健胃、解毒作用も。薬効や香りはしょうがを細かくきざむほど高まるので、おろして使うのが有効。

〈代表的組み合わせ〉	〈ほかにも〉	効能
 しょうが ＋ レモン	みかん・いちご・キウイフルーツ	▶ 美肌づくり、肥満防止 ストレス解消
 しょうが ＋ キャベツ	ブロッコリー・カキ・モロヘイヤ	▶ 胃潰瘍予防 十二指腸潰瘍予防
 しょうが ＋ たまねぎ	ねぎ・きくらげ・牛乳	▶ 血行促進、高血圧予防 動脈硬化予防
 しょうが ＋ やまのいも	米・大根・鶏肉	▶ 食欲増進、老化防止 消化を助ける

血行促進効果があり冷え性緩和に最適
しょうがミルク

材料
- しょうが…1/3片
- 牛乳…1カップ（1人分）
- はちみつ…小さじ1

作り方
1. 鍋に牛乳を入れ、薄切りにしたしょうがを加えて、ふきこぼれないよう弱火でゆっくり加熱する。
2. 火を止めてから、はちみつを入れて、よくまぜる。

ginger—しょうが　perilla—しそ

香辛野菜　葉

しそ
紫蘇 Perilla

この栄養価で食べないのは損

薬味やさしみのつまとして利用される青じその葉は、添え物にしておくのはもったいないほど栄養豊富。ビタミン、ミネラル類が多く、特にカロテンとビタミンB_2、カルシウムの量は野菜のなかでもトップクラスです。赤じそも、ほかのカロテンの量が少ないだけで、ほかの栄養成分は青じそと変わりません。

最近注目を集めているのは赤じその葉に、より多く含まれるロズマリン酸です。ポリフェノールの一種で、アレルギー症状を緩和する効果に期待がもたれています。

食品成分表（可食部100gあたり）
- エネルギー ……… 32kcal
- 水分 ……… 86.7g
- 炭水化物 ……… 7.5g
- 無機質
  - カリウム ……… 500mg
  - カルシウム ……… 230mg
  - 鉄 ……… 1.7mg
  - マンガン ……… 2.01mg
- ビタミン
  - A β-カロテン当量 ……… 11000μg
  - K ……… 690μg
  - B_1 ……… 0.13mg
  - B_2 ……… 0.34mg
  - 葉酸 ……… 110μg
  - C ……… 26mg
- 食物繊維総量 ……… 7.3g

おいしいカレンダー ●おいしい時期
- 青じそ：6・7・8・9・10
- 赤じそ：7・8
  - 愛知、群馬

Data
- 学名：Perilla frutescens var. crispa
- 分類：シソ科シソ属
- 原産地：中国
- 仏名：perilla de Nankin

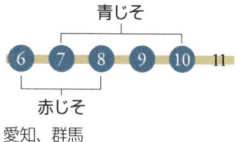

葉先までピンとしていて、葉や切り口が変色していないもの

緑色が濃く、みずみずしいもの

保存法
しめらせたキッチンペーパーで包み、ビニール袋に入れて冷蔵庫の野菜室へ。小分けにしたほうがより水分を保てる。

しその実
花穂から実をしごいて取り、塩漬けやしょう油漬けを作っておくと重宝。即席漬けやおにぎりに。

血行促進、肥満防止。免疫力アップでアレルギー体質も解消へ

しそのしょう油漬け

材料
- 青じそ…20枚
- たれ
  - しょう油…大さじ2
  - 砂糖…小さじ1
  - にんにく…1/2片
  - しょうが…少々
  - 粉唐辛子…小さじ1/3
  - すりごま…小さじ1/2

作り方
1. たれの材料を合わせておく。
2. しその葉をよく洗い、水けをふきとったら、1を葉の片面に塗り、重ねていく。
3. 密閉容器に入れ冷蔵庫で保存。1～2日後が食べごろ。

品種群

赤じそ
おもに梅干しの色つけ用として6月～8月だけ出回る。酢などに浸けるとあざやかな赤色に。

エゴマ
しその変種。その独特な香りは韓国料理で好まれており、焼き肉といっしょに食される。

紫芽（むらめ）
紫芽は赤じその若い芽のこと。青じその若芽は青芽と呼ぶ。

穂じそ
しその花穂。さしみのつまや薬味などに利用される。

香り成分に高い薬効が

香り成分ペリルアルデヒドには高い抗酸化作用と防腐効果があるので、さしみに添えることで食中毒の予防に。葉を細かくきざむことで、薬効がいっそう高まる。しその実から採ったしそ油にはαリノレン酸が豊富で、血行促進や脳卒中予防のほか、その抗アレルギー効果も期待できる。

食べ合わせ

代表的組み合わせ	ほかにも			効能
 しそ + 牛乳	わかめ	きくらげ	小松菜	不安・イライラの解消　動脈硬化予防
 しそ + カキ	レバー	ほうれん草	シジミ	貧血予防　ガン予防
 しそ + しょうが	酢	梅干し	わかめ	殺菌作用、血行促進　肥満防止
 しそ + ぜんまい	キウイフルーツ	しめじ	茎わかめ	ガン予防、美肌づくり　生活習慣病予防

香辛野菜 香

みょうが
茗荷　Japanese ginger

夏バテ予防に薬味以外でも食べて

その歴史は古く、3世紀に書かれた『魏志倭人伝』にも記載されているほど。ほかにも若い茎を軟白栽培したみょうがたけがあります。

さわやかな独特の香りの成分はαピネンで、食欲を増し消化を助ける効果や、血行をよくして発汗をうながす作用、さらには眠気を覚ます効果もあります。また熱冷ましの効果もあるので、温暖化が進む過酷な夏にはうってつけ。

きざんで削り節としょう油をかける、みそ汁の具にする、など手軽に一品できるのも魅力です。

食品成分表（可食部100gあたり）

エネルギー		11kcal
水分		95.6g
たんぱく質		0.9g
炭水化物		2.6g
灰分		0.8g
無機質	**カリウム**	**210mg**
	カルシウム	**25mg**
	マグネシウム	30mg
	鉄	0.5mg
	亜鉛	0.4mg
	マンガン	1.17mg
ビタミン	B₁	0.05mg
	B₂	0.05mg
	B₆	0.07mg
食物繊維総量		2.1g

Data
- 学名：Zingiber mioga
- 分類：ショウガ科ミョウガ属
- 原産地：アジア東部

おいしいカレンダー　●おいしい時期

| 5 | 6 | 7 | 8 | 9 | 10 |
みょうが：高知、秋田、奈良

| 1 | 2 | 3 | 4 | 5 | 6 |
みょうがたけ：宮城、奈良

保存法
しめらせたキッチンペーパーで包んで冷蔵庫の野菜室へ。10日ほどが目安。丸のまま冷凍保存も可。

品種群

みょうが竹
みょうがの若い茎を軟白栽培し、ほんの少しだけ日にあてて赤みを帯びさせたもの。旬は春。

中身がよく詰まっているもの

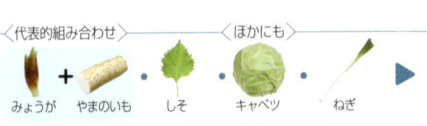

色ツヤがよく、ずんぐりとした丸みがあり、身がしまっているもの。つぼみが見えないもの

みょうがのつき方
写真のように、みょうが（花蕾）は地下茎から延びて地上に出てくる。やがて白い花を咲かせるが、花が咲いたものはふかふかになり、食べごろをすぎている。

疲労を除去し気分をすっきりと
みょうがのみそ漬け

材料
- みょうが…1パック
- 田舎みそ…50g
- みりん…大さじ2

作り方
1. みそをみりんで溶きのばし、きれいに洗ったみょうがを漬け込む。
2. 翌日以降、食べられる。

αピネンが体を温める
精油成分αピネンは針葉樹にも含まれており、リラックス効果とともに発汗を促進し、血液循環を調整する働きがある。みょうがをきざんで、同じく細かく切ったしょうがと合わせて薬味として食べると、体が温まり、冷えに有効。なおαピネンは揮発性なので生食のほうが薬効が高い。

食べ合わせ

代表的組み合わせ	ほかにも			効能
みょうが + やまのいも	しそ	キャベツ	ねぎ	食欲増進、老化防止 ガン予防
みょうが + わかめ	サバ	イワシ	豆腐	高血圧・心臓病予防 健脳効果
みょうが + ウナギ	カキ	にんにく	たまねぎ	疲労回復、ガン予防 スタミナ強化
みょうが + きゅうり	セロリー	カキ	とうがん	利尿作用 腎臓病予防

Japanese ginger—みょうが　Japanese pepper—さんしょう　mugwort—よもぎ

香辛野菜 香

さんしょう
山椒 Japanese pepper

シャープな風味が体に効く

古くから利用されてきたミカン科の植物で、「木の芽」と呼ばれる若芽から、果実、タネ、さらには、はじけた果実の皮や樹皮まで使われます。しびれる辛みのもとはサンショオールという成分。食欲の増進や、胃腸の働きを活発にする効果があります。同属の花山椒は、さらに香り高く舌がしびれる辛さ。中国では、これを麻辣と呼び、麻婆豆腐には欠かせないクセになる味です。

食品成分表
（粉さんしょう100gあたり）
- エネルギー……375kcal
- 水分……8.3g
- たんぱく質……10.3g
- 脂質……6.2g
- 炭水化物……69.6g
- 灰分……5.6g
- 無機質
  - **カリウム……1700mg**
  - **カルシウム……750mg**
  - マグネシウム……100mg
  - リン……210mg
  - 鉄……10.0mg
  - 銅……0.33mg
- ビタミン　A　β-カロテン当量……200μg
  - B₂……0.45mg

品種群
南洋さんしょう
オオバゲッキツ。別名カレーツリーとも呼ばれ、南インドやスリランカではカレーの風味づけに使われる。

香りの強い外皮を使う。なかのタネは苦みがあって食用にはしない。

木の芽は手のひらにのせ、軽くたたいて香りを立たせてから使う。

Data
- 学名：Zanthoxylum piperitum
- 分類：ミカン科サンショウ属
- 原産地：東アジア、北アメリカ
- 仏名：poivrier du Japon
- 別名：ハジカミ
- おいしい時期：
  - 木の芽　3月〜5月
  - 青ざんしょう　6月〜7月
  - 実ざんしょう　11月

よもぎ
蓬 mugwort

カロテンと食物繊維が豊富

草もちや草だんごにしていただくのが一般的ですが、沖縄には苦みの弱い「にしよもぎ」という種類があり、炊き込みご飯に入れたり、肉汁や魚汁の臭み消しとして利用されたりしています。カロテンや、ビタミンやカリウム、鉄分も多く含まれています。また古くから、下痢や吐き気を抑えるほか、止血や鎮痛にも効果のある薬草として使われてきました。

食品成分表（可食部100gあたり）
- エネルギー……43kcal
- 水分……83.6g
- たんぱく質……5.2g
- 炭水化物……8.7g
- 無機質
  - **カリウム……890mg**
  - カルシウム……180mg
  - リン……100mg
  - 鉄……4.3mg
- ビタミン　A　β-カロテン当量……5300μg
  - K……340μg
  - B₁……0.19mg
  - B₂……0.34mg
  - C……35mg
- 食物繊維総量……7.8g

保存法
しめらせたキッチンペーパーで包んでからビニール袋に入れ、冷蔵庫の野菜室で1〜2日。

下準備
塩ゆでし、水にさらしてよくしぼる。春先の新芽はアクがないが、よく育ったものはアクが強いので、ゆでる際に重曹を使うとよい。

葉裏には白色の綿毛が密生している。この綿毛を乾燥させたものが、お灸のもぐさ

Data
- 学名：Artemisia indica
- 分類：キク科ヨモギ属
- 原産地：イスラエル、北アフリカ
- 別名：モチグサ、フツ、モグサヤ、イトグサ、ヨゴミ、フーチバー
- おいしい時期：周年

香辛野菜 香

つまもの

実用性もある料理の彩り

料理を美しく彩り、おいしく見せるために添える葉や花、野菜などを「つまもの」と呼びます。もみじの葉や桃の花のように料理を彩るために用いられるもののほか、タデやつま菊などのように、彩りを添えるだけでなく食べられるものもあります。木の芽（さんしょうの若芽）やパセリ、穂じそ（未熟な実をつけた、しその花穂）などもつまものの一種で、その風味が口直しになるほか、さしみなど生ものの臭み消しや、解毒などの効果があります。

● 保存法

どれも適度なしめりけを保たせ、ビニール袋に入れて冷蔵庫の野菜室へ。

つまもので町おこし

南天の葉、山桜のつぼみ、はらん、といった季節の葉ものや枝ものを、注文に応じて町民たちが山から採取し、都会の料亭などへつまものとして出荷——徳島県勝浦郡上勝町は、この「葉っぱビジネス」で高齢者ばかりの過疎の村に活気を取り戻した。

芽たで

ベニタデの双葉。ピリッとした辛みがあり、さしみのつまによく使われる。

葉たで

ササタデの幼苗。アユの塩焼きに添える。タデ酢は、ササタデの葉をすりおろして酢をまぜたもの。

Data
学名：Persicari hydropiper
分類：タデ科タデ属
原産地：北半球
別名：ホンタデ、マタデ
おいしい時期：
　葉たで 5月〜10月
　芽たで 周年

小菊

食用菊の一種。さしみのつまなどとして用いられる。

Data
学名：Dendranthema grandflorum
分類：キク科イエギク属
原産地：中国
おいしい時期：9月〜12月

はまぼうふう

香りのよいセリ科の植物で、若芽がさしみのつまなどに利用される。

Data
学名：Glehnia littoralis
分類：セリ科ハマボウフウ属
原産地：日本、中国
別名：ヤオヤボウフウ、イセボウフウ、ヤマボウフウ
おいしい時期：
　若芽、若葉 3月〜4月
　根 7月〜10月

つまもの parsley—パセリ

パセリ
parsley

香辛野菜 香

非常に凝縮された栄養価の高さ

従来からのちぢれ葉種（カーリーパセリ）に加え、最近ではより香りの強い平葉種のイタリアンパセリも一般的になってきています。

カロテンやビタミン類、鉄などのミネラルが驚くほど多く、食物繊維も豊富です。消化をよくする、口臭を予防する効果、強力な利尿作用のほか、ドイツでは結石の治療に用いられています。薬味やつまもの以外にも利用法はたくさん。急速に凍らせてふりかけたりペースト状にしたりすれば、効能の高い天然サプリメントになります。

食品成分表（可食部100gあたり）

エネルギー		34kcal
水分		84.7g
炭水化物		7.8g
無機質	カリウム	1000mg
	カルシウム	290mg
	マグネシウム	42mg
	鉄	7.5mg
ビタミン	A β-カロテン当量	7400μg
	K	850μg
	B1	0.12mg
	B2	0.24mg
	葉酸	220μg
	C	120mg
食物繊維総量		6.8g

Data
- 学名：Petroselium crispum
- 分類：セリ科オランダゼリ属
- 原産地：地中海沿岸
- 和名：オランダぜり
- 仏名：persil
- おいしい時期：周年

カーリーパセリ
日本では主流のちぢれ葉パセリ。光沢があり、ちぢれが多く、色が濃いものを選ぼう。

品種群

イタリアンパセリ
平葉種のパセリ。さわやかな芳香があり、ちぢれ葉種に比べて香りや味にクセがないのが特徴。

- 葉色が濃くつやのあるもの
- 茎がみずみずしく、ハリのあるもの

保存法
ビニール袋に入れて冷蔵庫の野菜室に。コップにさしたまま冷蔵庫保存でもよい。みじん切りにして、電子レンジで乾燥させておくと便利。

便利な冷凍パセリ
使いきれなかったときはみじん切りにして保存容器に入れ、冷凍しておくと重宝。オムレツやスープなどに。

骨粗しょう症予防、集中力のアップに
簡単パセリふりかけ

材料
- パセリ…1束
- ちりめんじゃこ…大さじ1
- 炒りごま…小さじ1
- 削り節…大さじ1
- しょう油…適量

作り方
1. パセリはみじん切りにする。
2. フライパンを弱火にかけ、じゃこを空炒りし、パセリを加えて炒りつける。
3. パラリとしてきたら、ごまと削り節を加え、しょう油をサッと回しかけて火を止める。

食べ合わせ

栄養価の高い万能選手
ビタミンB群、C、E、カロテン、鉄、カルシウム、食物繊維など栄養成分を多く含み、抗酸化作用やさまざまな効果がある。濃い緑色に含まれるクロロフィルには、貧血予防や血中コレステロール値を下げる効果のほか、口臭や体臭を防ぐ効果も。特有の香りには消化促進や食欲増進作用が。

代表的組み合わせ	ほかにも	効果
パセリ + そば	みかんの皮	血行促進、血管に弾力を与える 高血圧・動脈硬化予防
パセリ + にんじん	ピーマン・サケ・桜エビ	ガン予防、風邪予防 免疫力強化
パセリ + 落花生	大豆・ウナギ・玄米	血行促進 老化防止
パセリ + 牛乳	ヨーグルト・海藻・ちりめんじゃこ	歯や骨を丈夫にする 集中力強化、精神安定

バジル
basil

緑黄色野菜・香辛野菜　香

濃厚な香りに加え たくさんの健康効果が

トマトとの相性がよく、イタリア料理に欠かせないシソ科のハーブですが、タイ料理や台湾料理などにも使われます。一般的なスイートバジルのほか、レモンの香りをもつものや紫色のものなど、品種もさまざまです。

香りのもとになっているリナロールなどの精油成分には、リラックス効果や集中力を高める効果、食欲をうながし、胃腸の働きをよくする効果があります。もちろん、野菜のなかでもトップクラスの栄養成分が含まれている、健康食材です。

食品成分表（可食部100gあたり）

エネルギー		21kcal
水分		91.5g
炭水化物		4.0g
無機質	カリウム	420mg
	カルシウム	240mg
	マグネシウム	69mg
	鉄	1.5mg
	マンガン	1.91mg
ビタミン	A β-カロテン当量	6300μg
	K	440μg
	B₁	0.08mg
	B₂	0.19mg
	C	16mg
食物繊維総量		4.0g

おいしいカレンダー ●おいしい時期
6　**7**　**8**　9　10　11

フランス、イタリア、スペイン

Data
- 学名：Ocimum basilicum
- 分類：シソ科メボウキ属
- 原産地：インド、熱帯アジア
- 和名：メボウキ
- 伊名：basilico

保存法
水にさして1〜2日、または葉だけを冷凍や塩漬けに。あるいは細かくきざんでオリーブオイルと塩でバジルオイルにするのもよい。

葉の色が濃く、ハリのあるもの

茎がしっかりしているものは、香りが強い

スイートバジル
もっともポピュラーな品種。香りが高く葉はやわらかい。

バジルオイル
ちぎったバジル、にんにく、唐辛子をびんに入れ、オリーブ油を注ぎ、香りを移す。サラダ、ピザ、パスタ、マリネ、焼き肉、焼き魚などに。

食欲増進、ガン予防、動脈硬化予防にも
バジルと鶏肉のタイ風炒め

材料
- バジルの生葉…8枚
- 鶏ひき肉…100g
- 赤ピーマン…1個
- にんにく…1片
- 唐辛子（輪切り）…小さじ1
- サラダ油…適量

調味料
- ナンプラー…小さじ1
- オイスターソース…小さじ1
- 酒…小さじ1
- チキンスープ…50cc
- 砂糖…少々

作り方
1. 赤ピーマンは粗みじんに切り、にんにくはつぶしておく。調味料は合わせておく。
2. フライパンを熱し、油をひいて、にんにくと唐辛子を炒め、香りが出てきたら鶏ひき肉を炒める。火が通ったらスープを加えて、ひと煮立ちさせる。
3. 2にピーマンを加え、さらにスープ以外の調味料を加えて汁けがなくなるまで煮詰め、最後にバジルの葉を入れて火を止める。

鎮静作用のある香り
栄養成分としてはカロテンが多いのが特徴。スパイシーな香りはリナロール、カンファー、オイゲノールといった精油成分で、いずれも鎮痛、抗菌、防虫効果があり、高い薬効を期待できる。胃腸を温め消化を促進し、胃もたれを改善する効果もあるので、脂っこい食材と合わせるのも。

食べ合わせ

バジル + トマト・にんにく
▶ ガン予防　老化防止

バジル + ひじき・レバー
▶ 骨粗しょう症予防

basil—バジル　mint—ミント

ミント
mint

ハーブ 香

さわやかな香りで気分転換

世界じゅうに広く分布するシソ科のハーブで、種類がたくさんあり、精油成分も異なります。
甘い香りのスペアミントの主成分はカルボン。ベトナム料理でよく使われるのも、この種類です。
スッとした強い香りがするペパーミントの主成分は、メントール。どちらもミントソースやお菓子、ビネガーの香りづけやお茶にするなどして食します。いずれも気分転換やリラックスの効果があります。
ペパーミントには、消化を助ける効果があり、風邪にも効きます。お茶にして飲むとよいでしょう。

Data
学名：Mentha
分類：シソ科ハッカ属
原産地：地中海沿岸、ヨーロッパ、アジア東部
おいしい時期：6月〜9月

品種群

スペアミント
甘い香りが特徴。クセがないので料理に使いやすい。

パイナップルミント
甘くフルーティーな香り。料理や飲み物の香りづけに。

日本ハッカ
日本に自生するミント。メントールの含有率が高い。

ジンジャーミント
スパイシーな香り。黄色のまだらが入るのが特徴。

アップルミント
青りんごに似た甘い香り。葉はやわらかくうぶ毛あり。

ペパーミント
すっきりとした香りが特徴。お茶や料理に。

葉がみずみずしく、全体にハリのあるものが新鮮

保存法
水にさして毎日水を取り換えれば、常温で長く保存できる。アイスキューブに入れ、夏のハーブティーに利用するのもよい。

おいしいカレンダー ●おいしい時期
5　6　7　8　9　10
アメリカ、フランス、イギリス

食欲増進に
サンマのソテー、ミント添え

材料
サンマ…1尾
ミントの生葉…適量
塩　こしょう…少々
小麦粉…少々
にんにく…1片
オリーブ油…適量

作り方
1. サンマは三枚におろし、塩、こしょうで下味をつけてから小麦粉を軽くまぶす。
2. フライパンにオリーブ油とつぶしたにんにくを入れ、香りが移ったら1をこんがりと焼く。
3. 器に2を盛り、たっぷりのミントを飾る。

食べ合わせ

メントールでリフレッシュ
精油成分のメントールには強壮や消化促進作用があるほか、胃のむかつきを抑え胃潰瘍を予防する効果が。また鎮痛作用があるため湿布などにも用いられます。最近ではその殺菌効果が注目され、食中毒予防のためにも利用されている。食後の温かいミントティーで口内も胃腸もさっぱりと。

ミント ＋ サンマ
▶ 食欲増進　消化促進

ミント ＋ コーヒー
▶ 目覚めをよくする　血行促進

ハーブ 香

オレガノ
oregano

風邪による のどの痛みに

トマトやチーズ、肉類との相性がよく、イタリア料理やメキシコ料理に欠かせないシソ科のハーブ。ピザやミートソース、オムレツなどに。乾燥させたほうが香りが強くなります。おもな精油成分は、チモール、オリガネン、カルバクロールなど。消化を助けるほか、殺菌消毒作用があり、風邪や気管支炎、頭痛や生理痛、疲労回復にも効果があるといわれています。

● 保存法
水にさして2〜3日。葉を乾燥させるか冷凍保存。オイルや酢に漬けて香りを移してもよい。

花が咲く直前のものが香りが強い。咲いたあとは風味が落ちる

ドライハーブの作り方
オーブントースターを温めておき、スイッチを切ってから余熱で乾燥させる。短時間で乾燥させるのが色よく仕上げるコツ。ざるでこすと、目の細かいきれいなハーブができあがる。

Data
学名：Origanum vulgare
分類：シソ科ハナハッカ属
原産地：地中海沿岸
和名：花薄荷（はなはっか）
仏名：origan
別名：ワイルドオレガノ
おいしい時期：5月〜10月

ローズマリー
rosemary

森の香りで 頭すっきり

シソ科のハーブで、鳥肉や羊肉、じゃがいもなどの料理によく合います。肉の臭みを抑え、殺菌作用もあるため肉料理に重宝されます。おもな精油成分はピネン、ボルネオール、カンファー、シネオールなど。消化促進、殺菌、強壮などの作用があり、ヨーロッパでは医療にも用いられています。繁殖力が強いので、ベランダや庭で生長を楽しめるうえ、美容にも効果があるすぐれものです。

色が濃くあざやかなもの

葉が肉厚なもの

● 保存法
水にさして2〜3日。あるいは乾燥保存する。

スチームフェイシャルで薬効を楽しむ
ボウルやたらいにローズマリーを入れ、熱湯を注ぐ。精油成分が香り立ち、リラックスできるとともに美肌や若返り効果が。

Data
学名：Rosmarinus officinalis
分類：シソ科マンネンロウ属
原産地：地中海沿岸
仏名：romarin
別名：迷迭香（まんねんろう）、シーデュー
おいしい時期：5月〜9月

oregano―オレガノ　rosemary―ローズマリー　sage―セージ　thyme―タイム

ハーブ　香

セージ
sage

薬箱のようなハーブ

独特の薬臭い香りをもつシソ科のハーブで、多くの品種があります。肉の臭みを消し、同時に消化も助けてくれます。豚肉や内臓肉などの料理に使うと、肉の臭みを消し、同時に消化も助けてくれます。ツヨン、カンファー、シネオールなどの精油成分を含み、古代から万病に効くハーブとして利用されてきました。防腐、殺菌消毒、強壮、精神安定、発汗抑制作用などがあるといわれています。

葉が肉厚で、ビロード状のうぶ毛がある。葉先までハリのあるもの

食品成分表（粉末100g あたり）
エネルギー	377kcal
水分	9.2g
脂質	10.1g
炭水化物	66.9g
無機質　ナトリウム	120mg
カリウム	**1600mg**
カルシウム	**1500mg**
マグネシウム	270mg
リン	100mg
鉄	50.0mg
マンガン	2.85mg
ビタミン　A　β-カロテン当量	1400μg
B₂	0.55mg
ナイアシン	2.7mg

セージの仲間
セージの仲間はじつに種類が多く、○○セージの名がついているものや、サルビア○○と呼ばれているものもある。花色や葉の質感はさまざまで、多くは観賞用。食用にされているのは「コモンセージ」や「薬用セージ」と呼ばれている数種。

保存法
乾燥させて保存。香りがいっそう強くなる。

Data
学名：Salvia officinalis
分類：シソ科アキギリ属
原産地：地中海沿岸、北アフリカ
仏名：sauge
別名：ガーデンセージ
おいしい時期：5月～10月

タイム
thyme

肉料理などの消化を助ける

加熱しても風味が落ちないのが特徴で、スープストック、シチュー、マリネなどさまざまな料理に利用できるシソ科のハーブです。肉類など、脂肪分の多い食物の消化を助けます。おもな精油成分は、チモール、カルバクロールなど。強い殺菌防腐作用がありり、うがい薬としても使われています。お茶にすると発汗をうながすので、風邪からの回復が期待できます。

食品成分表（粉末100g あたり）
エネルギー	342kcal
水分	9.8g
たんぱく質	6.5g
炭水化物	69.8g
灰分	8.7g
無機質　カリウム	980mg
カルシウム	**1700mg**
マグネシウム	300mg
鉄	110.0mg
亜鉛	2.0mg
マンガン	**6.67mg**
ビタミン　A　β-カロテン当量	980μg
B₂	0.69mg
ナイアシン	3.4mg

ブーケガルニ
タイムの枝、パセリの茎、ローリエの葉をひもでくくったもの。煮込み料理の風味づけに。

保存法
水にさして2～3日。あるいは乾燥保存。酢やオイルに香りを移してもよい。

Data
学名：Thymus vulgaris
分類：シソ科イブキジャコウソウ属
原産地：ヨーロッパ
仏名：thym
別名：百里香（ひゃくりこう）、ガーデンタイム
おいしい時期：5月～10月

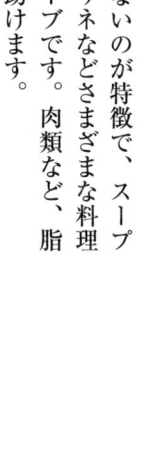

ハーブ 香

ディル dill

食欲増進に役立つ「魚のハーブ」

葉と花を生で、タネをスパイスとして利用するセリ科のハーブです。おもに北欧、東欧、ロシアなどの料理に用いられ、魚との相性がよいことで知られています。サーモンマリネに使うほか、細かくきざんだ葉を、スープやポテトサラダなどに加えたりピクルスの風味づけに使ったりします。精油の成分はカルボンやリモネンで、食欲を増進させ消化を促進するほか、心を落ちつかせる効果もあります。

保存法
葉は乾燥もしくは冷凍で保存。タネは乾燥させる。

ディルビネガー
スパイシーなディルの香りはビネガーとの相性抜群。葉先とタネをビネガーに漬け込んで風味を移し、サラダやマリネに利用する。

葉がよく茂り、全草にハリのあるものが新鮮

Data
- 学名：Anethum graveolens
- 分類：セリ科イノンド属
- 原産地：地中海沿岸、西アジア
- 和名：いのんど
- 仏名：aneth
- おいしい時期：6月〜10月

レモングラス lemongrass

レモンの香りで集中力を高める

姿はススキ、でも香りはレモンにそっくりという不思議なハーブがイネ科のレモングラス。タイ料理やベトナム料理に用いられ、タイのスープ、トムヤムクンには欠かせない存在です。そのほか鳥肉や魚料理の風味づけにも使われます。おもな精油成分はシトラールで、消化促進や、胃痛を和らげる効果があるといわれています。また、葉をきざんでお茶にすると、リフレッシュ効果や集中力を高める効果も期待できます。

葉先はしめらせたままにすると傷みやすい

保存法
すぐに使わないのなら冷凍保存、あるいは乾燥させる。

売り場はさまざま
ハーブコーナーで見かけるのは緑色の葉先の部分。根元に近い部分のほうが精油成分が多く、香りも効能も高い。こちらはエスニック食材売場で。

カビがついていないかチェック

Data
- 学名：Cymbopogon citratus
- 分類：イネ科オガルカヤ属
- 原産地：インド
- 和名：檸檬草（れもんそう）
- 中名：香茅
- おいしい時期：5月〜10月

154

dill—ディル　lemongrass—レモングラス　chervil—チャービル　fennel—フェンネル

ハーブ 香

チャービル
chervil

フランス人好みの「美食家のパセリ」

フランス料理によく用いられる、上品な甘い香りと風味をもつセリ科のハーブです。鳥肉や白身魚、卵などの淡泊な食材によく合い、料理の仕上げに若い葉を加えるのがコツ。サラダに散らしても美味です。少量でも、ほかのハーブの風味を引き立てます。

ビタミンC、カロテン、鉄分、マグネシウムなどを含み、また消化を促進する効果があるとされています。

葉先の切れ込みの細かいもの

やわらかく、色のあざやかなもの

保存法
冷凍、もしくは乾燥させる。酢に漬けても。

ハーブバターで風味を楽しむ
室温に戻してやわらかくなったバターに、細かくきざんだチャービルをまぜ、再び冷蔵庫でかためる。トーストにつけるだけでなく、ステーキソースにも。チャービルのほか、チャイブやパセリで作っても重宝。

Data
学名：Anthriscus cerefoilium
分類：セリ科シャク属
原産地：地中海東部
和名：茴香芹（ういきょうぜり）
別名：セルフィーユ、コジャック
おいしい時期：3月〜6月

フェンネル
茴香 *fennel*

タネのお茶で体内をきれいに

古代ローマ時代から使われてきたセリ科のハーブで、全草が利用できます。葉はおもに魚料理やスープの風味づけに、若い茎や花はサラダに用います。タネはカレーのスパイスに利用されるほか、和漢薬として健胃目的にも用いられてきました。タネのおもな精油成分は、アネトール。消化器官の働きをよくし、お茶にして飲むと解毒と利尿の効果が期待できます。

葉の緑色が美しく、ごわついていないもの

外見はディルと似ているが、フェンネルには甘い香りがある

フェンネルシード(タネ)
茎部分は白く、しみのないもの

フローレンスフェンネル
株元が肥大するのはフローレンスフェンネルという品種。肥大した部分をスライスしてサラダに。

Data
学名：Foeniculum vulgare
分類：セリ科ウイキョウ属
原産地：南ヨーロッパ、地中海沿岸
和名：茴香（ういきょう）
仏名：fenouil
おいしい時期：4月〜10月

保存法
葉は冷凍に。オイルや酢に漬けて香りを移しても。タネは乾燥させる。

◀ そのほかのハーブ　ハーブ 香

チャイブ

Data
- 学名：Allium schoenoprasum
- 分類：ユリ科ネギ属
- 原産地：ヨーロッパ、北アジア
- 和名：西洋あさつき、えぞねぎ
- おいしい時期：4月～10月

老化を防ぐねぎの仲間

わけぎよりもさらに細く、繊細な香りをもつハーブです。細かくきざんでサラダやオムレツ、スープ、マリネなどの仕上げに使うほか、バターやクリームチーズにまぜ込んでも。ピンクのかわいらしい花も、葉と同じように使えます。

カロテンやビタミンC、鉄などを含むほか、ねぎ類の香りのもとであるイオウ化合物を含んでいるので殺菌作用があり、ガンや老化の原因になる活性酸素の発生を防ぐ効果もあります。

セボリー

Data
- 学名：Satureja hortensis（サマー種）　Satureja montana（ウインター種）
- 分類：シソ科サトウレア属
- 原産地：地中海沿岸
- 和名：木立薄荷（きだちはっか）
- おいしい時期：4月～10月

豆料理に合うピリ辛風味

タイムに似た香りと、ピリッとした辛みが特徴のシソ科のハーブです。ウインターセボリーとサマーセボリーの2種類がありますが、前者のほうが強い香りがします。

おもな精油成分は、カルバクロール、シメン。昔から食欲を増進させ、消化をよくするハーブとして知られ、豆や脂肪分の多い肉類を使ったシチュー、スープ、詰め物料理などに用いられます。サラミの風味づけにも広く使われています。

スイートマジョラム

Data
- 学名：Origanum majorana
- 分類：シソ科ハナハッカ属
- 原産地：地中海東部
- 別名：マジョラム、マヨラナ
- おいしい時期：4月～10月

香りのお茶でイライラを解消

オレガノと同じ属に含まれるハーブで、甘く繊細な香りが特徴です。ソーセージの香りづけによく使われており、肉料理によく使うほか、バターソースに入れたりサラダに加えたりしても。長く火を通すと香りが失せてしまうので、仕上がる数分前に加えましょう。

調理に用いると消化を助ける働きが得られるほか、お茶には血圧を下げる効果や、不安や緊張を和らげる鎮静作用があるといわれています。

フレンチタラゴン

Data
- 学名：Artemisia dracunculus
- 分類：キク科ヨモギ属
- 原産地：南ヨーロッパ
- 別名：タラゴン、エストラゴン
- おいしい時期：4月～9月

フランス料理に好相性

フランス料理には欠かせないキク科のハーブで、ピリッとした辛みがあります。鳥肉、魚介類、野菜、卵などとよく合い、きざんだ葉をドレッシングやトマト料理、スクランブルエッグなどに加えると、料理がおいしくなります。バターやクリームチーズにまぜるのもおすすめ。パンにつけるほか、野菜や魚などの料理にも使えます。食欲増進や消化促進の効果があるとされますが、食材のもち味を活かすためにも量は控えめにいかすためにも量は控えめに。

156

レモンバーベナ

Data
学名：Lippia triphylla
分類：クマツヅラ科イワダレソウ属
原産地：南米
和名：香水木（こうすいぼく）
おいしい時期：6月〜9月

レモンの香りで
のどと鼻を
すっきり

レモンによく似た香りがするクマツヅラ科のハーブです。おすすめは、なんといってもお茶。香りが気分を爽快にするだけでなく、鼻やのどのつまりを緩和する、消化不良や吐き気などの症状を和らげる、といった効果があるといわれています。

レモンの香りを活かして、鳥肉や魚の料理に使ったり、ケーキやアイスクリームなどの風味づけに利用したりします。

おもな精油成分は、レモンにも含まれるシトラールです。

レモンバーム

Data
学名：Melissa officinalis
分類：シソ科コウスイハッカ属
原産地：地中海東岸地方
和名：香水薄荷、西洋山薄荷
おいしい時期：4月〜11月

鎮静作用が
気分を
明るくする

ミントにも似た緑の茎葉にレモンの香りをもつハーブです。お茶にするほか、香りづけとしてフルーツドリンクやビールに加えても。生の葉をきざんで、スープストックなどに、パセリ、タイム、タラゴンなどといっしょに束ねて入れ、風味づけに単独で使っても。食べる前には取り除きましょう。煮込み料理やマリネなどに入れてもよいでしょう。マヨネーズ、ホワイトソース、ザワークラウト、魚や鳥肉の料理などに入れてもよいでしょう。

シトラール、シトロネラール、オイゲノールアセテートなどの精油成分を含み、消化促進効果があるとされ、不眠症やうつ状態の改善、アルツハイマー病の予防効果も期待されています。

ローリエ

Data
学名：Laurus nobilis
分類：クスノキ科ゲッケイジュ属
原産地：地中海沿岸
別名：月桂樹、ローレル、ベイリーフ
おいしい時期：周年

煮込み料理の
名脇役

ゲッケイジュ、ベイリーフとも呼ばれるクスノキ科のハーブです。いちばん有名な利用法が古くから薬効の高い植物として知られてきました。おもな精油成分は、カマアズレン、ファルネセン、ビサボロールなど。抗炎症、抗けいれん、抗真菌などの作用が明らかになっています。

花のお茶には、気分をおだやかにし眠りを誘う効果や、消化器官をととのえる効果があるとも。よく似たローマンカモミールも、同様の効果があるお茶として利用されます。

カモミール

Data
学名：Matricaria recutita
分類：キク科シカギク属
原産地：ヨーロッパ
和名：カミツレ
おいしい時期：5月〜7月

甘い香りが
眠りに誘う

花に、りんごを思わせる甘い香りがあるキク科のハーブで、古くから薬効の高い植物として知られてきました。おもな精油成分は、カマアズレン、ファルネセン、ビサボロールなど。抗炎症、抗けいれん、抗真菌などの作用が明らかになっています。

花のお茶には、気分をおだやかにし眠りを誘う効果や、消化器官をととのえる効果があると

も。よく似たローマンカモミールも、同様の効果があるお茶として利用されます。

中国野菜

多くの野生種が食べるための「野菜」になった場所

古い歴史をもつ中国は、野菜の宝庫でもあります。漬け菜類やねぎ、大根など、多くの野菜の栽培種が中国で誕生、発達しました。

たとえば漬け菜類の野生種は、地中海沿岸から北欧、中央アジアの広い地域に自生していますが、中国で野菜として改良され、多種多様な品種が誕生したのです。こうした歴史に加え、国土が広く気候の幅が広いことも、野菜の種類を増やすことにつながっていたと思われます。

中国の野菜は、古墳時代に渡来したといわれるねぎを始め、少しずつ日本にもたらされてきました。1972年の日中国交正常化以降は、一気にその種類が増え、チンゲン菜のように、すっかり日本に定着したものもあります。

搾菜（ざあさい）

からし菜の一種で、茎の根元の部分がこぶ状に肥大するのが特徴。中華料理店で出てくるザーサイは、この部分を漬けたもの。葉や茎を炒め物などにして食べることも可能。

紅菜苔（こうさいたい）

なばなと同じように、とう立ちした花茎とつぼみを食べる野菜。特徴的な赤紫色は、加熱すると緑色になる。独特の香りと甘みがあり、炒め物のほか、おひたしなどにも。

マコモタケ

水生植物、ヒロハマコモの茎が、寄生菌によってたけのこのような形に肥大したもの。クセがなく生食もできるが、加熱すると甘みが増す。油との相性がよく、炒め物にしてもおいしい。

紅芯大根（こうしん）

内側が美しい紅桃色をした大根。肉質が緻密で辛はなく、とても甘い。加熱すると色があせるので、生食がおすすめ。手早く炒めたり、蒸したりしてもよい。

油菜心
ゆさいしん

なばなの仲間で、とう立ちした茎や葉、つぼみを食べる。ゆでたものに、熱した油とオイスターソースをかけたり、炒め物にしたりしても。

大黒くわい
だいこくくわい

日本のくわいとは別物。カヤツリグサ科のオオクログワイの塊茎で、シャリシャリした食感と甘みが特徴。炒め物やあんかけのほか、デザートにも使われる。

金針菜
きんしんさい

ユリ科のホンカンゾウの花のつぼみ。ほろ苦く、ビタミンCや鉄分を多く含む。炒め物やスープなどに。乾燥させたものも出回っている。

パクチョイ

チンゲン菜と同種の野菜。茎が白いものがパクチョイ。クセがなく、どんな料理にも使いやすい。手早く調理して、色をきれいに見せるとよい。

ひゆ菜
ひゆな

熱帯アジア原産のヒユ科の野菜。緑葉の種類もある。味にクセはないが特有の粘りがあり、スープなどにすると美味。炒め物にも。

羅漢果
らかんか

せき止めやのどによいといわれるウリ科の果実。強い甘みがあり、お茶でいただく。中国南部、桂林の近辺で栽培され、日本で入手できるのは乾燥果実かエキスのみ。

キンサイ

スープセロリーとも呼ばれる中国産のセロリー。葉柄が細く、やわらかいのが特徴で、香りも強い。スープに散らしたり、炒め物にしたりして使う。

カイラン

ケールの一種。暑さに強く、夏に収穫できる。中国料理では、花茎の部分だけを炒め物や煮物などに使うが、葉やつぼみも食べられる。

朝鮮人参

滋養強壮作用のある生薬として知られているが、薬膳料理にも用いられる。煮込み料理やスープなどに使うことが多い。

A菜
エーさい

結球せずに茎が立ち上がるタイプのレタスの一種。シャキシャキとした歯ざわりと、ほのかな苦みがあり、油との相性がよい。炒め物に。

葉にんにく

にんにくができる前の若い葉。炒め物や鍋料理などに広く用いられる。にんにくや茎にんにくほどクセがなく、食べやすい。

台湾豆苗
たいわんとうみょう

エンドウのつるの先を摘んだもので、きぬさやの香りと上品な甘みがある。炒め物に最適。一般に売られているのは、水耕栽培したスプラウトが多い。

タイ野菜

めずらしい熱帯産の野菜。独特の香りをもつものも

炒め物やカレーに、めん類のトッピングやサラダにと、タイ料理では多くの野菜を使います。トマトやなす、白菜、大根といった、ふだんよく見かける西洋や東アジアの野菜も用いられますが、目を見張るのは、多種多様な見慣れない熱帯の野菜たちです。

クセのないものもありますが、サトー豆やパクチーのような強い香りをもつのが好んで使われます。ガランガルやレモングラスなどのような、ハーブや香味野菜が、臭み消しや香りづけに多用されることも特徴のひとつです。

ホーリーバジル
インド、マレーシア原産のバジルで、ピリッとしたスパイシーな香りが特徴。鳥肉のバジル炒めのほか、さまざまな料理に使われる。

ガランガル
外見がしょうがに似た野菜で、甘くさわやかな香りが特徴。東南アジアで広く使われ、カレーやスープの香りづけなど、多くの料理に用いられる。食欲増進や強壮の効果があり、抗菌や抗ガンの作用も期待されている。

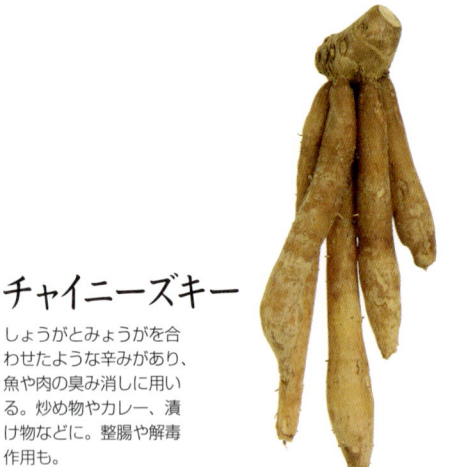

チャイニーズキー
しょうがとみょうがを合わせたような辛みがあり、魚や肉の臭み消しに用いる。炒め物やカレー、漬け物などに。整腸や解毒作用も。

生こしょう
乾燥させる前の生のもの。かんきつ類にも似たさわやかな香りと辛みがあり、炒め物やスープ、カレーなどに用いる。健胃薬としても使われてきた。

アカワケギ

タイ語ではホムデン。赤い色をしたエシャロットで、鼻をさす刺激臭と辛みがある。タイではたまねぎよりも一般的で、これが入ると一気に料理がタイ風になる。

パクチーラオ

ラオスのパクチーという名がついているが、じつはディル。タイ東北部や北部の料理に使われる。生のまま食べたり、スープにしたりしても美味。

パクチーフラン

フランは外国の意。パクチーよりも強い香りと味をもち、同じように用いられるが、熱帯アメリカ原産のまったく別(エリンギウム属)の植物。

パクチー

タイ料理に欠かせない、独特の風味をもつ香味野菜。茎や葉はもちろん、根もにんにくなどとともにペースト状にして利用する。

パクタムルン

タイでは雑草のように生えているカラスウリに似たウリ科の植物。やわらかな葉だけを、炒めたり煮たりして食べる。クセがなくおいしい。

コブミカンの葉

タイ語ではバイマクルー。さわやかなかんきつ系の香りがあり、トムヤムクンの香りづけに欠かせない。細かくきざんでサラダにも。カレーにも使われる。

バイシャプー(バイチャプルー)

コショウの仲間の野菜。わずかにピリッとした味と香りがあり、生の葉で干しエビやハーブ類などを包んで食べたり、炒め物に使ったりする。

サトー豆

マメ科の高木になる豆。独特の異臭と苦みがあり、好き嫌いが分かれるところ。おもにタイ南部で、生のままや炒め物にして食される。

「ブリッキーヌ」

「ネズミのふん」の名をもつ激辛唐辛子。若採りした緑色のものを使うことが多い。グリーンカレーのペーストのほか、さまざまな料理に利用される。

タイなす

タイ語でマクアポッ。ピンポン玉ぐらいの大きさで、歯ごたえがよい。タイカレーによく用いられ、生食もされる。

レモングラス

タイ語ではタクライ。トムヤムクンには欠かせない。根元のやわらかい部分を薄く切ってサラダにも。カレーのペーストにも使う。

パッカナー

ケールに近い植物で、中国野菜のカイランと同じもの。炒め物やタイ風焼きそばなどに使われる。茎も皮をむいて利用する。

Column 干す

干し野菜とは野菜の干物。魚と違って塩はしないが、水分をとばすことで保存性を高めた先人の知恵が、そこにある。

戦後十年以上経って一般家庭にも冷蔵庫が普及したが、それ以前は栄養価の高い野菜の保存法に知恵をしぼっていた。旬の時期に収穫された安価でおいしい野菜たちは、塩漬けやぬか漬け、干し野菜にされることで、豊かな滋味を長期間楽しませてくれていた。

なかでも干し野菜のしくみは、とても単純。水分を多く含む野菜は、干すことで栄養とうまみが凝縮する。水分が抜けるとカサが減るぶん、たくさん食べられる。

たとえば干し野菜の代表である「切り干し大根」のカラカラに乾いたものは、生の大根に比べ栄養価がグッと高まる。カルシウムで比較すると、驚くことにシシャモをも上回る含有量がある。生の大根と比べても10倍以上。食物繊維、ビタミンB_1、B_2なども10倍以上で、より効率よく摂取できる。

家庭のベランダで完全乾燥させるのは手間がかかる。しかし1cmほどの輪切り大根でも、1日天日で半生干し程度に干しただけで、数段甘みが増す。大根の煮物は、とかく味がしみにくいものだが、この半生干しなら煮込み時間も短く、味もしみやすい。半生干しは、水で戻す必要もなく、葉ものやりんご、きゅうりなど、意外なものがおいしくいただける。これも、先人の楽しんだ味なのだろう。

＊天日干しは、季節や気温で干し具合に差が。保存するときは、密閉容器で冷蔵庫に。
＊料理は、だしじょう油でサッと煮るだけで野菜のうまみがひき立つ。

Fruits

フルーツを食べる

りんご バナナ パイナップル
かんきつ類 さくらんぼ いちご もも
すもも ぶどう ブルーベリー ラズベリー ブラックベリー
クランベリー キウイ すいか メロン マンゴー
かき なし 洋なし かりん マルメロ
アボカド うめ いちじく ざくろ
びわ あんず カラント アセロラ
あけび ランブータン キワノ ドリアン
ライチ マンゴスチン ピタヤ スターフルーツ
パッションフルーツ パパイヤ チェリモヤ ココヤシ
タマリロ ミラクルフルーツ

果物 果

りんご
林檎
apple

Data
学名：Malus pumila
分類：バラ科リンゴ属
原産地：コーカサス地方北部
仏名：pomme
独名：Apfel

香り高くからだにうれしい

その栄養価の高さから、世界じゅうで愛され続けてきた果実です。ビタミン、ミネラル類、有機酸などはもちろん、食物繊維もたっぷり。水溶性食物繊維のペクチン、不溶性のレグナンやセルロースには、コレステロールの吸収を阻害する効能があります。ほかにもポリフェノールなどによる抗酸化作用や脂肪低減作用、老化防止効果も。低カロリーで腹もちがよく、ダイエットにも効果的です。

あまり冷やしすぎると香りや甘みが活きないので、ほどほどに。

食品成分表（可食部100gあたり）
エネルギー		56kcal
水分		83.1g
たんぱく質		0.2g
脂質		0.3g
炭水化物		16.2g
灰分		0.2g
無機質	**カリウム**	**120mg**
	カルシウム	**4mg**
	マグネシウム	5mg
	リン	12mg
ビタミン	B₁	0.02mg
	ナイアシン	0.1mg
	B₆	0.04mg
	C	6mg
食物繊維総量		1.9g

おいしいカレンダー ●おいしい時期
8 **9 10 11** 12 1
青森、長野、岩手

未熟 ────→ 完熟

食べごろの見分け方
熟すにしたがって皮が赤い品種は赤くなり、尻部分も緑色から黄色がかってくる。品種によっては、完熟すると表面を保護するためのろう物質を多く分泌するものもある。ワックスと勘違いする人もいるようだが、日本のりんごはワックス処理はされていない。

★コレステロール値低下、心臓病の予防にも
ポークとりんごのソテー

材料
りんご…1個
豚ロース厚切り肉…1枚
にんにく…1片
塩　こしょう…少々
白ワイン…1/2カップ
サラダ油…適量

作り方
1. りんごは皮と芯を取り、薄切りにする。豚肉は筋切りしてから塩、こしょうで下味をつけておく。
2. 熱したフライパンに油、つぶしたにんにくを順に入れて、香りが移ったら豚肉を焼く。
3. 焼き色がついたらひっくり返し、両面に色がついたらりんごを加える。白ワインを回し入れてふたをし、中火で蒸し焼きにして火を通す。

皮の色が濃く、ハリとツヤがあって重量感があるもの

サンふじ
「ふじ」を袋掛けせずに栽培したもの。ふじより甘みが強く、色も濃い。表皮はややまだら。

🗑 保存法
バナナやキウイなどと同じようにエチレンガスを多量に発生させるので、同じ袋にほかの果物も入れると、早く熟成させてしまう。例外的に、じゃがいもにだけは発芽を遅らせる効果がある。りんご自体は温度差のある場所では傷みやすいのでポリ袋に入れて密封し、野菜室に。冷蔵庫に入りきらない場合は、暖房の入った部屋や日光のあたる場所は避け、なるべく温度の低い所を選ぼう。

「蜜」の正体
芯のまわりにできる「蜜」は、糖アルコールのソルビトールがしみ出したもの。はちみつに似ているのでこう呼ばれるが、じつはこの部分は甘くない。しかし完熟しているため全体の糖度が高く、そのため「蜜入り＝甘い」とされている。

🍴 食べ合わせ

毎日1個で健康に
酸味のもとのリンゴ酸はクエン酸とともに疲労回復効果が。ポリフェノールのプロシアニジンはカテキンの結合体で果肉に、アントシアニンは赤い皮に含まれており、いずれも抗酸化作用がある。生活習慣病予防や老化防止などに有効。食物繊維のペクチンは皮に多いので、皮ごと食べよう。

代表的組み合わせ	ほかにも			効果
りんご + パイナップル	チコリー	みつば	やまのいも	▶ 胃腸の強化、ガン予防 下痢・便秘の解消
りんご + こんにゃく	わかめ	えのきたけ	グレープフルーツ	▶ 肥満防止、ガン予防 血液サラサラ効果
りんご + きくらげ	アスパラガス	たまねぎ	なす	▶ 血中コレステロール値低下 心臓病予防、ガン予防
りんご + トマト	ブロッコリー	チンゲン菜	のり	▶ ガン予防、老化防止 疲労回復、肥満防止

164

apple—りんご

品種群

「つがる」
ゴールデンデリシャスと紅玉を掛け合わせた、甘みの強い品種。生産量はふじに次いで第2位。

「紅玉」
アメリカ原産品種。酸味が強く、アップルパイやジャムなどの加熱調理向き。

「ジョナゴールド」
ゴールデンデリシャスと紅玉の掛け合わせ。甘みと酸味のバランスがよい。加熱調理にも。

「ふじ」
国内生産量NO.1で海外でも評価は高い。果実は大きめで甘みが強く、果汁もたっぷり。肉質はややかため。

「千秋」(せんしゅう)
やや小ぶりながら甘みと酸味のバランスがよく、歯ごたえもある。果汁が多いのも特徴。

「王林」
ゴールデンデリシャスと印度の掛け合わせ。なしに近い食感。香り高く果汁も多いが、酸味は少なめ。

「秋映」(あきばえ)
千秋とつがるの掛け合わせ。酸味があり、甘みとのバランスが絶妙。果肉はかため。

「陸奥」(むつ)
ゴールデンデリシャスと印度の掛け合わせ。400g以上の大型りんご。味はさっぱり系。

「シナノドルチェ」
平成17年登録の新品種。果汁が多く、糖度は14もある。色づきがよくデザート用のりんごに。

「シナノピッコロ」
平成18年に登録された長野県の品種。小ぶりで甘みと酸味は中程度。丸かじりに適している。

「シナノゴールド」
ゴールデンデリシャスと千秋を掛け合わせたもの。香りがありジューシー。貯蔵性が高い。

「シナノスイート」
ふじとつがるを掛け合わせた品種。糖度は高いが、ほのかな酸味も、もち合わせている。

「ブラムリー」
イギリス生まれの調理専用種。酸味が強く、加熱すると煮溶ける。国内では小布施のみで栽培。

「アルプス乙女」
30gほどのミニりんご。ふじと紅玉が混植された園で偶然、発見された品種。

「世界一」
デリシャスとゴールデンデリシャスの交配種。1kgにもなる大型種。きめ細かい。

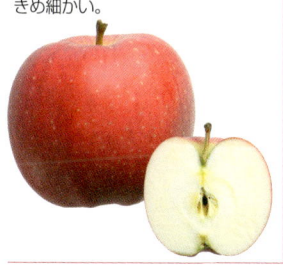

「未希ライフ」
つがると千秋の交配種。早生種で、サクサクした歯ごたえとさっぱりした食味が特徴。

バナナ
banana

果物 果

効能たっぷりの優秀なエネルギー源

消化のいいエネルギー源ということで、スポーツ選手が競技中に食すほどすぐれた果物です。大腸で善玉菌の栄養になるオリゴ糖も豊富に含まれ、腸内環境改善の効果も。またポリフェノールによる抗酸化力は果物、野菜のなかでトップ。動脈硬化の予防やガン抑制効果が期待できます。免疫力を高める効果も確認され、精神を安定させるセロトニンの材料になる物質も豊富です。熱帯原産のものなので、冷やしすぎに注意を。13℃以下だと傷んで黒ずみます。

食品成分表（可食部100gあたり）
- エネルギー……93kcal
- 水分……75.4g
- たんぱく質……1.1g
- 脂質……0.2g
- 炭水化物……22.5g
- 無機質
  - カリウム……360mg
  - マグネシウム……32mg
  - 鉄……0.3mg
- ビタミン
  - B₁……0.05mg
  - B₂……0.04mg
  - ナイアシン……0.7mg
  - B₆……0.38mg
  - 葉酸……26μg
  - C……16mg
- 食物繊維総量……1.1g

Data
- 学名：Musa sapientum
- 分類：バショウ科バショウ属
- 原産地：東南アジア
- 仏名：banane
- 独名：Bananasfeige
- おいしい時期：周年

品種群

モンキーバナナ
小型の生食用バナナで、別名セニョリータともいう。皮が薄く、甘いのが特徴。

台湾バナナ
台湾産のバナナ。北蕉（ほくしょう）や仙人蕉という品種が中心で、ねっとりした甘みと芳香がある。

モラード
皮が赤紫から赤茶色の生食用バナナ。甘みはあっさりしていて、やや酸味がある。

調理用バナナ
熱帯地域で常食されている調理用バナナ、カルダバ種。加熱すると、いもに似た食感になる。

表面にシュガースポットがあらわれたらそろそろ食べごろ。

ヘタに傷がなく、角ばったものより丸みのあるものがよい

キャベンディッシュ

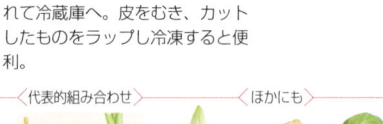

保存法
バナナホルダーにつるして熟成させる。その後1本ずつポリ袋入れて冷蔵庫へ。皮をむき、カットしたものをラップし冷凍すると便利。

▼ 高血圧や動脈硬化の予防に。心臓病対策にも

モーニングバナナ

材料
- バナナ…2本
- レモン汁…小さじ2
- カッテージチーズ…大さじ2
- はちみつ…適量

作り方
1. バナナは皮をむき、食べやすい大きさに切って、レモン汁をかける。
2. 1にカッテージチーズをのせ、はちみつをかけていただく。

エネルギー補給に
エネルギー源となる糖質が多く、熟すとその割合が増えて消化吸収されやすくなる。バナナの抗酸化力は完熟したときがいちばん高いので、皮に黒いはん点（シュガースポット）があらわれたころを目安に。バナナ＋シリアル＋牛乳という朝食は栄養バランスがよく、忙しい人向き。

食べ合わせ

〈代表的組み合わせ〉／ほかにも

- バナナ＋かぶ・チコリー・やまのいも・キャベツ ▶ 胃腸を丈夫にする、体力増強、疲労回復 
- バナナ＋セロリー・わかめ・トマト・モロヘイヤ ▶ 利尿効果、美肌づくり、腎臓を丈夫にする 
- バナナ＋納豆・ぜんまい・もやし・ふき ▶ 便秘予防、血液サラサラ効果 
- バナナ＋昆布・さといも・ごぼう・小松菜 ▶ 高血圧予防、心臓病予防、動脈硬化予防

banana─バナナ　pineapple─パイナップル

果物 果
pineapple

パイナップル

酵素の力で胃腸を健康にする

豊かな香りと果汁があり、さわやかな酸味と甘みが魅力のトロピカルフルーツです。糖質の分解を助け、代謝を促すビタミンB_1が多く、ビタミンB_2、C、クエン酸も含まれるため、疲労回復や夏バテ、老化防止などの効果が期待できます。

また、酢豚にパイナップルを入れるのは、肉をやわらかくして消化を助けるたんぱく質分解酵素のブロメラインが含まれているから。胃液分泌を活発にして、胃腸の健康を保つ効果があります。

食品成分表（可食部100gあたり）

エネルギー		54kcal
水分		85.2g
たんぱく質		0.6g
炭水化物		13.7g
無機質	カリウム	150mg
	マグネシウム	14mg
	鉄	0.2mg
	銅	0.11mg
	マンガン	1.33mg
ビタミン	B_1	0.09mg
	B_2	0.02mg
	B_6	0.10mg
	パントテン酸	0.23mg
	C	35mg
食物繊維総量		1.2g

おいしいカレンダー ●おいしい時期

6　**7　8　9**　10　11
国産露地

国産：沖縄　輸入：フィリピン
※輸入ものは周年

Data

学名：Ananas comosus
分類：アナナス科アナナス属
原産地：ブラジル
仏名：ananas
別名：パインアップル

品種群

「ボゴールパイン」
ちぎって食べられるのが特徴。甘みが強く酸味が少ない。芯の部分も食べられる。別名スナックパイン。

ほとんどがフィリピン産

現在流通するパイナップルの約99％はフィリピンからの輸入。輸入量は年々増加傾向にある。国内では沖縄本島や石垣島で、わずかに栽培されている。

葉や表皮にツヤがあり、パイナップル独特の甘い香りが漂っているもの

保存法

丸のままならビニール袋に入れ、冷蔵庫の野菜室で2〜3日。カットしたものは切り口を密封してからビニール袋に入れ、野菜室で1日。下に糖分がたまるので、逆さにしておくと全体に甘みが広がる。

疲労回復、ガン、貧血予防に
ミックスパインジュース

材料
パイナップル（正味）…150g
小松菜…1/2束
りんご…1/2個
水…1カップ
ヨーグルト…大さじ2

作り方
1. パイナップル、小松菜、皮と芯を取り除いたりんごを乱切りにする。
2. 1と水、ヨーグルトをミキサーにかける。

消化を助け腸内すっきり

たんぱく質分解酵素のブロメラインには腸内の老廃物を分解する働きもあり、食物繊維との相乗効果で整腸作用が。加熱に弱いので調理の際は火を止めてからにしよう。缶詰のものは加熱処理してあるため効果はない。未熟なものは、消化不良を起こしたり口のなかが荒れたりすることも。

食べ合わせ

代表的組み合わせ	ほかにも			
パイナップル + パセリ	キウイフルーツ	ピーマン	いちご	▶ 美肌づくり、疲労回復効果
パイナップル + かぶ	大根	やまのいも	みつば	▶ 胃腸を丈夫にする、老化防止、美肌づくり
パイナップル + アスパラガス	しいたけ	なばな	アロエ	▶ 美肌づくり、ガン予防、貧血予防
パイナップル + 酢	カシューナッツ	ごま	そば	▶ 血行促進、血管の若返り、健脳効果、高血圧予防

果物 果
citrus fruits
かんきつ類

果皮も食べると有効成分たっぷり

四季を通して身近になったかんきつ類ですが、その栄養価の高さは果物のなかでもトップクラス。皮の白い部分に含まれるビタミンPは、毛細血管を強くし、動脈硬化予防に。皮膚や粘膜を強くするカロテンや、ガン予防に有効な苦み成分のリモネン、抗酸化作用のあるビタミンC、E、フラボノイドも含んでいます。

特に、最近では温州みかんやシークァーサーに多く含まれるシネフリンが、体脂肪を分解し脂肪燃焼効果を高めることから、ダイエットに有効な成分として注目の的です。

食品成分表
（温州みかん可食部 100g あたり）

エネルギー		49kcal
水分		86.9g
たんぱく質		0.7g
炭水化物		12.0g
無機質	カリウム	150mg
	カルシウム	21mg
	鉄	0.2mg
● ビタミン	A β-カロテン当量	1000μg
	B₁	0.10mg
	B₂	0.03mg
	ナイアシン	0.3mg
	B₆	0.06mg
●	C	32mg
食物繊維総量		1.0g

◀ みかん・オレンジ類

温州みかん（うんしゅう）
産地や栽培方法によってブランド名がついている。ほぼ周年出回っているが5月～9月はハウスもの。

- 果皮の色が均一で色あざやかなもの
- あまり大玉でないほうが、糖度が高い

品種群

「バレンシアオレンジ」
一般にオレンジと呼ぶのは、この品種。アメリカ産のものが多く流通している。果汁が多くジュースにも。

「美娘（みこ）オレンジ」
大分産の高級オレンジ。ひと玉ずつ袋掛けし、手間をかけて栽培。ジューシーで風味がよい。

「せとか」
なめらかな皮は薄いため、むきやすくジューシーで甘みが強い。温州みかんよりひと回り大きい。

「ブラッドオレンジ」
果肉が血（＝ブラッド）のように濃い赤なのが特徴。色を活かしてジュースにされることも多い。

「ネーブル」
ネーブルは英語で「へそ」の意。尻部分に突起があるのが特徴。国産品が出回るのは2月～3月。

● イライラ解消、風邪予防、美肌づくりに

サングリア

材料
- オレンジ…1個
- りんご…1/2個
- ※その他好みの果物を適量
- 赤ワイン…1カップ
- はちみつ…小さじ1
- ミント（飾り用）

作り方
1. 果物をよく洗う。オレンジは半分の果汁をしぼり、残り半分は皮つきのままひと口大にカットする。
2. そのほかの果物も皮つきのままひと口大にカット。
3. 容器に1と2を入れ、はちみつを入れてからワインを注ぐ。1時間ほど置いたら果実ごとグラスに注ぎ、ミントを飾る。

ガン予防に効果絶大
カロテンよりも抗酸化作用が高いβクリプトキサンチンを多く含むことが注目されている。ビタミンCとの相乗効果で感染症予防や免疫力アップが図れるため、風邪予防に効果的。ヨーグルトとまぜて食べると薄皮に含まれるビタミンP（ヘスペリジン）をあますところなく食べられる。

食べ合わせ

代表的組み合わせ		ほかにも		効果
みかん + アスパラガス	・	かぶ	もやし ・ じゃがいも	▶ 胃腸を丈夫にする 風邪予防、便秘解消
みかん + ブロッコリー	・	チンゲン菜	しいたけ ・ いちご	▶ ガン予防 肥満予防、風邪予防
グレープフルーツ + ブロッコリー	・	トマト	なす ・ イカ	▶ 美肌効果、ガン予防 目を強くする
レモン + ねぎ	・	にんにく	にら	▶ 疲労回復、ガン予防 強精・強壮

citrus fruits — かんきつ類

◀ 雑柑・グレープフルーツ類

食品成分表
（グレープフルーツ可食部100gあたり）
- エネルギー……………40kcal
- 水分…………………89.0g
- たんぱく質……………0.9g
- 炭水化物………………9.6g
- 灰分……………………0.4g
- 無機質　カリウム………140mg
　　　　　カルシウム………15mg
　　　　　リン………………17mg
　　　　　銅………………0.04mg
- ビタミン　B₁……………0.07mg
　　　　　　B₂……………0.03mg
　　　　　　ナイアシン……0.3mg
　　　　　　B₆……………0.04mg
　　　　　　C………………**36mg**
- 食物繊維総量……………0.6g

ルビー
ピンク

形がよく、表皮にハリがあって、ずっしりと重く実のつまったもの

代表的な雑柑類

タンゴール類
ミカン類とオレンジ類の雑種群の総称。

タンゼロ類
ミカン類とグレープフルーツ類、またはブンタン類の交雑種の総称。

「グレープフルーツ」
さわやかな甘みとともにほのかな苦みも。これはポリフェノールの一種ナリンギンで、強い抗ガン作用が。

品種群

「清見」
みかんとオレンジを掛け合わせたタンゴール類。オレンジの香りとみかんの甘みを併せもつ。薄皮ごと食べられる。

「日向夏」
別名ニューサマーオレンジ、小夏。果汁が多く、ほどよい甘酸っぱさが特徴。皮は厚め。

夏みかん
文旦の雑種。酸味が強いので、生食よりもゼリーやマーマレードなど加工品の原料とされている。

「スウィーティー」
グレープフルーツに文旦を掛け合わせたもの。別名オロブランコ。酸味が少なくさわやかな甘み。

「ぽんかん」
果汁は少なめだが、香りがよく甘みが強い。皮はむきやすく、薄皮ごと食べられるのも特徴。

「文旦」
別名ザボン、ボンタン。果肉には歯ごたえがあり、すっきりとした甘さが特徴。主産地は高知県。

「河内晩柑」
別名美生柑、宇和ゴールド、ジューシーフルーツ。果肉はやわらかで果汁はたっぷり。さわやかな甘み。

「デコポン(不知火)」
頭の部分が盛り上がっている形からこの名が。皮がやわらかくてむきやすく、果肉は甘みが強い。

「晩白柚」
かんきつ類で最大の果実。2cmもある果皮は砂糖煮に。やわらかく多汁で、香りもよい。日もちする。

「メロゴールド」
文旦とグレープフルーツを掛け合わせたミカン科の交配雑種。甘くてほろ苦さもあり、果汁はたっぷり。

「いよかん」
生産されているものの大半は「宮内いよかん」という品種。果汁が多く甘みも強い。紅色に近い皮色も特徴。

「はっさく」
文旦の雑種。果皮は厚く、果肉もかためだが風味はよい。「八朔(はっさく)」は旧暦の8月1日のことだが、熟すのは年明け。

◀ 香酸かんきつ類

食品成分表
（レモン 可食部 100g あたり）

エネルギー	43kcal
水分	85.3g
たんぱく質	0.9g
脂質	0.7g
炭水化物	12.5g
無機質 カリウム	130mg
カルシウム	67mg
鉄	0.2mg
ビタミン B₁	0.07mg
B₂	0.07mg
ナイアシン	0.2mg
B₆	0.08mg
パントテン酸	0.39mg
C	100mg
食物繊維総量	4.9g

表皮がなめらかでハリがあり、色ムラがなくて重いもの

レモン

免疫力を高めるビタミンCと疲労回復効果のあるクエン酸を多く含むのが特徴。国内で流通しているレモンの大半はアメリカ、チリ、南アフリカからの輸入品。国産品が出回るのは9月～1月。

品種群

「リム」
新顔の香酸かんきつ類。皮が薄くて果汁が多いので、しぼりやすい。香りはさわやか。

「小笠原レモン」
東京都小笠原村産。完熟で収穫されており、実は大きめで果汁たっぷり。もぎたては緑色。

さくらレモン
飾り用に作られた高級レモン。生長途中に成型器に入れ、花の形に仕立てたもの。愛媛産。

「メイヤーレモン」
オレンジとの交雑種。酸味は弱く甘みが比較的強い。最近では国内生産もされている。

ライム
レモンより小ぶりでさわやかな香りとさっぱりとした酸味が特徴。流通の大半はメキシカンライム。

すだち（酢橘）
果重は30～40gと小粒。さっぱりとした酸味が特徴。徳島県の特産品で、緑色の未熟果を利用。

かぼす（香母酢）
すだちより大きく、酸味も強い。大分県の特産で鍋物やふぐ料理に。緑色の濃いものが風味がよい。

だいだい（橙）
酸味が強く、果汁をポン酢などの調味料に使う。熟すとだいだい色に。果皮は漢方の橙皮（とうひ）。

きんかん（金柑）
甘みと酸味、そしてほのかな苦みをもち合わせている。甘露煮やマーマレードなど皮ごと調理を。

鬼柚子（おにゆず）
別名獅子柚子。大型で皮が厚く果肉が少ないので、おもに観賞用だが、皮はマーマレードにできる。

ゆず（柚子）
一般的な「黄柚子」は秋から、未熟果の「青柚子」は夏に出回る。果汁だけでなく果皮も利用される。

シークァーサー
沖縄特産の小粒な香酸かんきつ。調味料としてだけでなく、ジュースとしての利用も多い。

citrus fruits — かんきつ類　　sweet cherry — さくらんぼ

さくらんぼ
桜桃　sweet cherry

果物／果

バランスよい栄養分で疲労回復にも

ビタミンCを始め、リンゴ酸やクエン酸、ブドウ糖と果糖が含まれているので、疲労回復や美肌作用、高血圧予防効果も期待できます。果肉の赤や紫色はポリフェノールの一種、アントシアニンという色素。毛細血管の強化、疲れ目からの回復、生活習慣病や老化の原因となる活性酸素の生成を抑える働きもあります。

一日の寒暖差が少ないと甘くならず、雨にあたると割れてしまう、はかなく美しい果実です。

食品成分表（可食部100gあたり）
エネルギー		64kcal
水分		83.1g
たんぱく質		1.0g
炭水化物		15.2g
無機質	カリウム	210mg
	カルシウム	13mg
	鉄	0.3mg
ビタミン	B₁	0.03mg
	B₂	0.03mg
	ナイアシン	0.2mg
	B₆	0.02mg
	葉酸	38μg
	パントテン酸	0.24mg
	C	10mg
食物繊維総量		1.2g

品種群

「高砂」
酸味と甘みのバランスがよく、食べやすい人気品種。6月中旬から出回る。

サワーチェリー
甘みがなく酸味が強い加工用品種。色あざやかなのでジャムやパイに。ほとんどが輸入。

「大将錦」
大粒でずんぐりしている。甘みが強く、酸味はほとんどない。7月上旬から出回る晩生種。

「紅さやか」
佐藤錦とセネカの交配品種。果皮は赤紫色で果肉は真っ赤。ほどよい甘みと酸味あり。

アメリカンチェリー
アメリカ原産。5月から8月に出回る。大粒で皮は濃紅色。強い甘みをもつ。

皮にツヤとハリのあるものを選ぶこと。傷の有無、色のあざやかさもチェック

「佐藤錦」
糖分が多く生食向き。果汁が多い。国内でもっとも生産量が多い品種。「赤いルビー」とも呼ばれている。6月中旬から出回る。

Data
学名：Prunus avium
分類：バラ科サクラ属
原産地：西南アジア地方
仏名：cerise
独名：Kirsche

おいしいカレンダー ● おいしい時期
| 4 | 5 | 6 | 7 | 8 | 9 |

山形、青森、山梨

保存に不向き
デリケートで風味が落ちやすい。冷蔵に弱いため風通しのよい涼しい場所に置いて、食べる前1〜2時間だけ冷やすのがよい。

さくらんぼ酒
流通する期間が短いので、できれば保存食として残しておきたいもの。そんなときは、ちょっとぜいたくなさくらんぼ酒がおすすめ。

▶ 高血圧予防、造血作用、便秘解消
さくらんぼのコンポート

材料
さくらんぼ…250g
白ワイン…1/2カップ
砂糖…50g
レモン汁…小さじ1
ブランデー（あれば）…少々

作り方
1. さくらんぼは軸とタネを取っておく。
2. 鍋に砂糖とワインを入れて火にかけ、砂糖が溶けたら1を入れる。5〜6分煮たらレモン汁とブランデーを加え火を止める。

便秘を解消し大腸ガン予防
糖アルコールのソルビトールが豊富に含まれており、便通をうながす作用が。食物繊維との相乗効果で大腸ガンを予防する。またソルビトールには虫歯を予防する働きも。また微量ながら睡眠をコントロールする松果体ホルモンのメラトニンが含まれており、快眠促進効果も期待できる。

食べ合わせ

さくらんぼ ＋ メロン
▶ 神経痛、ガン予防 リウマチの症状緩和

さくらんぼ ＋ アボカド
▶ 体力回復、便秘予防 ガン予防

果物 果

いちご
苺 strawberry

一日に必要なビタミンCは中粒なら7粒

見た目にも元気をくれるいちごは、ビタミンC、葉酸、食物繊維がたっぷり。中粒なら7粒食べるだけで一日のビタミンC必要量が摂れ、風邪予防に効果的です。またコラーゲンの生成をうながしてしわを、メラニンの生成を抑えてシミを、それぞれ予防する働きもあるので、美肌づくりにも効果的な女性にやさしい果物です。

虫歯予防に役立つキシリトール、フラボノイドなどの抗酸化物質も多く含まれています。

食品成分表(可食部100gあたり)

エネルギー		31kcal
水分		90.0g
たんぱく質		0.9g
炭水化物		8.5g
無機質	カリウム	170mg
	カルシウム	17mg
	マグネシウム	13mg
	鉄	0.3mg
	亜鉛	0.2mg
ビタミン	B₁	0.03mg
	B₂	0.02mg
	B₆	0.04mg
	葉酸	90μg
	C	62mg
食物繊維総量		1.4g

おいしいカレンダー ●おいしい時期

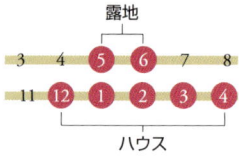

露地: 3 4 **5 6** 7 8
ハウス: 11 **12 1 2 3 4**

栃木、福岡、佐賀
※輸入は6月～10月

Data
- 学名：Fragaria ananassa
- 分類：バラ科オランダイチゴ属
- 原産地：北アメリカ、南アメリカ
- 仏名：fraise
- 独名：Erdbeere

- ヘタは完熟になると反りかえる。緑色が濃く、乾いていないものが新鮮
- ヘタの近くまで赤いものが完熟
- 本来の実はつぶつぶの部分。赤い部分は花托(かたく)という、台のようなもの
- つぶつぶがくっきりしているもの

🗄 保存法
洗わずにラップで包んで冷蔵庫の野菜室で。冷凍する場合はヘタを取って洗い、水けを取る。砂糖をまぶしておくと、表面が傷むのを防いでくれる。「シュガーリング」と呼ぶ。

🔪 下準備
流水に5分ほどつけてから、ふり洗いする。ヘタをとって洗うと、ビタミンCが流出してしまうので、つけたまま洗うこと。

ビールのあとに
ほどよい量のアルコールは血液の循環をうながし、イライラを解消する働きがある。なかでもビールはアルコール度数が高くないうえ、毛細血管を強化するヘスペリジンやルチンを含むなどの薬効もある。ビールのあとに食すと、いちごの果糖がアルコールの分解途中にできるアセトアルデヒドの分解を促進するので、おすすめ。

● 免疫力を高めストレスを解消。美肌効果も
いちごとチコリーのサラダ

材料
- いちご…5個
- チコリー…5枚
- オリーブ油…大さじ2
- 白ワインビネガー…大さじ1
- 塩 こしょう…少々
- 砂糖…お好みで

作り方
1. いちごを粗めにつぶし、オリーブ油、ビネガー、塩、こしょうを加えてドレッシングを作る。味をみて、甘みが足りなければ砂糖を。
2. 食べやすい大きさに切ったチコリーに1をかける。

ペクチンにも注目
ビタミンCは熱に弱いので、紅茶などの熱い飲み物といっしょに摂らないように。豊富に含まれる食物繊維ペクチンは血糖値の急上昇を抑えるとともに、腸内の善玉菌を増やして高血圧や大腸ガンを予防する。ヨーグルトとの組み合わせは効果的。色素のアントシアニンは目によい。

🍴 食べ合わせ

代表的組み合わせ	ほかにも	効能
いちご + やまのいも	ヨーグルト・チコリー・しそ	▶ 胃腸の強化、ガン予防 老化防止
いちご + ブロッコリー	ピンクグレープフルーツ・トマト・京にんじん	▶ ガン予防、ストレス解消 美肌づくり、健脳効果
いちご + わかめ	たまねぎ・きくらげ・落花生	▶ 高血圧予防、心臓病予防 動脈硬化予防
いちご + カキ	キウイフルーツ・レモン	▶ 美肌づくり ストレス解消

strawberry—いちご

品種群

「紅ほっぺ」
静岡の特産。大粒であざやかな紅色。果肉まで赤いのが特徴。甘みが強く、酸味とのバランスもよい。

「あまおう」
福岡産。「赤い・丸い・大きい・うまい」の頭文字から名づけられた。大粒で糖度が高く酸味もある。

「女峰(にょほう)」
栃木を中心とした関東地方で栽培されてきたが現在の生産量は減少。小粒でジューシー。

「とちおとめ」
栃木産。東日本でいちばん流通している品種。甘みが強く、日もちがよい。

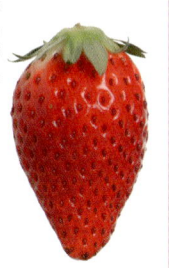

「ペチカ」
夏場に出荷され、おもに業務用としてケーキなどに利用されている。特に色形がよい。

「もういっこ」
宮城の特産。円すい形であざやかな赤色。果実はかためで日もちする。すっきりとした甘さ。

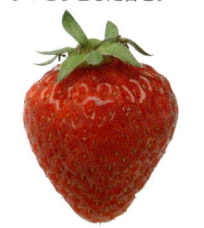

「さがほのか」
佐賀の特産。大粒で酸味が少なく、甘みが強いのが特徴。西日本を中心に生産量が増加している。

「初恋の香り」
2006年登録の新品種。熟すと白っぽくなる。紅白いちごとして贈答用で人気。味は普通品種と変わらない。

「アイベリー」
愛知産。大粒で高級品種の代表格。糖度も酸度も高く、しかも芯まで赤い、バランスのとれたいちご。

「とよひめ」
いちご狩り農場で栽培されている品種。果肉がやわらかく、糖度が高いのが特徴。

「さちのか」
とよのかとアイベリーの交配種。赤色が濃く、糖度が高い。日もちするので人気の品種。

「やよいひめ」
群馬県で育成された新品種。大粒なうえ甘みが強く、ほどよい酸味もある。12月～。

「ひのしずく」
熊本の特産。大きめでツヤがあり、あざやかな赤色。糖度が高く酸味は控えめ。12月上旬～。

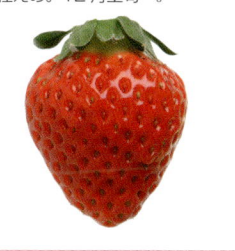

「ゆめのか」
愛知の特産。ととのった円すい形で、果肉はややかため。ジューシーで味のバランスがよい。

🍓 **むくみを取り、血圧を降下させる。血栓も予防**

いちごとプルーンのヨーグルトドリンク

材料
いちご…5～6個
ドライプルーン…3粒
プレーンヨーグルト…150g
豆乳…50cc

作り方
すべての材料をミキサーにかける。甘みが足りなければ好みではちみつを。朝食に摂りたいメニュー。

料理

173

果物 果

もも 桃
peach

カテキンが老化やガンの予防に効果的

たっぷりの果汁にとろける食感の桃は、初夏の味覚の代表選手。有効成分としては、血圧を下げる効果のあるカリウムやコレステロール値を下げるナイアシンを含みます。食物繊維のペクチンも豊富なので整腸作用があり、便秘解消に役立ちます。カテキンも含まれ、抗酸化作用によるガン予防や老化防止も期待できます。その甘みから虫がつきやすく、数日で腐ってしまうほど繊細なので、比較的高値です。

食品成分表(可食部100gあたり)
エネルギー		38kcal
水分		88.7g
たんぱく質		0.6g
炭水化物		10.2g
灰分		0.4g
無機質	カリウム	**180mg**
	カルシウム	4mg
	マグネシウム	7mg
	リン	18mg
	鉄	**0.1mg**
	亜鉛	0.1mg
	銅	0.05mg
ビタミン	B6	0.02mg
	C	8mg
食物繊維総量		1.3g

Data
- 学名：Prunus persica
- 分類：バラ科サクラ属
- 原産地：中国
- 仏名：pêche
- 独名：Pfirsich

左右対称で香りの強いものがよい。全体にうぶ毛があって、くぼみの周辺が青くないものが完熟

おいしいカレンダー ●おいしい時期
6　**7**　**8**　**9**　10　11

山梨、福島、長野

品種群

「黄金桃」(おうごんとう)（黄桃）
黄色い果肉はかためなので加工用にされることが多いが、最近では生食用に出回ることも。コンポートに。

「清水白桃」(しみずはくとう)
岡山県や和歌山県で生産。果皮も果肉も白っぽい。果肉はやわらかく多汁で、甘みもたっぷりの高級品種。

ネクタリン
桃の一種だが皮に柔毛がないのが特徴。皮は真っ赤で果肉は黄色く、味は濃い。8月中旬〜。皮ごと生食で。

「秀峰」(しゅうほう)
ネクタリンの晩生種で比較的大玉。果汁が多く味も濃厚。果肉の色も濃い。9月中旬〜。

「白鳳」
現在もっとも多く生産されている品種。果肉は白くてやわらか。多汁で上品な甘み。7月中旬〜。

中 
果肉があざやかなピンクのものは甘い

●保存法
熟していないものを冷蔵庫に入れると、甘みが出ないので常温で追熟。完熟していても冷やしすぎると甘みが落ちるので注意。

桃の葉の薬効
古来、桃の葉はあせもに効くといわれている。乾燥葉を布袋に詰めて入浴剤にすると、かぶれなどの皮膚疾患の症状を緩和する。また扁桃炎や口内炎には煎じた液でうがいを。

食べ合わせ

夏の疲労回復に
クエン酸、リンゴ酸を多く含み、疲労回復や食欲増進に効果がある。抗酸化力の高いカテキンを含むので、微量ながら含有するビタミンCやEとの相乗効果でガン予防や美肌効果が期待できる。食物繊維ペクチンの整腸作用で便通を改善、これによって大腸ガンや動脈硬化予防にも効果がある。

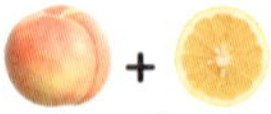

桃 + グレープフルーツ
▶ 高血圧や動脈硬化、心臓病の予防
ガン予防、美肌づくり

桃 + じゃがいも
▶ 胃潰瘍予防
ストレス予防
十二指腸潰瘍予防

▼便秘解消
桃のコンポート、ヨーグルトソース添え

材料
- 桃…1個
- 砂糖…大さじ2
- 白ワイン…1カップ
- レモン汁…小さじ1
- プレーンヨーグルト…大さじ2

作り方
1. 桃は皮をむき、タネを取ってからくし形に切る。
2. 鍋に白ワインと砂糖を入れて火にかけ、煮立ってきたら1を入れる。やわらかくなったらレモン汁を入れ火を止める。
3. 冷めて味がなじんだら器に盛り、ヨーグルトをかける。

peach—もも plum—すもも

果物 果

李 plum すもも

バランスよい栄養が健康促進に役立つ

すももは、中国原産の日本すもも（プラム）とコーカサス原産の西洋すもも（プルーン）に大別されます。

果汁が多く適度な甘みと酸味のあるプラムは、カリウムが豊富で利尿効果があり、高血圧予防にも。

プルーンはミネラル、ビタミンをバランスよく含んだ健康フルーツ。造血に必要なビタミンB群も豊富で、特に乾燥したものは鉄分も多いため貧血予防に効果的。乾燥プルーンは抗酸化作用のあるカロテンやエネルギー代謝に必要なナイアシンなどを豊富に含む健康補助食品です。

食品成分表（可食部100gあたり）
- エネルギー……46kcal
- 水分……88.6g
- たんぱく質……0.6g
- 炭水化物……9.4g
- 無機質
  - カリウム……150mg
  - リン……14mg
  - 鉄……0.2mg
- ビタミン
  - A β-カロテン当量……79μg
  - B₁……0.02mg
  - B₂……0.02mg
  - ナイアシン……0.3mg
  - B₆……0.04mg
  - C……4mg
- 食物繊維総量……1.6g

おいしいカレンダー ●おいしい時期
5　6　7　8　9　10
山梨、和歌山、長野

Data
- 学名：Prunus salicina
- 分類：バラ科サクラ属
- 原産地：
  - （日本すもも）中国
  - （西洋すもも）コーカサス地方
- 仏名：prune
- 別名：プラム

保存法
未熟果は常温保存。完熟したものは紙袋に入れて冷蔵庫の野菜室へ。日もちしないので、すぐに食べること。

二日酔いに有効
すももに含まれるクエン酸やリンゴ酸には肝機能を高める作用がある。また利尿をうながすカリウムも含むため、二日酔いには生食がおすすめ。

のどの痛みや貧血予防に。イライラ解消にも
ドライプルーンとあずきのおかゆ

材料
- ドライプルーン…6個
- ゆであずき…大さじ2
- ご飯…2人分
- 塩…少々
- 昆布茶…適量

作り方
1. ドライプルーンはぬるま湯でサッと洗い、粗くきざむ。
2. 鍋で昆布茶を温め、水で洗ってぬめりを取ったご飯、あずきと1を入れて弱火で煮る。最後に塩で味を調える。

品種群

「シンジョウ」
和歌山県発祥の新品種。果皮は美しい紅色。甘く香りが高い。

「大石プラム」
国内生産量がもっとも多い品種。多汁でさわやかな甘酸っぱさが。

ソルダム
大きめで日もちのよい人気種。果肉まで濃赤色で食味もよい。

プルーン
甘みが強く、果肉はしまっていて食べやすい。生食にも加工にも。

白プラム
果皮も果肉も淡黄色で、甘みと酸味がほどよい、さわやかな食味。

「ケルシー」
緑色でとがった形が目を引く大型品種。果肉は淡黄色。

「花螺李」（ガラリ）
黒紫色が美しい品種。酸味が強いので、生食よりも果実酒で。

貧血の特効薬　乾燥プルーン
プラムに含まれる豊富な栄養成分は特に皮の部分に多いので、皮ごと摂るのが効果的。さらにミネラルが凝縮されたのがドライプルーン。特に鉄分が多いので貧血予防や健脳、疲労回復効果。ビタミンCやたんぱく質と合わせるとよいが、カフェインやタンニンとともに摂ると吸収が悪くなる。

食べ合わせ

〈代表的組み合わせ〉　〈ほかにも〉

プラム +					
チコリー	レタス	イカ	きゅうり	▶	利尿作用、体力増強　イライラ解消
セロリー	納豆	こんにゃく	えのきたけ	▶	便秘予防　血液サラサラ効果
みょうが	春菊	たまねぎ	ピーマン	▶	血液浄化、眼精疲労回復　高血圧・心臓病予防
さつまいも	昆布	酢		▶	ガン予防　老化予防

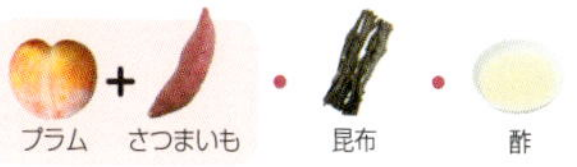

果物 果

ぶどう
葡萄 grape

果糖とブドウ糖のパワーで疲労回復

甘みと果汁たっぷりのぶどうは、果糖、ブドウ糖などの糖質が主成分。体内ですばやくエネルギー源になるので、疲労回復が早まります。ぶどうといえばワインですが、その色をつける皮やタネには抗酸化作用のあるポリフェノールの一種、アントシアニンが豊富です。この成分には、活性酸素を取り除き老化を防ぐ効果、視力機能の回復や肝機能の向上が期待できます。栄養価を考えると、皮ごと食べるのが賢明といえるでしょう。

食品成分表（可食部100gあたり）

エネルギー	58kcal
水分	83.5g
たんぱく質	0.4g
脂質	0.1g
炭水化物	15.7g
無機質 カリウム	130mg
カルシウム	6mg
マグネシウム	6mg
リン	15mg
鉄	0.1mg
ビタミン B₁	0.04mg
B₂	0.01mg
B₆	0.04mg
C	2mg
食物繊維総量	0.5g

おいしいカレンダー ●おいしい時期
7 **8 9 10** 11 12
山梨、長野、山形

Data
- 学名：Vitis spp.
- 分類：ブドウ科ブドウ属
- 原産地：コーカサス地方
- 仏名：vigne
- 独名：Traube

ぶどうはつるに近い肩の部分がより甘みが強いので、下から上に食べると最後までおいしい

皮につく白い粉は、ブルームという表面を保護する物質。キレイに粉がついているものを選ぼう

日本は生食文化
世界のぶどう生産高トップ3は、1位イタリア、2位フランス、3位アメリカ。そのうちの8割が醸造用、1割が加工用、生食用はわずかに1割である。一方、日本では生産量の約8割が生食用、1割が醸造用、残り1割が加工用。

保存法
ビニール袋に入れて冷蔵庫の野菜室で2～3日。冷やしすぎると甘みが落ちるので注意。

下準備
食べる直前に洗うこと。ブルームは食べても問題ない。

有効成分は皮とタネに
皮とタネにアントシアニンやレスベラトロールを含んでおり、これらの抗酸化作用が期待されている。干しぶどうにすると栄養価はさらに高まり、特にミネラルがグンと増える。貧血や骨粗しょう症予防に有効。タネから採ったグレープシード油は、リノール酸とオレイン酸を含む。

ガン予防に、美肌効果も
ぶどうとトマトのスムージー

材料
- ぶどう（タネなしのもの）…100g
- トマト…100g
- 赤ワイン…大さじ3

作り方
1. トマトはヘタを取り、ざく切りにする。ぶどうは房からはずし、トマトとともに冷凍しておく。
2. 1とワインをミキサーにかける。

食べ合わせ

代表的組み合わせ	ほかにも	効能
ぶどう ＋ さくらんぼ	小松菜、牛肉、春菊	腰痛・肩こりの緩和、眼精疲労回復
ぶどう ＋ チコリー	セロリー、きゅうり、ふき	利尿作用、眼精疲労回復、腎臓病の予防と改善
ぶどう ＋ 明日葉	アスパラガス、かぼちゃ、大根	糖尿病予防、高血圧予防、心臓病予防
ぶどう ＋ アロエ	かぶ、パパイヤ、パイナップル	胃腸の強化、下痢止め、眼精疲労回復

grape — ぶどう

品種群

「ナイアガラ」
コンコード×キャサディ。多汁で甘く、香りもよい。ワインやジュースの原料としても。

「ピオーネ」
巨峰×カノンホールマスカット。マスカットに似た上品な風味。タネなしはニューピオーネと呼ばれることもある。8月～10月。

「デラウェア」
たいへんポピュラーな小粒品種。果汁がたっぷりで糖度が高い、タネなし品種。7月～8月（ハウスは5月から）。

「巨峰」
黒皮ぶどうの定番で国内生産量はNO.1。多汁で甘みたっぷり。最近はタネなし巨峰が人気。

「マニキュアフィンガー」
ユニコーン×バラディ2号。酸味と甘みのバランスがよい。先端が赤く色づくのが特徴。皮も可食。

「レディフィンガー」
別名ピッテロビアンコ。果粒は細長く先端が曲がっている。さわやかな食味で歯ごたえもよい。

「ネオ・マスカット」
マスカットオブアレキサンドリアと甲州三尺の掛け合わせ。果肉はしっかりしていて多汁。糖度は高めで上品な香りをもつ。9月上旬から。

「ゴルビー」
あざやかな紅色が目を引く。大粒で丸い果実はスッキリとした甘みをもつ。タネなし。旧ソ連元大統領ゴルバチョフの愛称から命名。8月下旬から。

「ヒムロット」
皮が薄くタネもないため、そのまま食べられる。粒がはずれやすいので、店舗での取り扱いは少ない。

「レッドグローブ」
冬期に出回る輸入品種。かなり大粒で果汁は少なく、果肉はかため。皮ごと食べられるのが特徴。

「甲斐路（かいじ）」
山梨特産の紅色マスカット系。上品な甘みとみずみずしさが特徴。粒落ちしにくいので贈答品として人気。9月～10月。

「スチューベン」
やや小粒の黒皮ぶどう。糖度が高く濃厚な甘みが特徴。国内では青森県、山梨県で栽培。

山ぶどう
甘みも酸味も強く、小粒で果汁が少ないが栄養成分が豊富。ワインやジュースに加工される。

「ロザリオビアンコ」
マスカットオブアレキサンドリア×ロザキ。やや細長い大粒で皮ごと食べられる。高い芳香で上品な甘みの高級品種。9月に出回る。

▶ **高血圧や糖尿病の予防に。即効性のある疲労回復にも**

料理

ぶどうと鶏肉の煮物

材料
ぶどう（品種はなんでもよいが大粒のもの）…1房
鶏もも肉…1枚
しょう油…大さじ2
みりん…大さじ2
酒…大さじ2
砂糖…小さじ1
水…1/2カップ

作り方
1. ぶどうは皮をむき、タネを取る。鶏もも肉はひと口大に切っておく。
2. 鍋に水1/2カップ、しょう油、みりん、酒、砂糖を入れて火にかけ、煮立ったら鶏肉を入れる。
3. 中火で煮て、火が通ったらぶどうを入れ、火を止めて味をなじませる。

果物 果

ブルーベリー
blueberry

アントシアニンで目の健康を保つ

ブルーベリーが目によいという話はよく知られています。その有効成分がアントシアニンで、含有量は豊富。一日40g（20〜30粒）食べると眼精疲労に効き、視力回復の効果が期待できます。
また活性酸素を取り除く抗酸化作用があり、老化予防やガン予防にも有効といわれています。
食物繊維も多く含まれているので、便秘の解消など美容にも役立ちます。

食品成分表（可食部100gあたり）

エネルギー		48kcal
水分		86.4g
炭水化物		12.9g
無機質	カリウム	70mg
	カルシウム	8mg
	リン	9mg
	鉄	0.2mg
ビタミン	A　β-カロテン当量	55μg
	E	1.7mg
	B1	0.03mg
	B2	0.03mg
	B6	0.05mg
	C	9mg
食物繊維総量		3.3g

注目の栄養成分
豊富に含まれているのはビタミンE。ごまやナッツ類にも多く含まれているこのビタミンは、細胞の老化を防止し血液の循環をうながすなど、抗酸化作用が高いのが特徴。乳製品との食べ合わせで、さらに吸収が高まるため、ブルーベリーヨーグルトは特におすすめ。

果皮にハリがあり、比較的大粒で、白い粉（ブルーム）がついているほうが新鮮

皮の色が濃く、あざやかな青紫色のもの

保存法
密閉容器に入れて冷蔵庫の野菜室で2〜3日。できるだけ早く加工するか、冷凍保存を。

Data
学名：Vaccinium spp.
分類：ツツジ科スノキ属
原産地：北アメリカ
仏名：myrtille
独名：Heidelbeere
おいしい時期：6月〜7月

ラズベリー
raspberry

女性にうれしいダイエットと美白効果

木イチゴの一種のラズベリーは、今注目の女性にうれしいフルーツです。特徴的なのは、エラグ酸やアントシアニンなどのポリフェノール類が豊富なこと。エラグ酸には抗酸化作用があり、美白効果もあるとされています。
また物質を抑え、発ガン性物質を抑え、美白効果もあるとされています。
また香り成分は、脂肪と脂肪分解酵素リパーゼを結びつける働きをするため、ダイエット効果が期待されています。

食品成分表（可食部100gあたり）

エネルギー		36kcal
水分		88.2g
たんぱく質		1.1g
無機質	カリウム	150mg
	カルシウム	22mg
	リン	29mg
	鉄	**0.7mg**
	亜鉛	**0.4mg**
	銅	0.12mg
	マンガン	0.50mg
ビタミン	B1	0.02mg
	B2	0.04mg
	B6	0.07mg
	C	**22mg**
食物繊維総量		4.7g

利用方法
たくさん手に入ったらジャムにするか、ホワイトリカーに氷砂糖といっしょに漬け込んでラズベリー酒にするのもよい。あるいはミキサーにかけてから裏ごしし、砂糖を加えてラズベリーソースを作ってみては。

果実全体が濃く色づいていて、実がやわらかく香りのよいもの

保存法
密閉容器に入れて冷蔵庫の野菜室に。あるいは冷凍で。

Data
学名：Rubus occidentails
分類：バラ科キイチゴ属
原産地：ヨーロッパ、北アメリカ、アジア
和名：木いちご
別名：フランボワーズ
おいしい時期：6月〜8月

blueberry—ブルーベリー　raspberry—ラズベリー　blackberry—ブラックベリー　cranberry—クランベリー

果物 果

ブラックベリー
blackberry

健康と美容に効く夏のフルーツ

欧米では夏のフルーツとして人気のブラックベリーは、Cなどのビタミン類が豊富です。ブルーベリーと同じくアントシアニンを豊富に含むので、抗酸化作用により、目の健康や疲労回復効果が期待できます。

活性酸素を除去し、メラニン色素を作る酵素の作用を抑えるといわれる、ポリフェノールの一種、エラグ酸も多く含まれ、美容と健康に役立つフルーツといえます。

果実が黒く熟したものを選ぼう。赤い実は未成熟で甘みがない

🔖 保存法
密閉容器に入れ、冷蔵庫の野菜室で2～3日。なるべくすぐに加工するか、冷凍保存を。

レンジで簡単ジャム作り
耐熱容器でブラックベリーと同量の砂糖をまぜ、なじんだらレンジで10分加熱。アクを取り、レモン汁を加えてから、ザルでこしてできあがり。

Data
学名：Rubus fruticosus
分類：バラ科キイチゴ属
原産地：北アメリカ
和名：セイヨウヤブイチゴ
仏名：ronce
おいしい時期：6月～7月

クランベリー
cranberry

ピロリ菌から胃を守る

七面鳥の丸焼きにそえるソースで知られる、クランベリー。

天然の抗酸化物質をたくさん含み、免疫機能を高めるビタミンCやフラボノイド類も豊富ですが、もっとも強力なのがプロアントシアニジンというポリフェノールの一種。数々の研究で、ピロリ菌が胃の粘膜に付着するのを防いで、胃潰瘍や膀胱炎を予防する効果が明らかにされています。

膀胱粘膜に細菌がつくのを防ぐ効果もあります。

この成分の含有量が果物でいちばん多いのが、クランベリーです。

赤く熟していて、果実の形がよいもの

品種群
こけもも
クランベリーと同属だがその実はより小さい。甘酸っぱい実は生食や果実酒、ジャムなどに。

🔖 保存法
密閉容器に入れて冷蔵庫の野菜室で2～3日。あるいは冷凍保存で。

Data
学名：Vaccinium oxycoccos
分類：ツツジ科スノキ属
原産地：北アメリカ、ヨーロッパ
和名：つるこけもも
仏名：airelle
おいしい時期：9月～11月

果物 **果**

キウイフルーツ
kiwifruit

たっぷりのビタミンCで美肌づくりを

ほどよい酸味のある甘さが人気のフルーツです。栄養面では、ビタミンC、E、食物繊維、カリウムが豊富に含まれ、美肌づくりや風邪予防、便秘や免疫力低下の解消、高血圧予防などの効果が期待できます。

特に1個あたりのビタミンCはレモンより多く、ビタミンEとの相乗効果でより強力な抗酸化力を発揮します。また、たんぱく質分解酵素アクチニジンを含むので、肉や魚料理と食べると消化が促進されます。

食品成分表
（緑肉種 可食部100gあたり）

エネルギー	51kcal
水分	84.7g
炭水化物	13.4g
無機質	
カリウム	**300mg**
カルシウム	26mg
マグネシウム	14mg
リン	30mg
鉄	0.3mg
銅	0.1mg
ビタミン	
A　β-カロテン当量	66µg
B₆	0.12mg
E	1.3mg
C	**71mg**
食物繊維総量	2.6g

Data
- 学名：Actinidia chinensis
- 分類：マタタビ科マタタビ属
- 原産地：中国
- 別名：オニマタタビ

おいしいカレンダー
●おいしい時期
9　10　**11**　12　1　2
- 国産：愛媛、福岡、和歌山
- 輸入：ニュージーランド
※輸入は周年

中
軽く握って、やわらかさがあれば食べごろ

皮にある茶色いうぶ毛が均一で密なもの

保存法
貯蔵性の高い果実なので、冷蔵庫でも3～4か月もつ。りんごやバナナといっしょの袋に入れると早く熟す。

さるなしは近縁種
山岳地帯に自生するさるなしは、同属の近縁種。小型ながら味はキウイフルーツそっくりで強い甘みがあり、猿や熊などの野生動物に好まれている。

🍴肉類の消化吸収を助け整腸作用も

ポークソテー キウイソース添え

材料
- 豚ロース切り身…2枚
- キウイフルーツ…2個
- 塩　こしょう…少々
- オリーブ油…適量

作り方
1. キウイフルーツは皮をむき、果肉をつぶして裏ごしする。豚肉に塩、こしょうで下味をつけておく。
2. フライパンで油を熱し、豚肉の両面がきつね色になるまでカリッと焼く。
3. 2に1のソースをかけていただく。

品種群

ゴールドキウイフルーツ
果肉が黄色く甘みが強い。「ゼスプリゴールド」でおなじみ。おしりは指でつまんだような形をしている。

ベビーキウイフルーツ
果長が3cmほどのミニキウイ。おもにアメリカやチリからの輸入品。果皮は薄くうぶ毛はない。

「レインボーレッド」
淡黄緑色の果肉の中央に赤い色が入る新品種。酸味が少なく甘みが強い。静岡、福岡で生産。

「香緑」（こうりょく）
果実は円筒形で大きく、皮にはうぶ毛が多い。酸味が少なく食味も良好。香川で育成された品種。

食べ合わせ

免疫力アップと疲労回復
ブドウ糖と果糖が多く、エネルギー源となるほか、クエン酸とリンゴ酸は疲労回復に。ペクチン、カリウム、クエン酸の相乗効果で動脈硬化や高血圧の予防にも。たんぱく質分解酵素アクチニジンは皮の部分に多く含まれるので、むいた皮をたたいた肉にのせて有効利用しよう。胃もたれも防ぐ。

代表的組み合わせ / **ほかにも**

組み合わせ	効果
キウイフルーツ + 柿 ・ チコリー ・ パセリ ・ レタス	利尿作用、美肌づくり ストレス解消
キウイフルーツ + トマト ・ にら ・ しいたけ ・ きくらげ	ガン予防、風邪予防 肥満予防
キウイフルーツ + たまねぎ ・ イワシ ・ みょうが ・ 豚肉	生活習慣病予防 老化防止
キウイフルーツ + ヨーグルト ・ モロヘイヤ ・ オクラ ・ 納豆	下痢・便秘予防 ストレス緩和、ガン予防

kiwifruit―キウイフルーツ　watermelon―すいか

果物 果

西瓜
すいか
watermelon

腎臓病予防や夏バテ防止に効果あり

果肉には、抗酸化作用のあるカロテンとリコピン、利尿作用のあるカリウムが含まれています。むくみが気になる人には有効です。果肉で甘いのは、まんなかとつるのそばいのは、まんなかとつるのそばしてタネのまわり。収穫直後がいちばん甘くおいしいので、入手したらなるべく早く食べましょう。

皮にはカリウムとアミノ酸の一種、シトルリンが多く含まれ、高血圧や動脈硬化の予防効果も。緑のかたい部分をむいて少し干し、塩やぬかで軽く漬けると、さわやかな風味の浅漬けが簡単にできます。

食品成分表
（赤肉種 可食部 100gあたり）

エネルギー		41kcal
水分		89.6g
たんぱく質		0.6g
炭水化物		9.5g
灰分		0.2g
無機質	カリウム	120mg
	マグネシウム	11mg
	リン	8mg
	鉄	0.2mg
ビタミン	A　β-カロテン当量	830μg
	B₁	0.03mg
	B₆	0.07mg
	C	10mg
食物繊維総量		0.3g

おいしいカレンダー　●おいしい時期
5　6　**7　8**　9　10
千葉、熊本、山形

Data
学名：Citrullus vulgaris
分類：ウリ科スイカ属
原産地：熱帯アフリカ
仏名：pastèque
独名：Wassermelone

中
切り口がみずみずしく、タネがしっかり黒いものが完熟

緑と黒のコントラストがはっきりしているものがよい

品種群

「紅小玉」
冷蔵庫にも収まるサイズで人気。皮が薄いので可食部分が多い。

黄小玉
全般に甘さはやや控えめ。「クリームすいか」といった品種も。

「ペイズリー」
不規則なしま模様をもつ、だ円形の中玉すいか。甘みも風味も日もちもよい。

「夏花火」
皮が黄色く果肉が赤いというめずらしい品種。甘みも強くシャキシャキ感あり。

「ダイナマイトスイカ」
黒皮すいか。黒に近い深緑色の果皮が特徴。真っ赤な果肉はみずみずしい。高級すいかとして贈答用にされる。北海道のJA月形が開発した。

むくみの改善
すいかととうがんのジュース

材料
すいか…300g
とうがん…300g

作り方
すいかととうがんはタネと皮を除き、ざく切りにしてからミキサーにかける。

シトルリンは皮にたっぷり
すいかから発見された話題の成分シトルリンは、ウリ科野菜に含まれるアミノ酸の一種。血管を若返らせ血流を増加させるため、新陳代謝アップ、疲労回復、冷え性緩和、動脈硬化予防効果が。特に皮の部分に多いので、漬け物にして食べよう。ぬか漬けにすると、さらに栄養価が加わり有効。

食べ合わせ

すいか ＋ ぶどう
▶ 利尿作用
　腎臓病予防

すいか ＋ みかん
▶ 高血圧予防
　心臓病予防

メロン

甜瓜 / melon

果物 **果**

カリウムがすいかの3倍も

やわらかい果肉と甘い香りが魅力のフルーツです。果肉の90％を占める水分の利尿作用とあいまって、高血圧や肥満予防に効果があります。食後においしく食べられて、体にもうれしい果物です。

味をみてどうしても甘みが足りずおいしくなかったときは、タネをはずしてミキサーにかけたり冷凍したりしてみては。牛乳や砂糖、洋酒などで味つけすれば、新鮮な果実のフレッシュな味わいを楽しめる、すてきな手作りデザートができます。

Data
- 学名：Cucumis melo
- 分類：ウリ科キュウリ属
- 原産地：東アフリカ（有力説）
- 仏名：melon
- 独名：Melone

食品成分表
（露地メロン 可食部100gあたり）

エネルギー		45kcal
水分		87.9g
たんぱく質		1.0g
炭水化物		10.4g
無機質	カリウム	350mg
	カルシウム	6mg
	マグネシウム	12mg
	リン	13mg
	鉄	0.2mg
	銅	0.04mg
ビタミン	B₁	0.05mg
	B₂	0.02mg
	B₆	0.11mg
	C	25mg
食物繊維総量		0.5g

おいしいカレンダー ●おいしい時期
4 **5 6 7 8** 9

国産：茨城、北海道、山形
輸入：メキシコ

品種群

「クインシー」
赤肉のネット系メロン。なめらかな口あたりとコクのある甘みが好評。

「アンデス」
青肉のネット系メロン。手ごろな値段のわりに納得のいく食味で人気。

「ハネデュー」
白肉のノーネット系。甘みが強く多汁。ハネデューは蜜のしずくの意。

赤アールス
赤肉ネット系のアールスメロン。有名な「夕張メロン」もこの系統。

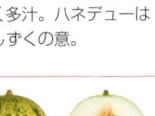

「マーブル」
白肉のノーネット系。だ円形で黄色に緑の模様。上品な甘さで歯ごたえがよい。

「ホームラン」
ハネデューから生まれた品種。白い果肉はなめらかで食べやすい。

つるが細く枯れているものがよい。青くてみずみずしいものは未熟

食べごろになると香りが高くなるだけでなく、おしりの部分がやわらかくなってくる

アールス（マスクメロン）
青肉のネット系メロン。マスクメロンも、この品種。

🍴 胃腸の働きを高め食欲を増進
メロンのラッシー

材料
- メロン…1/2個
- プレーンヨーグルト…200g
- 牛乳…1カップ
- 氷…3〜4個

作り方
1. メロンは皮とタネを取り、ざく切りにする。
2. 1と残りの材料をミキサーにかける。

わたにも有効成分が

即効性があるエネルギー源のブドウ糖や果糖、疲労回復果のクエン酸を含む。食物繊維が少なく消化がよいため、病気見舞いに重宝されてきた。赤肉系には皮膚を守り粘膜を保護する働きのあるカロテンも多い。わたの部分に含まれるアデノシンには、血液サラサラ効果と育毛効果が。

🟢 保存法

熟すまでは常温で。食べる直前に冷やす。カットしたものは、タネとわたを取り除き、ラップをかけて冷蔵庫へ。ただし冷やしすぎると風味が落ちるので、要注意。

小メロン

摘果した未熟果は漬け物に。塩漬けしたあと甘酢づけにすると美味。なめらかな食感はやみつきになる。

🍴 食べ合わせ

メロン ＋ グレープフルーツ・パパイヤ
▶ **美容効果　ストレス解消**

メロン ＋ 紅茶
▶ **疲労回復　美肌づくり**

マンゴー
mango

果物の女王は美容の強い味方

国産の完熟マンゴーが出回るようになり、話題の宮崎産ブランドなども生まれ、とても身近なフルーツになってきました。チェリモヤやマンゴスチンとともに、世界三大美果のひとつに数えられています。

体内でビタミンA（レチノール）に変わるカロテンをたっぷり含み、細胞の老化を抑える抗酸化作用があるので肌を美しく保ち、ガン予防効果もあります。ビタミンC、葉酸、食物繊維、カリウムも豊富で、美肌や貧血予防、便秘改善と、体の内外を美しく保つために役立ちます。

食品成分表（可食部100gあたり）

エネルギー		68kcal
水分		82.0g
たんぱく質		0.6g
炭水化物		16.9g
無機質	カリウム	170mg
	鉄	0.2mg
	マンガン	0.10mg
ビタミン	A β-カロテン当量	610μg
	B₁	0.04mg
	B₂	0.06mg
	ナイアシン	0.7mg
	B₆	0.13mg
	C	20mg
食物繊維総量		1.3g

おいしいカレンダー ●おいしい時期
4 5 **6 7 8** 9
国産：沖縄、鹿児島、宮崎
輸入：フィリピン、メキシコ

Data
学名：Mangifera indica
分類：ウルシ科マンゴー属
原産地：インド、マレー半島
仏名：mangue
中名：芒果（マングオ）

収穫後に常温で追熟させる。果皮がベトベトしたツヤが出てきたら食べごろ

香港式マンゴープリン
90年代からブームになった香港のデザート、マンゴープリン。作り方は意外と簡単で、つぶした果肉に砂糖と生クリームを合わせ、ゼラチンでかためるだけ。日本のプリンのように蒸すわけではない。

国産
宮崎、沖縄、鹿児島でおもに作られているのはアップルマンゴー。完熟なので濃厚。

保存法
ぬらした新聞紙かラップで包み、野菜室へ。包まないと乾燥して皮がブヨブヨになってしまう。

切り方
果実を3枚に下ろすように切り、タネをはずす。皮を切らないよう注意し、果肉に格子状に包丁を入れ、果肉を押し上げて皿に盛る。

品種群

フィリピン
輸入されているものの大半はフィリピン産のペリカンマンゴー。くちばしに似ている。

タイ
別名イエローマンゴー、ゴールデンマンゴー。コクがあり甘みと酸味のバランスがよい。

カリフォルニア
別名グリーンマンゴー。緑のままで完熟する。果肉はあざやかな黄色で食感は濃厚。

インド
インドからは複数種がコンスタントに輸入されている。写真はケサール種。

食べ合わせ

免疫力アップ、貧血予防にも
レバーソテーのマンゴードレッシング

材料
マンゴー…1/2個
水…大さじ1
オリーブ油…大さじ1
ワインビネガー…小さじ2
塩 こしょう…少々
鶏レバー…200g
塩 こしょう…少々

作り方
1. 皮とタネを取り、ざく切りにしたマンゴーをミキサーにかける。水で薄めてからオリーブ油とビネガーを加え、塩、こしょうで味をつけてドレッシングを作る。
2. 塩、こしょうをして、カリッと焼いた鶏レバーを器にとり、1をかける。

カロテンがたっぷり
活性酸素を抑制する働きがあるカロテン、免疫力を高めるビタミンC、酸化防止作用のあるビタミンEの相乗効果で、ガン予防を始め美肌効果や老化防止に。ドレッシングに入れて酢や油といっしょに摂ると体内吸収が高まり、より効果的。ドライマンゴーは栄養が凝縮された、すぐれもの。

マンゴー + レバー ▶ 免疫力アップ

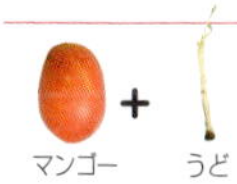

マンゴー + うど ▶ 二日酔い防止 疲労回復効果

果物 **果**

柿 かき
persimmon

タンニンの力で二日酔いを解消

柿に含まれるビタミンCは、みかんやいよかんなど、かんきつ類の約2倍。ピーマンとほぼ同量含まれるカロテンとの相乗効果で肌荒れを防ぎ、風邪に負けない体を作ります。

渋み成分のタンニンにはアルコールを分解する働きがあり、二日酔いにも効果的です。タンニンには利尿作用のあるカリウムも豊富なため、二日酔いの人は食べすぎないように。

干し柿はカロテン、食物繊維が豊富な、すぐれた健康食品です。

食品成分表
（渋ぬきがき 可食部100gあたり）

エネルギー		59kcal
水分		82.2g
たんぱく質		0.5g
炭水化物		16.9g
無機質	カリウム	200mg
	リン	16mg
	マンガン	0.60mg
ビタミン	A β-カロテン当量	300μg
	B₁	0.02mg
	B₂	0.02mg
	ナイアシン	0.3mg
	B₆	0.05mg
	C	55mg
食物繊維総量		2.8g

おいしいカレンダー ●おいしい時期
7　8　**9**　10　**11**　12

和歌山、奈良、福岡

Data
学名：Diospyros kaki
分類：カキノキ科 カキノキ属
原産地：日本、中国
仏名：kaki
独名：Kakipflaume

- へたの形がきれいで、果実にはりついているもの
- 果皮がツヤツヤして色が均一で赤みがあり、大きくて重みがあるもの

渋がきの場合
渋があるものも、熟してゆくと自然に抜ける。渋はヘタの周辺と皮と実のあいだに多いので、そこを切りとるとよい。

干し柿
渋柿を屋外につるして乾燥させたもの。果糖が白い結晶となって表面に吹く。

あんぽ柿
硫黄を使って渋柿を薫蒸したもの。果肉はゼリーのようにやわらかい。

柿の葉茶で花粉症対策
柿の若葉は生活習慣病予防効果が期待される、多くの有効成分を含んでいるが、注目すべきはポリフェノールの一種であるアストラガリン。アレルギー反応を抑えるため、花粉飛散の前から柿の葉茶を飲んでおくと、予防効果があるといわれている。

▼ 胃腸を丈夫にし 老化やガンを予防

柿の白和え

材料
柿…1/2個
豆腐…1/2丁
しらたき…1/2袋
春菊…適量
ごまペースト…大さじ1
砂糖…大さじ1

作り方
1. 柿は少しかためのものを選び、皮をむいてタネを取ったら短冊に切る。
2. 豆腐は重しをして水分をきり、しらたきはサッとゆでておく。春菊は葉の部分を摘んでサッとゆで、3cmの長さに切る。
3. 豆腐をすり鉢であたり、ごまペーストと砂糖を加えてよくまぜる。
4. 3に柿、しらたき、春菊を加えてよく和える。

強いガン予防効果
柿の色素に含まれるβクリプトサンチンはカロテノイドの一種で、カロテンの5倍もの抗ガン作用がある。大根と合わせてなますにするとビタミンC、カロテン、酢の相乗効果が。干し柿はビタミンCやタンニンの効果はなくなるが、カロテンは倍増。表面の白い粉は、せき止めやたんきりに。

食べ合わせ

代表的組み合わせ	ほかにも			
柿＋きゅうり	とうがん	チコリー	レタス	▶ 利尿作用、ストレス予防 血行促進
柿＋白菜	キャベツ	春菊	ふき	▶ ガン予防 胃腸を丈夫にする
柿＋大豆	なす	じゃがいも	トマト	▶ 高血圧・動脈硬化予防 心臓病予防、老化防止
柿＋きくらげ	わかめ	カニ		▶ 糖尿病予防、ガン予防 肥満防止

persimmon—かき

品種群

筆柿
愛知原産。筆の形に似ていることからこの名がついた。小ぶりの甘柿で歯ごたえがある。タネあり。9月中旬〜。

「甲州百目」
蜂屋、富士、渋百目ともいわれる。つりがね形をした大型の不完全渋柿。渋抜きして生食するか、あんぽ柿に。10月下旬〜11月上旬。

「富有」
岐阜原産。甘柿の代表種。ふっくらと丸みがあり、果肉はやわらかで多汁。甘く日もちがよい。10月下旬〜。

「次郎」
静岡原産。扁平な形が特徴的な完全甘柿。タネはほとんどなく、果肉はややかための人気品種。10月下旬〜11月中旬。

「刀根早生」（とねわせ）
平核無の変種。出荷時期が早く、ハウスものは7月から店頭に。果肉はやわらかめで食味は良好。

「西村早生」
滋賀原産。やや小ぶりの不完全甘柿で、もっとも早く出回る品種。味はやや淡泊。

「平核無」（ひらたねなし）
庄内柿やおけさ柿として出回ることもある。扁平で果肉はなめらか。甘みも強い。10月中旬〜11月上旬。

「西条」
広島原産の縦長の渋柿。上品な甘みで果肉はやわらかめ。日もちしないが、干し柿にしてもおいしい。10月上旬〜10月下旬。

「愛宕」（あたご）
愛媛原産。つりがね形の渋柿で、果皮は黄色。脱渋に手間がかかるので出回るのは12月から。

「紋平」（もんべい）
石川原産の渋柿。大型で甘みは強いが果肉がやわらかく、日もちしない。

「太秋」（たいしゅう）
平成6年登録の新品種で、完全甘柿。大型で果汁が多く、甘みも強いので食べごたえがある。

「早秋」
広島原産の超早生甘柿。果肉はやわらかくジューシー。タネは少なめで食べやすい。

「横野」
愛媛特産の渋柿。甘みが強く粘りがあり、果肉は緻密。脱渋が難しいため、今では稀少品種に。

「花御所」（はなごしょ）
鳥取原産。別名五郎助柿。晩生の甘柿で果汁が多くなめらか。しばしば贈答用にされる。

料理

🔻 美肌効果、肥満防止にも
柿とやまのいもの酢の物

材料
柿…1個
やまのいも…100g
わかめ（生）…30g
甘酢…適量

作り方
1. 柿とやまのいもは皮をむき千切りにする。生わかめは食べやすい大きさに切り、熱湯をサッとかける。
2. 器に1を盛り、甘酢をかける。

なし 梨 *Japanese pears* 果物 果

独特の食感とみずみずしさを味わう

なしがもつ、ほどよい甘みとみずみずしい味わい、シャキシャキした食感は、秋にふさわしい感じがします。低カロリーなので、食後のデザートにうれしい果実です。

たっぷり含まれる果糖やリンゴ酸、クエン酸には疲労回復効果が、糖アルコールの一種で清涼感のある甘さをもつソルビトールには整腸作用があります。ほかにも、たんぱく質分解酵素、プロテアーゼを含んでおり、韓国料理ではすりおろして肉をやわらかくするために利用しています。

Data
- 学名：Pyrus serotina var. culta
- 分類：バラ科ナシ属
- 原産地：日本
- 仏名：Nashi
- 独名：Nashi-Brine

食品成分表（可食部100gあたり）
- エネルギー……38kcal
- 水分……88.0g
- たんぱく質……0.3g
- 脂質……0.1g
- 炭水化物……11.3g
- 灰分……0.3g
- 無機質 カリウム……140mg
  - カルシウム……2mg
  - マグネシウム……5mg
  - リン……11mg
- ビタミン B₁……0.02mg
  - ナイアシン……0.2mg
  - B₆……0.02mg
  - C……3mg
- 食物繊維総量……0.9g

おいしいカレンダー ●おいしい時期
7　8　**9**　**10**　11　12
千葉、茨城、鳥取、福島

石細胞とは
シャリシャリ感のもとになるリグニンとペントザンは、難消化性の食物繊維。腸のぜん動運動をうながし、便通を改善する効果がある。通常、植物の皮部分などに多く含まれ、蓄積してかたくなることにより、外部から身を守る働きをしている。

保存法
日本のなしは追熟をしないので、なるべく早く食べるのがよい。乾燥を避けるためビニール袋に入れ、冷蔵庫の野菜室で1週間。

横に大きく、腰の低い感じのものが甘いとされている。果肉に色むらがなくハリがあるものを選ぼう

食べごろの見分け方
未熟 →→→ 完熟

果皮の表面にざらつきがなくなり、なめらかになってきたら熟してきた証し。青なしの場合は、熟してくると皮色が緑色から黄色みを帯びてくる。皮のハリがなくなってきたら過熟ぎみ。

消化促進に
なし風味焼き肉

材料
- なし…1個
- 牛肉…200g
- 焼き肉のタレ…適量

作り方
1. 皮をむいたなしをすりおろし、市販の焼き肉のタレに加える。
2. 1に肉を漬け込み、味をなじませてから焼く。

水分とエネルギー補給
カリウムを比較的多く含み、体内の塩分を排出するので高血圧予防に。果糖などの糖質とアスパラギン酸はどちらも疲労回復効果があり、食欲が落ちてくる夏場に、水分とエネルギーを補ってくれる。たんぱく質消化酵素を含むので、大根と食べ合わせると相乗効果が得られる。

食べ合わせ
なし + 大根
▶ 消化促進
便秘予防
胃腸障害の改善

なし + うど
▶ 二日酔い防止
ガン予防

186

Japanese pears—なし

品種群

「新高」（にいたか）
ビッグサイズの赤なしで、みずみずしく上品な風味。特に高知産のものは糖度が高い。10月上旬〜11月上旬。

「南水」（なんすい）
大型の赤なしで、果肉はやわらかく甘みが強いのが特徴。日もちするので贈答用にも。9月下旬〜10月上旬。

「豊水」（ほうすい）
やや大きめの赤なしで、生産量も多い。甘みとともに酸味もあり、味のよい品種。日もちもよい。

「幸水」（こうすい）
日本の代表的な赤なし。形はやや扁平。果肉はやわらかく果汁がたっぷりで、甘みが強い品種。

「サンゴールド」
「二十世紀梨」を袋掛けせず栽培したもの。果皮の緑が濃く、甘さも増した品種。

「二十一世紀」
「二十世紀」の改良種で甘みが強くなった。「瑞秋」の名称を変更し「二十一世紀梨」で商標登録。鳥取特産。

「二十世紀」
鳥取のブランドなし。代表的な青なしで、歯ざわりと果汁たっぷりの甘い果肉が特徴。9月上旬〜10月上旬。

「新興」（しんこう）
丸形で大玉の赤なし。果肉はやわらかく多汁で、甘さと酸味のバランスがよい。貯蔵性が高い。10月中旬〜10月下旬。

「にっこり」
「新高」と「豊水」を掛け合わせた新しい赤なし。大玉で多汁、甘みも強く食べごたえがある。晩生種。

「王秋」（おうしゅう）
新潟原産の晩生種。中国なしを親にもつため縦長形が特徴。果肉はやわらかで、ほどよい酸味も。

「新甘泉」（しんかんせん）
鳥取県作出の新品種。赤なしと青なしの掛け合わせ。糖度が高く大玉でみずみずしい。果肉はなめらか。

「秋月」（あきづき）
やや大きめの赤なし。果肉のきめが細かくジューシー。甘みが強く酸味は少ない。

「晩三吉」（おくさんきち）
大玉の赤なし。古くからある晩生品種で、果汁が多くやわらかい。甘さも酸味もやや控えめ。

「新雪」（しんせつ）
1kg以上もある大玉で、甘さと酸味のバランスがよく、シャキシャキとした食感。晩生種。

料理

疲労回復、コレステロール値低下に

なしとエビののり巻き

材料
なし…1/4個
サニーレタス…3枚
芝エビ…100g
のり…適量

タレ
レモン汁…大さじ1
ナンプラー…大さじ1
砂糖…少々
唐辛子（輪切り）…少々

作り方
1. なしは皮と芯を取り、棒状に切る。エビはゆでておく。
2. タレの材料を合わせる。
3. のりに、サニーレタスと1をのせて巻き、2を添える。

果物 **果**
pear

洋なし

ソルビトールがのどの炎症を鎮める

見かけのでこぼこした感じに対して、ジューシーで甘くとろけるような食感が特徴です。日本なしと同じように、水分と食物繊維が多いので便秘改善に効果があり、カリウムも同様に含まれているので、高血圧予防の効果も期待できます。

ビタミン類は多いとはいえませんが、のどの消炎に効果があるソルビトール、疲労回復効果のあるアスパラギン酸、消化を助ける働きがあるプロテアーゼを含んでいます。またポリフェノール類も含むため、ガン予防にも効果を発揮します。

食品成分表(可食部100gあたり)

エネルギー		48kcal
水分		84.9g
たんぱく質		0.3g
炭水化物		14.4g
灰分		0.3g
無機質	カリウム	140mg
	リン	13mg
	鉄	0.1mg
	亜鉛	0.1mg
	銅	0.12mg
	マンガン	0.04mg
ビタミン	B₁	0.02mg
	B₆	0.02mg
	C	3mg
食物繊維総量		1.9g

Data
- 学名：Pyrus communnis
- 分類：バラ科ナシ属
- 原産地：ヨーロッパ
- 仏名：poire
- 独名：Birne
- 別名：西洋なし

おいしいカレンダー ●おいしい時期
9 **10 11 12** 2 3
山形、長野、青森

追熟・保存方法
未熟な場合は紙袋などに入れて、20℃前後の場所で追熟を。長期保存したい場合はビニール袋に入れて冷蔵庫の野菜室へ。ただし追熟が止まるので、食べる前には冷蔵庫から出して追熟を。

品種群

「マルゲリットマリア」
フランス原産の大玉品種。果皮はなめらかで美しく、熟すと芳香が立つ。果肉は緻密で多汁。

「スタークリムソン」
アメリカ原産の濃赤色品種。果肉は白く、甘さとほどよい酸味のバランスがよい。

「ゼネラル・レクラーク」
フランス原産の大玉品種で褐色のはん点が目立つ。香りが強くジューシーで、特に甘みが強い。

「バートレット」
イギリス原産。甘みとほどよい酸味、なめらかな食感が魅力。缶詰用に利用されることも。紅種もある。

「日面紅(ひめんこ)」
ベルギー原産。ジューシーで酸味がなく、シャキッとした食感はりんごにも似ている。

「オーロラ」
アメリカ原産の品種。甘みと酸味のバランスがよく、果肉はやわらか。果皮は褐色化。

軸のまわりを押して、やわらかさを感じれば食べごろ

皮に傷がなく、ツヤがあるもの

「ラ・フランス」
フランス原産。緑色の果皮に褐色のはん点が入る。芳香に加え、濃厚な甘みとねっとりとした食感が特徴。

(中)

疲労回復、整腸作用
洋なしのコンポート

材料
洋なし…2個
砂糖…大さじ4
赤ワイン…2カップ

作り方
1. 洋なしは縦割りにして芯を取り、皮をむく。
2. 鍋で煮立てたワインと砂糖に1を入れて、7〜8分煮たら火を止め、味をしみ込ませる。

のどの渇きと疲労回復に

糖質を多く含むのでエネルギーの補給に。糖アルコールのソルビトールには便通の改善やのどがれの解消、解熱作用のほかに、果実の追熟をうながす役割もある。シャキシャキとした食感は不溶性食物繊維のリグニンやペントザンで、整腸作用があり、大腸ガン予防や美肌効果が期待される。

食べ合わせ

洋なし + 生ハム
▶ **高血圧予防 利尿作用**

洋なし + チーズ
▶ **便秘改善 ガン予防**

pear—洋なし　Chinese quince—かりん　quince—マルメロ

果物　果

かりん
花梨
Chinese quince

せき止めに効く豊かな芳香

民間療法では、せき止めに効くとされていますが、その芳香のもととなる精油成分がせきやたんなど、のどの炎症に効果があります。また胃腸の働きを活発にする作用も。ビタミンCやリンゴ酸、クエン酸、抗酸化作用のあるサポニンやタンニンが含まれ、肝臓の強化や動脈硬化、疲労回復にも効果があります。生だと酸味と渋みが強く、かたいので、加熱してジャムや砂糖漬け、果実酒にします。

食品成分表(可食部100gあたり)
エネルギー		58kcal
水分		80.7g
たんぱく質		0.4g
炭水化物		18.3g
無機質	カリウム	270mg
	カルシウム	12mg
	マグネシウム	12mg
	リン	17mg
	鉄	0.3mg
ビタミン	A β-カロテン当量	140μg
	B₂	0.03mg
	B₆	0.04mg
	C	25mg
食物繊維総量		8.9g

Data
学名：Chaenomeles sinensis
分類：バラ科ボケ属
原産地：中国
別名：木瓜（もっか）、安蘭樹（あんらんじゅ）
おいしい時期：10月～11月

表面にツヤとハリがあり、傷がなく、香りが強いものを選ぼう

乾燥かりん
サッと水で洗って汚れを落としたら、沸騰したお湯で煮出すと、紅茶に似た風味が。さらに弱火で1～2時間ほど煮るとかりんエキスができる。こしてから冷蔵庫で1週間保存可能。

下準備
果皮にはべたつきがあるのでよく洗い、皮つきのまま輪切りに。かりん酒を作る際は、効能があるタネもいっしょに。

マルメロ
quince

かりんと同様せき止めに効用が

中国が原産地のかりんに対し、マルメロはイランやトルコ地方が原産地といわれ、まったく別の果物ですが、形や芳香が強いことなどが似ているため、混同されやすいようです。果皮はかたく強い酸味があり、石細胞も多いため生では食べられません。果実酒や砂糖漬け、はちみつ漬けなどにして味わうと香りが楽しめます。かりん同様、のどの痛みやせき止めにも効果があるとされています。

食品成分表(可食部100gあたり)
エネルギー		48kcal
水分		84.2g
たんぱく質		0.3g
炭水化物		15.1g
無機質	カリウム	160mg
	カルシウム	11mg
	亜鉛	0.2mg
ビタミン	A β-カロテン当量	51μg
	B₁	0.02mg
	B₂	0.02mg
	B₆	0.05mg
	パントテン酸	0.25mg
	C	18mg
食物繊維総量		5.1g

Data
学名：Cydonia oblonga
分類：バラ科マルメロ属
原産地：中央アジア
仏名：cogndsse
独名：Quitte
おいしい時期：10月～11月

表皮にハリとツヤがあり、傷がなく、香りの強いものを選ぼう

若いうちの果皮は緑色で灰白色の軟毛におおわれている。熟すにしたがって皮色は黄変し、毛も落ちる

保存法
未熟のものは室温で管理して追熟を。甘い香りが漂い、芳香剤代わりにもなる。

下準備
表面に軟毛が残っている場合があるので、たわしでこすってよく洗うこと。

マルメロジャム
かりんと違い、包丁でたやすく切れるので、ジャムを作ってみよう。まず皮と芯とタネを煮出して、とろみをつけるペクチン汁を作り、そこへ果肉と砂糖を入れて煮詰めていく。火を止める直前にレモン汁を。

果物　果

アボカド
avocado

血液サラサラ効果の植物油を含む

栄養価が非常に高い果実です。植物とは思えないほど濃厚な味のもとになっている脂質には、コレステロールを減らす働きがあるオレイン酸がたっぷり。ビタミンB1、B2、E、ミネラル、食物繊維も豊富で、高血圧や脳梗塞（のうこうそく）の予防にも効果的です。

アボカドに岩塩をふるだけのシンプルな食べ方なら、ほかの風味にじゃまされず、素材のおいしさを最大限に引き出せます。

どうしても実がかたいときは、加熱すれば甘みとよい味わいが得られます。

食品成分表（可食部100gあたり）

エネルギー		178kcal
水分		71.3g
たんぱく質		2.1g
脂質		17.5g
炭水化物		7.9g
無機質	カリウム	590mg
	リン	52mg
	鉄	0.6mg
ビタミン	B1	0.09mg
	B2	0.20mg
	B6	0.29mg
	葉酸	83μg
	パントテン酸	1.55mg
	C	12mg
食物繊維総量		5.6g

アボカドオイル
アボカドの果肉から抽出した油で、オレイン酸がたっぷり含まれており、食用のみならず美容用としても商品化されている。保湿効果が高く、老化や荒れた肌の改善に効果があるという。

未熟 --------> 完熟

熟度の見分け方
熟すにしたがって皮色は緑から黒へと変化していく。すぐに食べるときは果皮の黒いものを選ぼう。皮が浮いていたら熟しすぎ。果肉が黒ずんでしまうので要注意。

ヘタの部分から熟すので、ここが過度にやわらかいものは酸化していることが多い

皮にツヤとハリ、弾力のあるもの。脂肪分の少ないものはさわると皮が浮くので避けよう

Data
学名：Persea americana
分類：クスノキ科ワニナシ属
原産地：中南米
仏名：avocat
別名：ワニナシ、アバカテ
おいしい時期：周年

保存法
熟したものはビニール袋に入れて、冷蔵庫に2～3日。

(中)

コレステロール値を下げガン予防にも
アボカドディップ

材料
アボカド…1個
トマト…1/2個
たまねぎ…1/4個
コリアンダー…適量
レモン汁…大さじ1
おろしにんにく…小さじ1
塩　こしょう…少々
タバスコ（お好みで）…少々
エキストラバージンオリーブ油…大さじ1

作り方
1. アボカドのタネを取って皮をむき、さいの目切りにしレモン汁をかける。
2. トマト、たまねぎ、コリアンダーをみじんに切る。
3. 1に2と残りの材料を加え、よくまぜる。

ビタミンEでガン・老化予防
コレステロールを減らして血液をサラサラにする不飽和脂肪酸が多く、動脈硬化の予防効果がある。抗酸化作用の強いビタミンEを含んでおり、不飽和脂肪酸が酸化するのを防ぐとともに、ビタミンCやリコピンの吸収を助ける効果も。トマトや葉ものと合わせてサラダにするのも有効。

食べ合わせ

アボカド ＋ りんご ・ レモン
▶ 血中コレステロール値減少

アボカド ＋ アスパラガス
▶ 老化防止　美肌づくり

avocado—アボガド　Japanese apricot—うめ

果物　果

うめ 梅
Japanese apricot

あの酸っぱさが疲労回復に効く

ほかの果物と違い酸っぱさが特徴の梅ですが、主成分のクエン酸などを含む有機酸が疲労物質である乳酸を代謝分解し、筋肉内にたまるのを防いでくれます。このため疲労回復効果が期待できるのです。

また梅の殺菌力は、腐敗防止や食中毒の予防にも役立ちます。

生果はカリウム、ビタミンE、カロテンなどを多く含みますが、未熟果には中毒を起こす有害物質が含まれているおそれがあるため、青梅の生食は避けましょう。

食品成分表（可食部100gあたり）

エネルギー	33kcal
水分	90.4g
たんぱく質	0.7g
脂質	0.5g
炭水化物	7.9g
無機質 カリウム	240mg
鉄	0.6mg
銅	0.05mg
マンガン	0.07mg
ビタミン A β-カロテン当量	240μg
B₁	0.03mg
B₂	0.05mg
B₆	0.06mg
食物繊維総量	2.5g

おいしいカレンダー ●おいしい時期

4　5　**6**　7　8　9

和歌山、群馬

Data
- 学名：Prunus mume
- 分類：バラ科サクラ属
- 原産地：中国
- 仏名：mume
- 独名：japanische Aprikose

そうじにクエン酸
クエン酸はナチュラルなそうじに欠かせない材料として注目されている。水あかや石けんカスといったアルカリ性の汚れを酸性であるクエン酸が中和し、その殺菌効果でばい菌の繁殖スピードを抑えるというわけ。

「梅は三毒を断つ」
ことわざにもあるように、食べ物、血液、水の毒に対して効果があるといわれている。

青梅
梅酒には青いものを、梅干しには黄色い完熟ものを使う。品種は「南高」「白加賀」「節田」などあり。

梅酒には成熟初期のかたい青梅が向いている

果皮があざやかな緑色で傷のないものを選ぼう

梅干しや梅ジャムには完熟して黄色を帯び始めた果実が向いている

保存法
購入後はすぐに利用すること。やむをえない場合は冷暗所で。

下準備
青梅はしばらく水に浸けておき、アク抜きを。水気をよくふき取り、竹串でへた部分を取り除いてから使う。

品種群

小梅
直径が2～3cmの小粒品種。塩漬け後、調味液に漬けたカリカリ梅や梅干しに。「甲州最小」「竜峡小梅」など。

▶ 疲労回復に
梅シロップ

材料
青梅…1kg　氷砂糖…800g～1kg

作り方
1. 梅の実をよく洗い、1時間ほど水に浸けておく。
2. 竹串でへたを取り、水けをよくふき取る。
3. 殺菌消毒したびんに、2の青梅と氷砂糖を交互に入れる。ふたをして、冷暗所で保管。全体がなじむようにびんごと揺するとよい。発酵するので、ときどきふたをゆるめてガスを抜く。
4. 1か月ほどしたら梅を取り出し、こしてから冷蔵庫で保存。

※ 水やお湯、炭酸などで割れば、子どもからお年寄りまでが喜ぶ健康飲料に。調味料としても使える。

食べ合わせ

クエン酸で疲れ知らず
クエン酸にはカルシウムやマグネシウムなどの吸収を助ける働きがあり、これをキレート作用と呼ぶ。イワシを梅干しで煮るのは、この道理。クエン酸には肩や首のこりといった筋肉や神経の疲労回復、食欲増進、利尿効果、さらに殺菌・防臭作用も。梅干しや梅酒にも同様の効果が期待できる。

梅干し ＋ しそ ▶ **血行促進 肥満防止**

梅干し ＋ わさび ▶ **食中毒予防**

果物 果

いちじく
無花果 fig

美容効果たっぷりのフルーツ

上品な甘みとやわらかな酸味が楽しめる、いちじく。たっぷりの果糖とクエン酸が、あの味のもとになっています。ペクチンなどの食物繊維が豊富なので、整腸作用や美容効果が期待できる、女性にうれしいフルーツです。
赤い果実の色は抗酸化物質ポリフェノールの一種、アントシアニンで、ガン抑制効果も期待できます。ちなみに乾燥したものは、生薬としても使われています。

食品成分表(可食部100gあたり)
エネルギー……57kcal
水分……84.6g
たんぱく質……0.6g
炭水化物……14.3g
灰分……0.4g
無機質
　カリウム……170mg
　カルシウム……26mg
　マグネシウム……14mg
　鉄……0.3mg
　亜鉛……0.2mg
　銅……0.06mg
ビタミン
　B₁……0.03mg
　B₂……0.03mg
　B₆……0.07mg
食物繊維総量……1.9g

品種群
「ビオソリエス」
フランス原産。果皮が濃紫色で、やや小ぶりだが甘みが強い。佐渡島でハウス栽培されている。

ふっくらと大きくて、果皮にハリと弾力があり、傷のないもの

全体にえんじ色が回って、おしりが開いているものが完熟

Data
学名：Ficus carica
分類：クワ科イチジク属
原産地：アラビア半島
仏名：figue
別名：蓬莱柿（ほうらいし）、唐柿（とうがき）
おいしい時期：8月〜11月

保存法
日もちしないので早めに食べきること。やむをえない場合はビニール袋に入れ、冷蔵庫の野菜室へ。

ざくろ
石榴 pomegranate

有効成分の働きで美肌づくり

昔から子宝に恵まれる果物といわれるざくろ。注目の成分は女性ホルモンに似た性質をもつエストロゲン様物質で、善玉コレステロールを増やして血液をサラサラにし、更年期障害などにも有効です。しわやくすみ、肌荒れにも効くといわれています。
また、抗酸化作用が赤ワインより強いといわれるエラグ酸も含まれ、メラニン色素の働きを抑制するため美白や健脳効果も期待できます。

食品成分表(可食部100gあたり)
エネルギー……63kcal
水分……83.9g
たんぱく質……0.2g
炭水化物……15.5g
灰分……0.4g
無機質
　カリウム……250mg
　リン……15mg
　鉄……0.1mg
　亜鉛……0.2mg
　銅……0.06mg
　マンガン……0.05mg
ビタミン
　ナイアシン……0.2mg
　B₆……0.04mg
　パントテン酸 0.32mg
　C……10mg

果皮の色が濃く、実が割れていないもの

エラグ酸とは
ポリフェノールの一種で、ラズベリーやいちごにも含まれている。抗酸化作用があり、メラニンの生成を抑制したりシミやたるみを防止したりするなど、アンチエイジング効果が期待されている。

Data
学名：Punica granatum
分類：ザクロ科ザクロ属
原産地：イラン
仏名：grenade
独名：Granatapfel
おいしい時期：9月〜11月

食べ方
花落ち部分を切り、くし形に切ってタネの部分を取り出す。割れているものは手で裂く。まわりのゼリー状の部分よりもタネに効能が多いので、ミキサーにかけてタネごとジュースにするのもおすすめ。

fig—いちじく　pomegranate—ざくろ　loquat—びわ　apricot—あんず

果物 **果**

びわ
枇杷 loquat

ガンを予防する有効成分も

初夏になると青果コーナーに並ぶびわは、季節感を届けてくれる果物のひとつ。カロテンが豊富に含まれるため、高血圧、脳梗塞、心筋梗塞など生活習慣病予防や、ガン予防の効果が期待できます。同じくガン予防の効果が期待されるポリフェノールの一種、クロロゲン酸も含まれています。

また、タンニンやビタミン様物質が含まれるびわの葉は、昔から薬として利用され、せき止めなどに効果的です。

食品成分表（可食部100gあたり）

エネルギー	41kcal
水分	88.6g
たんぱく質	0.3g
炭水化物	10.6g
無機質 カリウム	160mg
カルシウム	13mg
マグネシウム	14mg
亜鉛	0.2mg
マンガン	0.27mg
ビタミン A β-カロテン当量	810μg
B₁	0.02mg
B₂	0.03mg
B₆	0.06mg
食物繊維総量	1.6g

品種群

「唐川びわ」
愛媛県伊予市郊外の唐川地区で生産。甘みが強く、果肉はやわらか。

「茂木びわ」
長崎原産。小ぶりながら甘みが強く、皮をむきやすいのも特徴。

果皮にハリがあり、色があざやかなもの

うぶ毛とブルームといわれる白い粉が残っているものが新鮮

Data
学名：Eriobotrya japonica
分類：バラ科ビワ属
原産地：中国南部
仏名：néflier du Japon
独名：Japanische Mispel
おいしい時期：5月〜6月

保存法
常温で。ただし2〜3日で食べきること。冷やすなら食べる直前に。

あんず
杏 apricot

豊富なカロテンが老化をストップ

カロテンの含有量が多いのが特徴で、果物のなかではトップクラス。特に干したものは果物でもっとも多い量です。体内で強い抗酸化力を発揮し、心筋梗塞や脳梗塞の予防、老化防止に有効です。

またリンゴ酸やクエン酸などの有機酸が多く含まれるため、食欲増進・便秘に効果が期待でき、果肉に含まれるアミノ酸の一種、ギャバは脳のストレスを軽減し、リラックスした状態にしてくれます。

食品成分表（可食部100gあたり）

エネルギー	37kcal
水分	89.8g
たんぱく質	1.0g
脂質	0.3g
炭水化物	8.5g
無機質 カリウム	200mg
リン	15mg
鉄	0.3mg
マンガン	0.21mg
ビタミン A β-カロテン当量	1500μg
B₁	0.02mg
B₂	0.02mg
B₆	0.05mg
食物繊維総量	1.6g

あんず酒
冷え性や虚弱体質改善に効果があるあんず酒。寝る前におちょこ1杯を飲む習慣を。

「杏林」伝説
「昔、中国の名医・董奉（とうほう）は貧しい患者から治療代を受け取らない代わりに、薬効の高い杏の実を植えさせた。やがて、そこには杏の林ができた」との故事があり、以来「杏林」は名医をさす言葉となった。

果皮にハリがあり、ふっくらと丸く、実がしまっているもの

Data
学名：Prunus armeniaca
分類：バラ科サクラ属
原産地：中国
仏名：abricot
独名：Aprikose
別名：唐桃（からもも）
おいしい時期：6月〜7月

保存法
日もちしないので、冷蔵庫の野菜室に入れ、2〜3日で食べきる。

果物 果

カラント
酸塊
currant

ビタミンCやペクチンがたっぷり

カラントはフランス語でカシスといい、レッドカラント、ホワイトカラント、ブラックカラントがあります。共通しているのはビタミンCや食物繊維、カリウムが豊富なこと。ブラックカラントは色素成分のアントシアニンが特に多く含まれ、強力な抗酸化力を発揮します。酸味が強く、生で食べるよりはジャムやジュース、果実酒、ソースなどに。ホワイトカラントは、ぶどうのような甘い香りが特徴です。

レッドカラント
赤フサスグリともいう。タネが大きくやや酸味が強いので、もっぱら加工用。

果実の色があざやかでツヤツヤしているもの

品種群

グーズベリー
西洋スグリ。甘みがあり生食でも美味。実には細かい毛が生えている。

ブラックカラント
黒フサスグリと同じもの。濃紫色で味は濃厚。かすかな苦みをもつ。

Data
学名：Ribes spp.
分類：ユキノシタ科スグリ属
原産地：ヨーロッパ
和名：房すぐり
仏名：groseille
独名：Johannisbeere
おいしい時期：6月〜7月

🗄 保存法
密閉容器に入れ、冷蔵庫の野菜室で保存。2〜3日で食べきること。

アセロラ
acerola

ビタミンCの宝庫

さくらんぼに似た赤い果実のアセロラは、レモンの10倍以上、一説には17倍ともいわれるビタミンCを含んでいます。コラーゲンの生成を助けたりメラニン色素の生成を抑えたりする効果はもとより、免疫力強化や抗ガン作用などの効果も期待できます。ビタミンCは喫煙や飲酒、運動やストレスにより消耗されるので、心あたりのある人は積極的に食べましょう。

食品成分表
(酸味種 可食部 100g あたり)

エネルギー		36kcal
水分		89.9g
たんぱく質		0.7g
炭水化物		9.0g
無機質	カリウム	130mg
	カルシウム	11mg
	リン	18mg
	鉄	0.5mg
	銅	0.31mg
🔴 ビタミン	A β-カロテン当量	370μg
	B_1	0.03mg
	B_2	0.04mg
🔴	C	**1700mg**
食物繊維総量		1.9g

Data
学名：Malpighia glabra
分類：キントラノオ科マルピギーア属
原産地：熱帯アメリカ
別名：ウエストインディアンチェリー、バルバドスチェリー
おいしい時期：5月〜10月

🌸 有効な食べ合わせ
アセロラジュースに赤ピーマンを加えてミキサーにかけると、美肌効果たっぷりの赤いジュースに。また乾燥プルーンをアセロラジュースにひたしておくと、疲労回復作用があるおつまみになる。

少量ずつ食べよう
ビタミンCは必要量しか体内に吸収されないので、食後などに少しずつ食べるのがおすすめ。

🗄 保存法
密閉容器に入れ、冷蔵庫の野菜室で保存する。3〜4日をめどに食べきること。

currant—カラント　acerola—アセロラ　chocolate vine—あけび　rambutan—ランブータン

果物 **果**

あけび
木通
chocolate vine

スタミナをつける果実

割れた紫色の果実に入っている白い部分を食べます。疲れを取り、スタミナをつける果物として人気です。また乾燥した果実は、腎炎や脳卒中の予防薬として効果があるとされています。

つるの部分にはアケビンという成分が含まれ、漢方では天日で乾かしたものを木通といい、利尿、鎮痛効果がある薬として用いられています。紫色の果皮も、油炒めや天ぷらなどにして食べられます。

食品成分表（可食部100gあたり）
エネルギー	89kcal
水分	77.1g
たんぱく質	0.5g
炭水化物	22.0g
無機質　カリウム	95mg
マグネシウム	14mg
リン	22mg
鉄	0.3mg
マンガン	0.15mg
ビタミン　B₁	0.07mg
B₂	0.03mg
B₆	0.08mg
葉酸	30μg
C	65mg
食物繊維総量	1.1g

割れた実が白色から半透明に変わってきたら食べごろ

栽培された実は、鮮度を保つため割れていない状態で出荷される。果皮が美しい紫色のものがよい

名前の由来
熟すと実が割れて開くため「開け実」が語源ともいわれている。

皮も食べよう
中身を食べてしまった皮はよく洗い、かたい部分を取ってから細きくざむ。油で炒め、しんなりしたらみそとみりんで味をつける。好みで肉を入れても。

Data
学名：Akebia quinata
分類：アケビ科アケビ属
原産地：日本、中国
別名：通草（つうそう）、アケビカズラ、アクビ
おいしい時期：10月

保存法
冷蔵庫の野菜室で。熟したものは日もちしないので早めに。皮を傷つけないようていねいに扱う。

ランブータン
rambutan

紫外線から肌を守る

産地である東南アジアでは人気の果物で、名前の由来はマレー語の「毛」を意味する"rambut"からきています。赤いいがぐり状の果皮の下にはジューシーで甘酸っぱく、さわやかな香気の果肉が隠されています。

栄養分は、骨や歯を丈夫にするカルシウムや、紫外線による肌のダメージを最小限に抑えるビタミンCがたっぷり。疲れやすい人の栄養補給にもぴったりです。

保存法
冷蔵庫の野菜室で。日もちしないので早めに食べきること。

油脂に富んだタネ
タネにはオレイン酸が多く含まれ、化粧品や石けんの原料などになっている。またランブータンの根や樹皮、葉は医薬品や染料として利用されており、まさに無駄なし。

果実の色があざやか、毛がしなやかで弾力があるもの

毛が黒くなったものは鮮度が落ちているので避けたほうがよい

Data
学名：Nephelium lappaceum
分類：ムクロジ科ランブータン属
原産地：マレー半島
別名：トゲレイシ
おいしい時期：生果が出回るのは6月〜9月

果物 **果**

キワノ
horned melon

豊富な食物繊維が整腸に効果的

黄色い果皮にゴツゴツしたトゲがユニークなキワノは、ウリ科の果物。果肉はあざやかな緑色のゼラチン質で、黒い粒状のタネがぎっしり詰まっています。甘みの少ないさっぱりした味わいと、プルンとした食感が特徴です。カリウムや亜鉛などのミネラル分が豊富なので、高血圧予防などにおすすめ。また、豊富な食物繊維は腸内をきれいにして、便秘の悩みを解消してくれます。

食品成分表(可食部100gあたり)

エネルギー		41kcal
水分		89.2g
たんぱく質		1.5g
脂質		0.9g
炭水化物		8.0g
灰分		0.4g
無機質	カリウム	170mg
	マグネシウム	34mg
	リン	42mg
	鉄	0.4mg
	亜鉛	0.4mg
	マンガン	0.13mg
ビタミン	B₁	0.03mg
	B₆	0.04mg
食物繊維総量		2.6g

甘みを補う
「トゲメロン」という英語名もあるように、切ってみるとまさしくメロンの仲間。タピオカに似た食感と、ライムに似たさわやかな酸味が特徴で、つるりとした口あたりを楽しむフルーツ。はちみつをかけたりアイスクリームを添えたりして、甘みを加えるとより美味。

果皮に傷やしわがなく、トゲが折れていないもの

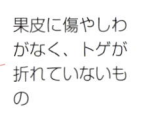

保存法
常温で2週間〜1か月。トゲを折らないよう注意。

Data
学名：Cucumis metuliferus
分類：ウリ科キュウリ属
原産地：熱帯アフリカ
別名：角苦瓜（つのにがうり）、つのメロン
おいしい時期：輸入 周年

ドリアン
durian

味わいばかりか栄養価も濃厚な果物の王様

ねっとり、とろけるような甘い果肉は魅惑の味わいです。特有の強い香りがあり、好き嫌いが分かれるところです。栄養価はとても高く、マグネシウムやリン、銅など、体の機能をすこやかに保つために必要なミネラル類が豊富に含まれています。ビタミンB群の含有量が非常に多く、疲労回復、皮膚や爪などの再生に効果を発揮します。

食品成分表(可食部100gあたり)

エネルギー		140kcal
水分		66.4g
たんぱく質		2.3g
脂質		3.3g
炭水化物		27.1g
無機質	カリウム	510mg
	マグネシウム	27mg
	リン	36mg
ビタミン	B₁	0.33mg
	B₂	0.20mg
	ナイアシン	1.4mg
	B₆	0.25mg
	葉酸	150μg
	C	31mg
食物繊維総量		2.1g

保存法
未熟果は室温で追熟を。完熟したものやカットされたものは冷蔵庫の野菜室へ。においが漏れないよう密閉できるジッパーつきビニール袋などを使うとよい。果肉だけを食べやすい大きさにカットし、冷凍保存しておくのも。

トゲが均一で、おしりの部分の香りが強くなっているものが完熟。虫食いの穴がないかもチェック

危険な食べ合わせ
ドリアンとアルコールの食べ合わせで死亡例があるとの報告がある。その原因は科学的に解明されていないが、危うきものには近寄らずで、この食べ合わせは避けておこう。

Data
学名：Durio zibethinus
分類：パンヤ科ドリアン属
原産地：マレー半島、ボルネオ島
おいしい時期：輸入 周年

horned melon—キワノ　durian—ドリアン　litchi—ライチ　mangosteen—マンゴスチン

果物 果

ライチ
荔枝　litchi

楊貴妃が愛した美容効果満点フルーツ

中国の代表的な果実で、楊貴妃が美しさの源としてこよなく愛したことで有名です。直径4～5cmの果実はかたい皮におおわれていますが、むくと半透明の白色で、とてもなめらかなみずみずしい果肉があらわれます。甘みが強く高貴な香りがあり、食後のデザートにぴったり。ビタミンCが豊富に含まれ、美肌づくりの効果が期待できます。

食品成分表（可食部100gあたり）

エネルギー		61kcal
水分		82.1g
たんぱく質		1.0g
炭水化物		16.4g
無機質	カリウム	170mg
	マグネシウム	13mg
	リン	22mg
	鉄	0.2mg
	銅	0.14mg
ビタミン	B₂	0.06mg
	ナイアシン	1.0mg
	B₆	0.09mg
	葉酸	100μg
	C	36mg
食物繊維総量		0.9g

果皮の色が鮮紅色のものが新鮮

Data
学名：Litchi chinensis
分類：ムクロジ科レイシ属
原産地：中国南部
仏名：litchi
別名：レイシ
おいしい時期：6月～7月

旬は初夏から
冷凍ものが周年出回るが、旬は初夏～7月。まず台湾や中国産のものが出始め、少し遅れてアメリカ産、そして7月には沖縄や鹿児島で栽培された国産品がわずかに流通する。鮮度の高いものは果皮が紅色で、時間が経つにつれ褐色に変化する。

マンゴスチン
mangosteen

とろける甘みの世界三大美果

上品な甘みとジューシーな果肉は果物の女王と呼ばれるにふさわしく、マンゴーやチェリモヤとともに世界三大美果としても知られています。その味わいの甘美さに比べ、栄養的にはそれほど特徴がなく、ビタミンB群やマンガンがやや多めに含まれています。ただ果皮には、強い抗酸化作用をもつポリフェノールの一種であるキサントンが豊富に含まれ、サプリメントなどに利用されています。

食品成分表（可食部100gあたり）

エネルギー		71kcal
水分		81.5g
たんぱく質		0.6g
脂質		0.2g
炭水化物		17.5g
無機質	カリウム	100mg
	マグネシウム	18mg
	亜鉛	0.2mg
	マンガン	0.35mg
ビタミン	B₁	0.11mg
	B₂	0.03mg
	ナイアシン	0.5mg
	B₆	0.04mg
	パントテン酸	0.33mg
食物繊維総量		1.4g

Data
学名：Garcinia mangostana
分類：オトギリソウ科フクギ属
原産地：マレー半島、スンダ列島
仏名：mangouste
おいしい時期：輸入6月～8月

保存法
しめらせたキッチンペーパーで包み、ビニール袋に入れてから冷蔵庫の野菜室で。日もちしないので3～4日以内には食べること。

話題のマンゴスチン石けん
ポリフェノールの一種キサントンを多く含む果皮を使った石けんが、美白効果が高いと評判に。タイみやげの定番になっている。

食べ方
果実を横にグルッと1周切り込みを入れ、上下をねじるようにすると皮がきれいにはずれる。

果皮に水分があり、さわってみてほどよい弾力のあるもの

197

ピタヤ
pitaya

ミネラルとビタミン豊富なヘルシーフルーツ

果皮が竜のうろこのように見えるため、別名をドラゴンフルーツともいいます。見かけによらず果肉はやわらかく、酸味の少ないさっぱりとした甘さが楽しめます。

カルシウム、リン、鉄などのミネラル類が豊富なので、貧血予防にも最適。コレステロール値や血糖値を下げ、免疫効果を高めるビタミンB_1、B_2、B_6なども含んでいます。

Data
- 学名：Hylocereus undatus
- 分類：サボテン科ヒモサボテン属
- 原産地：メキシコ
- 中名：火龍果
- 別名：ドラゴンフルーツ
- おいしい時期：6月〜11月

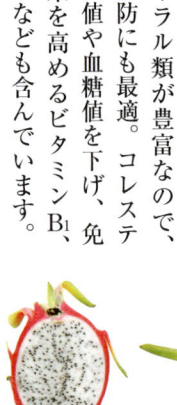

食品成分表（可食部100gあたり）
エネルギー		52kcal
水分		85.7g
たんぱく質		1.4g
炭水化物		11.8g
灰分		0.8g
無機質	カリウム	350mg
	カルシウム	6mg
	マグネシウム	41mg
	リン	29mg
	鉄	0.3mg
ビタミン	B_1	0.08mg
	B_2	0.06mg
	B_6	0.05mg
	C	7mg
食物繊維総量		1.9g

保存法
ビニール袋に入れ、冷蔵庫の野菜室で。できるだけ早く食べること。

つぼみも食用
ほのかな甘みとともにオクラに似た粘りがあり、香りも高い。生食のほか、酢の物、炒め物、天ぷらでも楽しめる。

白肉種 / 赤肉種

うろこ状の果皮にハリがあり、しなびていないもの

ガン抑制効果も期待
レッドピタヤの赤い果肉にはベタシアニンというポリフェノールの一種が含まれ、強い抗酸化作用により、ガン抑制効果があるといわれている。

スターフルーツ
star fruit

料理やデザートの彩りにぴったり

輪切りにした断面が星形に見えることから、このように呼ばれています。黄色い果肉はジューシーで、ほんのり甘くサクサクとした食感。甘みの強い甘み種と、酸味の強い酸味種があり、甘み種は生食に向き、酸味種はピクルスやジャム、砂糖漬けなどに向いています。

また、サラダやデザートの彩りに使うと華やかさをプラスしてくれます。

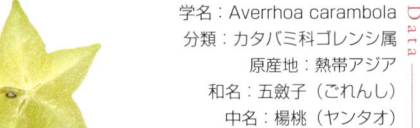

Data
- 学名：Averrhoa carambola
- 分類：カタバミ科ゴレンシ属
- 原産地：熱帯アジア
- 和名：五斂子（ごれんし）
- 中名：楊桃（ヤンタオ）
- おいしい時期：9月〜2月

食品成分表（可食部100gあたり）
エネルギー		30kcal
水分		91.4g
たんぱく質		0.7g
炭水化物		7.5g
無機質	カリウム	140mg
	マグネシウム	9mg
	リン	10mg
	鉄	0.2mg
ビタミン	A β-カロテン当量	74μg
	B_1	0.03mg
	B_2	0.02mg
	B_6	0.02mg
	C	12mg
食物繊維総量		1.8g

保存法
緑色で未熟なものは室温で追熟させ、黄色く完熟したら冷蔵庫の野菜室へ。1か月ほどもつ。

ひと手間かけて楽しむ
さわやかな食味とともに、ほのかに感じる苦みは星の先端部分にあるので、面取りをするように切り取るとよい。薄くスライスしたものを砂糖漬けにしたり、ピクルスにしたりしておくと重宝する。

しわやはん点があるものは避けること

すぐ食べるときは果皮が黄色く熟したものを選ぶほうがよい

果皮にハリとツヤがあり、重みがあるもの

pitaya—ピタヤ　star fruit—スターフルーツ　passionfruit—パッションフルーツ　papaya—パパイヤ

果物　果

パッションフルーツ
passionfruit

妊婦のビタミン、葉酸がたっぷり

甘酸っぱい香りが食欲を刺激するパッションフルーツは、栄養価の高さも魅力。豊富なカロテンは、老化防止や免疫力の強化などの効果が期待できます。高血圧予防に効くカリウムや、糖質や脂質の代謝に必要なナイアシン、毛髪の健康や精神の安定に効果があるビタミンB6も多く含まれています。特に注目したいのは、妊娠初期に必要な葉酸で、その含有量は果物のなかでも多いほうです。

食品成分表（果汁100gあたり）
エネルギー		67kcal
水分		82.0g
たんぱく質		0.8g
炭水化物		16.2g
灰分		0.6g
無機質	カリウム	280mg
	マグネシウム	15mg
	鉄	0.6mg
	銅	0.80mg
ビタミン	A β-カロテン当量	1100μg
	B2	0.09mg
	ナイアシン	1.9mg
	葉酸	86μg
	C	16mg

おいしい食べ方
よく冷やした果実を半分に切り、中身をタネごとスプーンですくって食べるほか、果汁に砂糖と水を加えてミキサーにかけ、こすと、きれいなジュースができる。これをゼリーにするのもおすすめ。たくさん手に入ったら果実酒に。

果皮にしわがよってきたら熟した証拠

果皮にへこみや傷がなく、さわやかな芳香のあるもの

Data
学名：Passiflora edulis
分類：トケイソウ科トケイソウ属
原産地：南米
和名：果物時計草（くだものとけいそう）
おいしい時期：6月〜8月

保存法
未熟なものは室温で追熟させ、完熟したら冷蔵庫の野菜室へ。

パパイヤ
papaya

健康によい栄養素がたっぷり

豊かな芳香となめらかな食感、酸味の少ない甘みが人気で、栄養価も魅力がいっぱい。抗酸化物質である3栄養素、ビタミンCとE、カロテンが豊富に含まれ、脳梗塞や心筋梗塞の予防に効果的です。妊婦や貧血ぎみの人に必要な「血を作るビタミン」である葉酸も多く含まれています。青パパイヤにはたんぱく質分解酵素であるパインが含まれ、肉の消化促進に役立ってくれます。

食品成分表（完熟 可食部100gあたり）
エネルギー		33kcal
水分		89.2g
たんぱく質		0.5g
炭水化物		9.5g
無機質	カリウム	210mg
	マグネシウム	26mg
	鉄	0.2mg
ビタミン	A β-カロテン当量	480μg
	E	0.3mg
	B1	0.02mg
	B2	0.04mg
	パントテン酸	0.42mg
	C	50mg
食物繊維総量		2.2g

保存法
未熟果は室温で追熟を。完熟したものは食べる前に冷蔵庫で冷やして。

解毒効果ナンバーワン
最新の研究で、パパイヤにはイソチオシアネートという解毒酵素が含まれ、肝臓が有害物質を無毒化する機能をサポートしてくれることがわかっている。この解毒効果は、果物のなかでいちばん高いとされている。

ツヤがあり重みのあるもの。しわのあるものは古い

果皮が黄色くなり芳香がしてきたら完熟

Data
学名：Carica papaya
分類：パパイヤ科パパイヤ属
原産地：熱帯アメリカ
別名：木瓜（もっか）、乳瓜（チチウリ）
おいしい時期：
国産 5月〜8月
輸入 周年

食べ方
縦に割り、タネの部分をはずしてから、スプーンでくりぬいて食べる。レモン汁をしぼると、クセのある香りが消えて食べやすくなる。

果物 果

チェリモヤ
cherimoya

栄養価の高い世界三大美果

マンゴー、マンゴスチンとともに世界三大美果といわれ「森のアイスクリーム」とも呼ばれています。白いクリーム状の果肉は糖度20以上と甘く、かすかな酸味と上品な香りがあり、リッチな味わいを楽しませてくれます。

栄養価がとても高く、血行をよくする働きがあるナイアシンを始めビタミンやミネラル類が豊富で、たんぱく質、食物繊維などもバランスよく含んでいます。

食品成分表(可食部100gあたり)

エネルギー		82kcal
水分		78.1g
たんぱく質		1.3g
脂質		0.3g
炭水化物		19.8g
無機質	ナトリウム	8mg
	カリウム	230mg
	鉄	0.2mg
ビタミン	B1	0.09mg
	B2	0.09mg
	B6	0.23mg
	ナイアシン	0.7mg
	葉酸	90μg
	C	34mg
食物繊維総量		2.2g

果実の形がふっくらとしてハリのあるもの

Data
学名:Anona cherimola
分類:バンレイシ科バンレイシ属
原産地:ペルー、エクアドル
別名:セリモリアアノナ
おいしい時期:国産 9月~11月
　　　　　　　輸入 12月~5月

保存法
未熟果は室温(20℃前後)で追熟を。ただし気温が8℃以下でも30℃以上でも生育障害が起こるので注意が必要。皮が茶色になり完熟したものは、食べる前に冷蔵庫で冷やし、2~3日で食べきること。

食べ方
縦に割り、さらにそれを半分に切って、芯やタネを除き、メロンのようにスプーンですくって食べる。

ココヤシ
coconut palm

健康に役立つ豊富なミネラル

実のかたい核のなかにある未熟胚乳のココナッツジュースや、白くかたまった胚乳を食べます。ココナッツジュースは低カロリーで、カリウムがたっぷり。胚乳は飽和脂肪酸などの脂質が多く含まれています。

貧血の予防に効果がある鉄や、銅、疲労回復、高血圧予防効果が期待できるマンガン、骨や歯を強化するマグネシウムなど、健康を保つために必要なミネラル類が豊富です。

果実に重みのあるものがよい

Data
学名:Cocos nucifera
分類:ヤシ科ココヤシ属
原産地:メラネシア(有力説)
仏名:coco
別名:ココナッツ
おいしい時期:周年

利用部位
トロトロの胚乳は熟すにつれ厚く、またかたくなり、ジュース(果水)は減っていく。完熟果の胚乳から採れるココナッツミルクはカレーやデザートなどに使われ、胚乳を乾燥させたコプラからはココナッツオイルが採れる。コプラを砕いて粉状にしたココナッツパウダーは菓子の材料に。

皮と殻
分厚い皮に包まれており、この繊維からはロープやマット、たわしなどが作られる。内側のかたい殻は容器などに細工され利用されている。食用にされるのは、その内部。

200

cherimoya—チェリモア　coconut palm—ココヤシ　tamarillo—タマリロ　miracle fruit—ミラクルフルーツ

果物 果

タマリロ
tamarillo

味も香りもトマト似のフルーツ

ツリートマトという英名がついているタマリロは、5〜7cmほどの卵形をした果実。肉質、風味ともにトマトに似て、かすかな甘みと酸味があります。甘みが物足りないときは、砂糖をかけると食べやすくなります。

活性酸素を除去し、美容効果もあるビタミンCや、貧血予防に役立つ鉄分が多く含まれています。トマトのように、サラダやカレーなどの煮込み料理にも使えます。

Data
- 学名：Cyphomandra betacea
- 分類：ナス科キフォマンドラ属
- 原産地：ペルー
- 別名：ツリートマト、コダチトマト
- おいしい時期：8月〜11月

食べ方
トロトロ部分は酸味が強いので、砂糖を加えてから、ヨーグルトのトッピングやアイスクリームのソースに。皮は湯につけてやわらかくしてから、きざんでジャムにしたり、ケーキに焼き込んだりすると美しい色も楽しめる。

- 少ししわがよっているくらいのものが甘い
- かたいものは追熟してから食べるとよい
- 深紅色で弾力のあるものを選ぼう

下準備
皮が気になる場合は、トマトのように湯むきしてもよい。

ミラクルフルーツ
miracle fruit

酸味を甘みにチェンジする不思議フルーツ

西アフリカ原産の小さな赤い果物で、白い果肉にはミラクリンというたんぱく質が含まれています。ミラクルフルーツを食べたあと、レモンなどの酸っぱいものや苦みのあるものを食べると、このミラクリンが舌の味を感じる味蕾（みらい）に作用し、甘く感じるようにします。効果の持続時間は個人差がありますが約1〜2時間といわれています。

糖分を制限されている人には特におすすめのフルーツ。

Data
- 学名：sysepalum dulcificum
- 分類：アカテツ科フルクリコ属
- 原産地：西アフリカ
- 別名：ミラクルベリー
- おいしい時期：7月〜10月

保存法
たくさん手に入ったら冷凍保存が便利。

食べ方
皮をむき、実とタネを分けるようにして、舌の上をまんべんなく転がす。かむと苦みが出てしまうので、口のなかで長く楽しもう。

- 赤く熟したものがよい

名称のさくいん

あ

アーティチョーク……129
アールス（メロン）……182
アイコ（山菜）……182
「アイコ」（トマト）……13
アイスプラント……123
「アイベリー」（いちご）……173
青梅……191
青首大根……56
青しそ……191
青くわい……74
青なす……31
青みず（山菜）……83
「赤アールス」（メロン）……182
赤うり……34
赤大葉高菜……103
赤オクラ……26
赤茎ほうれん草……99
赤じそ……145
赤大根……57
赤なす……31
赤ねぎ……46・107
赤ピーマン……16
あかみず……82
あかもみたけ……91
赤ラディッシュ（スプラウト）……133
アカワケギ……161
秋ウコン……75
「あきしまささげ」……23
「秋月」（なし）……187
「秋映」（りんご）……165
あけび……195
あさつき……107
あしたば……115
あずき菜……83
アスパラガス……126
アスパラソバージュ……126
アセロラ……194
「愛宕」（かき）……185
アップルミント……151
「温海かぶ」……46
アナスタシア（パプリカ）……17
アピオス……74

い

「アヒ・チーノ」（とうがらし）……21
「アヒ・リモ」（とうがらし）……21
アフリカキャベツ……95
「阿房宮」（食用菊）……134
アボカド……190
「あまおう」（いちご）……173
「あまどころ」（山菜）……86
あまどころ（山菜）……86
甘シャキトラさん味えのき……86
「甘辛」（ピーマン）……16
「あまどころ」……83
「アメーラルビンズ」（トマト）……13
アメリカンチェリー……171
アルファルファ……133
「アルプス乙女」（りんご）……165
あんず……193
あんたけ……91
「アンデス」（メロン）……182
「安納いも」……71
いたどり（山菜）……83
「石川早生」（さといも）……67
イタリアンパセリ……149
イタリアントマト……172
いちご……192
いちじく……15
いちょういも……65
糸三つ葉……114
伊予緋かぶ……139
いもがら……67
「いやふど」（じゃがいも）……67
「いよかん」……169
「インカのめざめ」（じゃがいも）……69
「インカのひとみ」（じゃがいも）……69
「インド」（マンゴー）……183
「烏播」（さといも）……53
ヴェローナ……117
ウコン……75
「打木赤皮甘栗」（かぼちゃ）……19・48
ウッディーコーン……36
うど……78
うめ……191
うるい……81
「雲仙こぶ高菜」……103
A菜……159
エイコーンスカッシュ（かぼちゃ）……19

え

エゴマ……145
エシャロット……37
えだまめ……64
エディブルフラワー……135
江戸野菜……47
えのきたけ……86
「エバーグリーン」（トマト）……15
「えびいも」（さといも）……49・67
エリンギ……89
エルバステラ……137
「エンダイブ」……118
黄金桃……174
「黄寿」（もも）……15
「黄桃」……187
「王林」（りんご）……165
「王秋」（なし）……187
「大石プラム」……175
「大浦ごぼう」……62
「大阪四十日大根」……57
「大黒しろな」……159
「大蔵大根」……57
大型山東菜……53
大長人参……105
大葉春菊……188
「オータムポエム」……104
「オーロラ」（洋なし）……170
「小笠原レモン」……170
おかひじき……122
おかのり……120
「沖田なす」……31
沖縄きゅうり……29
沖縄野菜……51
「晩三吉」（なし）……187
晩生種京菜……108
オクラ……26
「おでん大根」……57
鬼柚子……170
オパールバジル……138
オレガノ……152
「オレンジ」（はくさい）……98
「オレンジバナナ」（トマト）……15
「オレンジブーケ」（カリフラワー）……125
「女山三月大根」……53

か

甲斐路（ぶどう）……177
カイラン……159
貝割れ大根……133
「加賀太」（きゅうり）……29
加賀野菜……48
「加賀百万石ジャンボしいたけ」……130
加賀れんこん……48・63
「金沢一本太ねぎ」……48・59
「金町こかぶ」……47
カクタスリーフ……85
「かぐらなんばん」（とうがらし）……21
「かきのきだけ」……90
かき……184
かき（かき）……48・63
「かたくり」……82
「かつお菜」（高菜）……103
「賀茂なす」……31・49
カモミール……157
カラーいんげん……23
からしな……102
かぶ……58
「かぶとりなめこ」……87
かぼす……170
かぼちゃ……18
「亀戸大根」……57
「花螺李」（すもも）……175
ガランガル……160
カランツ……194
カリフォルニア（マンゴー）……183
カリフラワー……125
かりん……189
「かんきつ類」……168
「カンパリ」（トマト）……13
「かんぴょういんげん」……23
キウイフルーツ……180
黄かぶ……59
きくいも……72
菊の葉……134
きくらげ……90
黄小玉（すいか）……181
きしめじ……91
「キタアカリ」（じゃがいも）……69
韓国唐辛子……21
「観音ねぎ」……107
「河内大根」……57
「河内晩柑」……169

「キタムラサキ」(じゃがいも)……69
黄にら……109
黄ニンジン……138
キャベツ……94
キャベンディッシュ(バナナ)……166
「キャロットトマト」……15
きゅうり……28
京いも……81
京にんにく
行者にんにく……67
京野菜……177
金針菜……48
金時草……159
「金時人参」
金時豆(さやいんげん)……23
ぎんなん……41
「銀寄」(くり)……182
「金美」(にんじん)……42
「クインシー」(メロン)……60
くうしんさい
空心菜スプラウト……111
グーズベリー……194
茎ブロッコリー……124
茎レタス
「グッピー」(トマト)……15
クランベリー……179
グラパラリーフ……123
「グリーンボール」(キャベツ)……95
グリーンピース……25
「グリーンゼブラ」(トマト)……13
「グリーンカール」(レタス)……97
「グリーン」(トマト)……13
くり……42
くりたけ……91
くりふうせんたけ……91
くるみ
「クレセント」(ピーマン)……169
「グレープフルーツ」……16
クレソン……116

「春坪かぶ」……59
「黒皮かぼちゃ」……19
「黒皮栗」(かぼちゃ)
こまつな……100
コリアンダー……112
コリンキー(かぼちゃ)……19
「ゴルビー」(ぶどう)……177
「五郎島金時」(さつまいも)
「五郎島さつまいも」(さつまいも)……71
こんにゃく……76
ごぼう……62
ごま……46
「小真木大根」……43
シークァーサー……170
しいたけ……85
しかくまめ……39・51
「鹿ヶ谷かぼちゃ」……19・49
「四川」(きゅうり)
「シシリアンルージュ」(トマト)……22
「シナノピッコロ」(りんご)……13
「シナノドルチェ」(りんご)……165
「シナノスイート」(りんご)……165
「シナノゴールド」(りんご)……165
「品川大長かぶ」……47
「支那青大根」……57
しどけ……83
しそ……145
しめじ
「島らっきょう」……51
島にんじん……174
島唐辛子……21
島津青子……35
しまうり……65
自然薯(やまのいも)……138
「シナモンバジル」
「清水白桃」……51
「下仁田」……106
じゃがいも……68
「ジャガキッズレッド」……87
「ジャンボなめこ」
ジャンボピーマン……69
シュガーローフ……139
「十六ささげ」……23
「秀峰」(もも)……174
「十全」(なす)……31
しゅんぎく……105
じゅんさい……120
しょうが……144
しょうげんじ(きのこ)
「聖護院大根」……49・59
「聖護院かぶ」……49
食用たんぽぽ……134
食用菊……122
「ジョナゴールド」(りんご)……165
シルバー系(とうもろこし)……36

「春坪かぶ」
「黒皮かぼちゃ」……19
「黒皮栗」(かぼちゃ)
黒キャベツ……95
黒ごま……19
黒大根……57・43
黒ビー……89
黒丸大根……138
黒トリュフ
くわい……74
ケール(キャベツ)……95
「ケルシー」(すもも)……103
結球高菜
毛馬きゅうり……175
「剣崎なんば」(とうがらし)……21
源助大根……48
「源八もの」(つまもの)……50
「紅玉」(りんご)……165
桜島大根
さくらレモン……57
さくらんぼ……170
ざくろ……171
さけつばたけ……192
「さちのか」(いちご)……91
札幌大球(キャベツ)……173
さつまいも……53
さといも……66
ささげ
「幸水」(なし)……187
甲州百目(かき)……185
紅芯大根……158
紅菜苔……95
高原キャベツ
「香緑」(キウイフルーツ)……180
ゴールドキウイフルーツ……180
ゴールドチリ(とうがらし)……21
コールラビ……129
コーレーグース……148
コーンサラダ……119
「国分人参」……53
「黄金千貫」(さつまいも)……71
こくみラウンド(トマト)……15
こけもも(クランベリー)……179
こごみ(山菜)……81
ココヤシ……200
こしあぶら(山菜)……82
「越津ねぎ」……107
コスモス……135
コスレタス
「後関晩生」(こまつな)……47
小たまねぎ……61
小たけ
小なす……107
小ねぎ
コプリーヌ(きのこ)……90

サンチュ(レタス)……97
サンふじ(りんご)……164
ごぼう……158
ごま……46
「西条」(かき)……185
「さがほのか」(いちご)……173
佐久殿様ねぎ……107
「佐藤錦」(さくらんぼ)……171
サトー豆……161
「サニーレタス」……97
サボイキャベツ……95
さやいんげん……23
さやえんどう……24
サラダ三つ葉……114
サラダ菜……97
サラダたまねぎ
サラダクレソン……116
サラダかぶ……59
サラダほうれん草……99
サルシフィ(ごぼう)……62・136
さるのこしかけ……91
サワーチェリー……171
沢わさび
「サンゴールド」(なし)……143
さんごはりたけ……91
さんごやまぶしたけ……187
さんしょう……147

「白」(きゅうり)……29
「次郎」(かき)……185
白うり……35
「白皮栗」(かぼちゃ)……19
白ゴーヤ……32
白ごま……43
白トリュフ……89
白なす……31
白まいたけ……86
白プラム……175
「新甘泉」(なし)……187
「新興」(なし)……187
新雪……144
「シンシア」(じゃがいも)……69
ジンジャーミント……151
「シンジョウ」(すもも)……175
新しょうが……144
「新雪」……86
新たまねぎ……61
「しんとり菜」……13
「シンディスイート」(トマト)……187
スイートバジル……150
スイートマジョラム……156
ずいきいも……181
すいか……181
「スウィーティー」……169
「スーパースプラウト」……133
「スーパー・理想」(ごぼう)……62
「宿儺」(かぼちゃ)……19
すだち……170
「スターフルーツ」……188
スタールビー(じゃがいも)……69
スタークリムソン(洋なし)……198
「スティックテイスト」(なす)……31
「スティードロー」……136
ストリードーロ……136
ズッキーニ……27
「スチューベン」(ぶどう)……177
スナップエンドウ……24
スナップドラゴン(食用花)……135
スプラウト……133
スペアミント……151
すもも……175
「ぜいたくトマト」……15
セージ……153
「世界一」(りんご)……165
「雪白体菜」……101
「せとか」……168

「ゼネラル・レクラーク」(洋なし)……188
ゼブラなす……31
「種子島紫芋」……156
セボリー……156
せり……118
「セルバチコ」ロケットサラダ……67
「セレベス」(さといも)……116
セロリアック……77
セロリー……128
ぜんまい……135
せんにちこう(食用花)……135
仙台雪菜……101
仙台曲がりねぎ……107
「千寿ねぎ」……47
「千秋」(りんご)……50
「泉州水なす」……165
「早秋」(かき)……185
ぜんまい……135
そば(スプラウト)……19
そうめんかぼちゃ……133
そらまめ……38
ソルダム(すもも)……175

た

タアサイ……115
タイ(マンゴー)……183
ダイアンサス(食用花)……135
だいこん……56
「太秋」(かき)……185
「大将錦」(さくらんぼ)……171
たいだい……170
タイなす……31・161
ダイナマイトスイカ……181
大名たけのこ……127
タイム……153
田いも……67
台湾豆苗……159
台湾バナナ……166
「高砂」(さくらんぼ)……171
たかな……103
高山きゅうり……29
高山真菜……101
滝野川ごぼう……47
たけのこ……53
たけのこ白菜……127
たけのこキャベツ……95
「だだちゃ豆」……37・46
「田中とうがらし」……21

「田辺大根」……50
「十勝こがね」(じゃがいも)……15
とき色ひらたけ……90
徳谷トマト……15
「土佐紅」(さつまいも)……71
「土垂」(さといも)……173
「とちおとめ」(いちご)……67
「とちおとめ」(いちご)……67
「どっきゅうり」……29
トマトベリー……135
トレビス……117
「刀根早生」(かき)……185
「とんがりピーマン」……16
とんぶり……44
「トマト」……12
「トマトベリー」……13
「とよひめ」(いちご)……173
ドリアン……196
「トリュフ」……89
「トレニア」……135
タマリロ……201
たまねぎ……61
たもぎだけ……90
「たらのめ」……79
タルティーボ……137
ダンディライオン……137
「男爵」(じゃがいも)……69
「ちぢみ小松菜」……100
ちぢみほうれん草……99
「ちば丸」(さといも)……67
チコリー……117
チェリモヤ……200
チーマデラパ……138
丹波黒大豆(えだまめ)……37
丹波しめじ……87
チャイブ……156
チャイニーズキー……160
チャービル……155
ちゃやじゅたけ……90
チョロギ……159
朝鮮人参……76
チンゲンサイ……110
つがる(りんご)……165
茶豆(えだまめ)……37
つくし……81
つくねいも……65
つけな類……101
つまもの……148
つまみな……133
つるな……119
つるむらさき……114
「津田かぶ」……59
ディル……154
「テーブルクイーン」(かぼちゃ)……19
デコポン(不知火)……169
デラウェア(ぶどう)……177
「伝燈寺さといも」……67
「天王寺かぶ」……50・59
とうがらし……20
唐川びわ……193
とうみょう……132
とうがん……193
とうもろこし……36

な

ナーベラー……51
「ナイアガラ」(ぶどう)……177
長いも……65
「長崎赤かぶ」……59
「長崎はくさい」……98
「中島菜」……48
なし……31
なす……186
ナスタチウム……135
ナタマメ……39
「夏花火」(すいか)……181
夏みかん……169
なつめ……45
なばな……50
なにわ野菜……104
なめらかゴーヤ……32
なめらかゴーヤ……32
なめらかゴーヤ……32
なめこ……87
生にんにく……53
生こしょう……160
ならたけ……91
「鳴沢菜」……101
「鳴門金時」(さつまいも)……71
「南水」(なし)……187
南洋さんしょう……147
「新高」(なし)……187
にがうり……32

は

「二十世紀」(なし)……187
「西村早生」(かき)……185
「三十一世紀」(なし)……187
「にたきこま」(トマト)……13
「にっこり」(なし)……187
「女峰」(いちご)……173
にら……109
にんじん……185
「にんにく」(スプラウト)……133
にんにく……142
にんにくの芽……142
「練馬大根」……47
のかんぞう(山菜)……83
「野沢菜」……101
能登野菜……48
のびる……82

ねぎ……177
「ネオ・マスカット」(ぶどう)……177
「ネーブル」……168
「ネパレーゼベル」(とうがらし)……174
ネクタリン(もも)……106
根深ねぎ……107
根曲がり竹……127
根三つ葉……114

日本ハッカ……151
「バースニップ」……73
「バートレット」(洋なし)……188
「パープルスイートロード」(さつまいも)……71
「バイオレットクイーン」(カリフラワー)……36
バイカラーコーン……125
「バイシャブー」……161
「パイナップル」……167
パイナップルミント……151
「博多蕾菜」……151
葉からしな(からしな)……102
はくさい……90
はくおうだけ……102
パクチー……161
パクチーファン……161
パクチーラオ……161
パクチームン……161
「パクタモルン」……161
「白鳳」(もも)……174
「パクチョイ」……159

はぐらうり……35
はくれいだけ……90
葉しょうが……144
バジル……150
ハスいも……67
「バターナッツ」(かぼちゃ)……19
パセリ……149
「パセリエス」(いちじく)……192
「はたけしめじ」……91
畑わさび……143
葉たで(つまもの)……148
葉たまねぎ……61
八丈オクラ……26
パッカード……161
「パッションフルーツ」……169
はったけ……91
「はっさく」……173
「初恋の香り」(いちご)……173
発芽ひよこ豆(スプラウト)……133
「花御所」(かき)……185
「花御所」(かき)……185
「花ズッキーニ」……27
「花たちなす」……31
「ばってんなす」……29
花にら……109
はなびらたけ……166
はなめ……90
花わさび……29
花丸きゅうり……39
葉にんにく……143
「ハニーバンタム」……36
「ハネデュー」(メロン)……182
パパイヤ……17
パパヤ……51
「ハバネロ」(とうがらし)……21
パプリカ……199
はまぼうふう(つまもの)……148
はやとうり……34
「ハラペーニョ」……21
春ウコン……75
春キャベツ……95
「ハンサムグリーン」(レタス)……97
半白(きゅうり)……107
万能ねぎ……169
「晩白柚」……73・139

ピーマン……16
「ピオーネ」(ぶどう)……177
「ビオソリエス」(ぶどう)……177
「プラムリー」(りんご)……165
「フリソダム」(きゅうり)……192
ピタヤ……198
「飛騨紅かぶ」……59
ひし……45
「ビッコラカナリア」(トマト)……13
「ピッコラルージュ」(トマト)……13
「ひのしずく」(いちご)……173
ひまわり(スプラウト)……133
「ヒムロット」(ぶどう)……177
「日面紅」……19
「日向紅」(洋なし)……188
「日向夏」……169
ひゆ菜……159
ひょうたん……35
ひらたけ……91
「平核無」(かき)……185
「広島菜」……101
びわ……193
ひろっこ(ねぎ)……107
「ファースト」(トマト)……15
フィサリス……44
フィリピン(マンゴー)……183
「ブーケレタス」……97
フェンネル……155
ふき……78
ふきのとう……79
「福耳」(とうがらし)……21
「ふじ」(りんご)……165
「藤沢かぶ」……46
ふじまめ……39
「伏見甘長」(とうがらし)……22、49
「二塚からしな」……102
ふだんそう……121
プチにんにく……142
「プチベール」(キャベツ)……95
「プッチィーニ」(かぼちゃ)……19
筆柿(かき)……185
「富有」(かき)……185
ぶなはりたけ……91
ぶどう……176
冬キャベツ……95
「ブラック」(トマト)……15
ブラックカラント……194
ブラックベリー……179

ブラックマッペ……131
ブラッドオレンジ……168
「ブリゼグリン」……139
「フリーダム」(きゅうり)……29
「フリーキューヌ」……161
フリルレタス……21・161
「フルーツイエロー」(トマト)……13
「フルーツゴールド」(トマト)……13
「フルーツルビー」(トマト)……13
フルーティーにんにく……142
ブルーベリー……178
プルピエ……121
プルーン……175
フルーレンスタラゴン……156
フローレンスフェンネル……155
ブロッコリー……124
ブロッコリースプラウト……133
プンタレラ……136
「文旦」……169
「ベイズリー」……31
米なす……31
ぺカン(くるみ)……41
「ぺチカ」(いちご)……173
「ベトナムオレンジ」……168
ベビーキウイフルーツ……180
ペパーミント……151
「ベニアズマ」(さつまいも)……71
「紅小玉」(すいか)……181
「紅さやか」(さくらんぼ)……171
紅総太り大根……57
「紅ほっぺ」(いちご)……173
「ベニアズマ」(とうがらし)……21
ペポ(かぼちゃ)……19
「豊水」(なし)……187
ほおびたけ……90
ほうれんそう……120
「ホースラディッシュ」……72
「ホームラン」(メロン)……182
ホーリーバジル……160
「ボゴールパイン」……167
干し菊……134
穂じそ……145
「北海こがね」(じゃがいも)……69
「坊ちゃん」(かぼちゃ)……19
ポップコーン(とうもろこし)……36

ま

- 「堀川ごぼう」……49
- ホワイト（アスパラガス）……126
- ホワイトセロリー……128
- ホワイトミニ（アスパラガス）……126
- 本あわびたけ……90
- 「ぽんかん」……169
- ほんな（山菜）……83
- 本ひらたけ……90
- 「マーブル」（メロン）……182
- 「マイクロミニ」（トマト）……15
- まいたけ……86
- まくわうり……34
- マコモタケ……47
- 「馬込三寸人参」……158
- 「マスタードグリーン」……102
- 「マチルダ」（じゃがいも）……69
- まだけ（からしな）……127
- 松きのこ……90
- マッシュルーム……88
- まつたけ……88
- 「愛娘」（さつまいも）……71
- 「マニキュアフィンガー」（ぶどう）……177
- 豆もやし……131
- 丸オクラ……26
- 「マルゲリットマリア」（洋なし）……188
- マルメロ……189
- 「万願寺唐辛子」……22
- マンゴー……183
- マンゴスチン……197
- 「三浦大根」……57
- 「未希ライフ」（りんご）……165
- 「美娘オレンジ」……168
- 水いも……67
- みずな……108
- 「水なす」……31
- みつば……114
- みつばあけび……83
- 「ミニQ」（きゅうり）……29
- 「ミニ」（はくさい）……98
- 「ミニ」（にがうり）……32
- ミニチンゲンサイ……110
- ミニトマト……13
- ミニにんじん……60
- ミニパプリカ……137
- ミニビエトラミックス……139
- ミニフェンネル……139
- みねごし……146
- 「壬生菜」……107
- 「宮ねぎ」……49・108
- みょうが……146
- 「味来」（とうもろこし）……36
- ミラクルフルーツ……201
- ミラノかぶ……137
- 「民田なす」……46
- ミント……151
- むかご……65
- むきたけ……91
- 「陸奥」（りんご）……165
- 紫キャベツ……95
- むらさきしめじ……91
- 紫にんじん……60
- 紫ブロッコリー……124
- 紫芽……145
- 「女池菜」……101
- 「メイヤーレモン」……170
- 「メークイン」（じゃがいも）……69
- 芽キャベツ……59
- 芽かぶ……53・95
- 芽じそ……50
- 芽たで（つまもの）……148
- 芽ねぎ……107
- 「メロゴールド」……169
- メロン……182
- 「もういっこ」（いちご）……173
- 孟宗竹（たけのこ）……127
- 「もってのほか」（食用菊）……134
- もも……174
- 「モコヴェール」（レタス）……29
- もぎりきゅうり……193
- 「茂木びわ」……59
- 最上かぶ……51
- モーウィ……127
- 「桃太郎」（トマト）……13
- 「桃太郎ゴールド」（トマト）……13
- もやし……131
- モラード（バナナ）……166
- 「守口大根」……57

や

- ヤーコン……75
- 「やぐらねぎ」……53
- 「八ツ頭」（さといも）……67
- 「八幡いも」（さといも）……67
- 谷中しょうが……47
- 山あわび……90
- 山うど……78
- 「大和早生」（さといも）……101
- 「大和真菜」……46
- 「大和三尺きゅうり」……53
- 山形青菜……46
- 山形野菜……46・99
- 山形赤根ほうれん草……46
- やまのいも（やまいも）……65
- 山ごぼう……62・46
- 山ぶどう……177
- 「やよいひめ」（いちご）……173
- ゆうがお（とうがん）……34
- ゆきのした……159
- 油菜心……159
- 「ゆめのか」（いちご）……173
- ゆず……170
- ゆりね……77
- 洋かぶ……59
- 「万木ねぎ」……188
- 「横野」（かき）……185
- よめな……83
- よもぎ……83・147

ら

- ライチ……197
- ライム……170
- 羅漢果……159
- ラズベリー……178
- らっかせい……40
- らっきょう……64
- ラディッキョ……137
- ラディッシュ……57
- 「ラ・フランス」（洋なし）……195
- ランブータン……188
- 「リアスカラシナ」……102
- リーキ（ねぎ）……107
- 「利平」（くり）……42
- リム……170
- りんご……164
- 緑豆もやし……131
- ルタバガ（かぶ）……59
- ルバーブ……130
- 「レインボーレッド」（キウイフルーツ）……180
- レタス……96
- 「レッドアンディーブ」……117
- 「レッドカラント」……194
- レッドキャベツ（スプラウト）……133
- 「レッドグローブ」（ぶどう）……177
- 「レッドマスタード」（からしな）……102
- 「レッドムーン」（じゃがいも）……69
- 「レディサラダ」（だいこん）……57
- 「レディフィンガー」（ぶどう）……177
- れんこん……63
- レモン……170
- レモングラス……152
- レモンバーベナ……154・161
- レモンバーム……157
- ローリエ……157
- ロケットサラダ……116
- 「ロザリオビアンコ」……177
- ローゼル……51
- ローズ……135
- ローズマリー……152
- 「ロマネスコ」（カリフラワー）……125
- ロロロッサ……138

わ / ん

- わけぎ（ねぎ）……107
- わさび……143
- 「わさび菜」……102
- わらび……80
- ンジャナ……51

参考文献

『草土花図鑑シリーズ4　花図鑑野菜＋果物』草土出版
『三訂 食品成分表』女子栄養大学出版部
『四訂 食品成分表』女子栄養大学出版部
『五訂増補 食品成分表』女子栄養大学出版部
『園芸植物大事典』小学館
『栄養の基本がわかる図解事典』成美堂出版
『ハーブ大全』小学館
『ハーブ図鑑110』日本ヴォーグ社
『体をいやす野菜の事典』グラフ社
『最新 体にいい栄養と食べもの事典』主婦の友社
『キッチンに一冊食べものくすり箱』講談社＋α文庫
『よく効く野菜くだもの療法』家の光協会
『薬膳素材辞典』源草社
『都道府県別地方野菜大全』農文協
『どこかの畑の片すみで』山形大学出版会
『加賀野菜それぞれの物語』橋本確文堂

※食品成分値は文部科学省科学技術・学術審議会資源調査分科会報告「日本食品標準成分表（七訂）」によるものです。食品成分値を複製または転載する場合は事前に文部科学省への許可申請もしくは届出が必要となる場合があります。
文部科学省科学技術・学術政策局政策課資源室連絡先
E-mail：kagseis@mext.go.jp

ホームページ

農林水産省統計情報　http://www.maff.go.jp/j/tokei/
果物情報サイト　果物ナビ　http://www.kudamononavi.com/
独立行政法人国立健康・栄養研究所　http://www.nih.go.jp/eiken/
食品成分データベース（文部科学省）　http://fooddb.mext.go.jp/
独立行政法人農畜産業振興機構　https://www.alic.go.jp/
社団法人農林水産技術情報協会（現 公益財団法人農林水産・食品技術振興会）　https://www.jataff.jp/
らでぃっしゅぼーや　http://www.radishbo-ya.co.jp/
医学・健康情報サイト　J-medical　http://www.j-medical.net/

協 力

RHSJキッチンガーデンクラブ	八江農芸（株）
朝日工業（株）	有限会社マルダイ大塚好雄商店
「今彩」熊谷加津雄	横浜植木（株）
薄井青果（株）	らでぃっしゅぼーや（株）
NPO法人野菜と文化のフォーラム「野菜の学校」	渡辺農事（株）
片倉楽農倶楽部	青木幸子
（株）神田育種農場	麻生勝夫
（株）兼常コーポレーション 中務秀志	石倉悦子
（株）渡辺採種場	石本真子
京昌コーポレーション	大内結美
Ｇｅｎｋｉ－Ｄｉｎｉｎｇ八百屋（下北沢店）	小元久江
財団法人大阪市農業センター	小池洋男
JAながの 北部営農センター	小島信江
タキイ種苗（株）	武井映子
「天ぷら さわき」西尾正美	堀江敦子
長野県果樹試験場	真木千絵
ナチュラル・ハーベスト有限会社	古山たかし
日光種苗（株）	山本謙治
日本デルモンテ（株）	由比 進（独立行政法人農研機構 東北農業研究センター）
パイオニアエコサイエンス（株）	代情悠子

監修者

白鳥早奈英　しらとり さなえ

栄養学博士、心療カウンセラー、健康運動指導士。青葉学園短期大学食物栄養科、日本女子大学食物科卒業後、東京農業大学栄養科、アメリカ・ジョージア州立大学栄養科で学ぶ。エモリー大学講師、バークレー科学大学大学院客員教授。1982年、日本で初めて栄養学的な面から「食べ合わせ」を提唱。新聞や雑誌での執筆のかたわら、テレビのコメンテーターとしても活躍。著書は70冊に及ぶ。「食塾」主宰。

監修者

板木利隆　いたぎ としたか

農学博士。神奈川県園芸試験場長、同農業総合研究所所長、JA全農技術主管を経て、板木技術士事務所所長。JA全農や（社）日本施設園芸協会、（財）日本園芸生産研究所、日本生物環境工学会等、多くの団体や学会の委員・顧問を務めるかたわら、講義や執筆活動を精力的におこなっている。
〈著書〉
『家庭菜園大百科』『はじめての野菜づくり 12か月』（家の光協会）、『ぜひ知っておきたい 昔の野菜 今の野菜』（幸書房）ほか多数

クリエイティブディレクション　石倉ヒロユキ
編集・執筆協力　真木文絵、有竹緑、阿久津恵美
デザイン　日野洋平、小池佳代、武井糸子（regia）
写真　石倉ヒロユキ、本田犬友
DTP協力　天龍社

もっとからだにおいしい 野菜の便利帳

監修者　白鳥早奈英
　　　　板木利隆
発行者　高橋秀雄
発行所　株式会社 高橋書店
　　　　〒170-6014 東京都豊島区東池袋3-1-1 サンシャイン60 14階
　　　　電話　03-5957-7103

ISBN978-4-471-03383-5　©regia　Printed in Japan

定価はカバーに表示してあります。
本書および本書の付属物の内容を許可なく転載することを禁じます。また、本書および付属物の無断複写（コピー、スキャン、デジタル化等）、複製物の譲渡および配信は著作権法上での例外を除き禁止されています。

本書の内容についてのご質問は「書名、質問事項（ページ、内容）、お客様のご連絡先」を明記のうえ、郵送、FAX、ホームページお問い合わせフォームから小社へお送りください。
回答にはお時間をいただく場合がございます。また、電話によるお問い合わせ、本書の内容を超えたご質問にはお答えできませんので、ご了承ください。本書に関する正誤等の情報は、小社ホームページもご参照ください。

【内容についての問い合わせ先】
　書　面　〒170-6014 東京都豊島区東池袋3-1-1 サンシャイン60 14階　高橋書店編集部
　ＦＡＸ　03-5957-7079
　メール　小社ホームページお問い合わせフォームから　（https://www.takahashishoten.co.jp/）

【不良品についての問い合わせ先】
　ページの順序間違い・抜けなど物理的欠陥がございましたら、電話03-5957-7076へお問い合わせください。
　ただし、古書店等で購入・入手された商品の交換には一切応じられません。